Traduction: Jean-Philippe Tastet
Révision et correction: Agnès St-Laurent, Lise-Anne Laverdière,
  Danielle Blais
Maquette et infographie: Chantal Landry
Couverture: Ann-Sophie Caouette
Photo de couverture: Shutterstock: Sunny studio
Photo de l'auteur: Bren Dendy

ISBN: 978-2-924402-02-3
Dépôt légal – Bibliothèque et Archives Nationales du Québec, 2014
Dépôt légal – Bibliothèque et Archives Canada, 2014

Imprimé au Québec

MATT FRAZIER, ultramarathonien
en collaboration avec MATTHEW RUSCIGNO

Courez mieux courez végé

**Un programme complet pour acquérir
• force • vitesse • endurance**

À Erin.

Ton soutien indéfectible à chaque étape de changement,
juste au moment où tout semblait être en place,
compte plus que tout pour moi.

Dix pour cent de mes droits d'auteur sont versés à des refuges
pour animaux, dont Farm Sanctuary, www.farmsanctuary.org
Merci de votre aide pour mettre un terme aux mauvais
traitements infligés aux animaux.

PRÉFACE

L'intérêt pour le végétalisme ne cesse de grandir et le style de vie qui l'accompagne est de plus en plus populaire. Cependant, les gens sont souvent surpris d'apprendre qu'il convient parfaitement aux personnes qui mènent une vie active, qui pratiquent des activités récréatives ou font du conditionnement physique de haut niveau.

Ils sont encore plus surpris lorsque je leur explique, dans mes livres et lors des conférences que je donne en Amérique du Nord, que j'ai choisi ce régime alimentaire précisément pour ce qu'il m'apporte en tant qu'athlète. Lorsque j'ai pris la décision, à l'école secondaire, de devenir un athlète de fond, j'ai essayé toutes sortes de régimes afin de trouver celui qui m'aiderait à réaliser mon rêve. Au cours de cette période, j'ai découvert que le régime végétalien était celui qui s'avérait le plus efficace pour récupérer rapidement après mes séances d'entraînement et ce, malgré ce que pensaient les entraîneurs et mon entourage. Cette baisse du temps de récupération m'a permis de m'entraîner plus efficacement et plus souvent que mes compétiteurs. C'est ainsi que je suis devenu un triathlète professionnel et que j'ai gagné deux fois l'ultramarathon canadien (50 km).

Les bénéfices d'une diète végé dépassent les seules performances physiques. Le régime alimentaire standard aux États-Unis, constitué en grande partie d'aliments transformés et sans grand apport nutritif, a un impact négatif sur la santé. Le niveau d'obésité, même chez les enfants, y atteint un plafond historique. Il existe cependant une solution simple : adopter un régime alimentaire végé complet et riche en nutriments. Un tel régime peut réduire presque instantanément le niveau de stress, en plus d'améliorer le sommeil et l'humeur générale. À long terme, il a également une incidence marquée sur les facteurs de risque associés aux maladies cardio-vasculaires et à certains cancers, principales causes de décès dans notre société.

D'un point de vue environnemental, consommer des aliments d'origine végétale plutôt qu'animale s'avère plus logique. En effet, la production de légumes se fait sur une plus petite surface agricole, nécessite moins d'eau et d'énergies fossiles tout en émettant moins de CO_2. Nous pouvons ainsi obtenir des produits riches en micronutriments en dépensant moins de ressources naturelles pour les cultiver. De plus, quelle que soit votre opinion sur le fait d'élever des animaux pour les manger, il est difficile d'accepter la façon dont ces animaux sont traités, surtout dans le cas de l'élevage extensif où le profit prime sur toute autre chose.

Manger végé a donc un impact important sur maints aspects de notre vie. Mais malgré les réels avantages de cette option, la plupart des gens considèrent encore qu'il s'agit d'un mode de vie draconien auquel ils n'envisagent pas de se plier.

No Meat Athlete est un mouvement qui regroupe un grand nombre de personnes actives et passionnées. Vous les avez peut-être déjà aperçues, arborant leur t-shirt avec une carotte qui court. Sur son site internet, Matt Frazier donne des informations sur l'alimentation végé et sur l'entraînement à la course sur des distances extrêmes que la plupart des gens ne voudraient même pas parcourir en voiture. Il partage ces renseignements de manière si conviviale que les lecteurs, encouragés et énergisés, en viennent à penser : « Je suis sûr que je pourrais y arriver ». En matière de santé et d'exercice physique, son approche est ouverte, dénuée de jugement ; elle mise sur la simplicité et l'aspect pratique plutôt que sur la perfection absolue.

Les habitudes alimentaires proposées dans ce livre représentent un progrès majeur par rapport à la manière dont la plupart des gens, incluant les personnes actives et prenant soin de leur santé, se nourrissent au quotidien. Il s'agit d'une approche globale qui consiste à apporter des changements importants à votre régime alimentaire et à vos entraînements, changements qui auront un impact durable sur votre qualité de vie et celles des personnes avec qui vous partagez cette planète. Vous aurez la possibilité de les intégrer dans le cadre de votre vie professionnelle et familiale. Il s'agit d'entreprendre ces changements de manière intelligente et délibérée afin de vous assurer de leur permanence.

Je vous félicite d'avoir décidé de faire une différence. Commencez dès maintenant et votre corps vous remerciera très bientôt.

BRENDAN BRAZIER,
auteur du best-seller *Thrive*

INTRODUCTION

Au moment de franchir la ligne des 35 kilomètres, j'ai senti que ça n'allait plus. J'étais déjà passé par là, ce moment où, dans une course, nous réalisons que notre objectif est trop exigeant et que ce n'est pas la bonne journée.

Nous nous accrochons encore un peu, nous donnons tout ce que nous avons pour quelques minutes supplémentaires tout en nous demandant pourquoi le rythme que nous avons soutenu pendant 5, 10 ou 35 kilomètres nous paraît soudain intolérable. Puis, soit parce que notre corps nous lâche, soit parce que l'idée d'échouer nous apparaît moins insupportable que la douleur ressentie dans les jambes à cet instant précis, nous abandonnons. J'en étais là. Je m'accrochais, repoussant l'inévitable pour quelques instants encore.

Peut-être n'étais-je simplement pas à ma place. J'observais autour de moi ces marathoniens sérieux, ces athlètes qui méritaient le titre de coureurs. Je réalisais que je n'en étais pas un. J'étais un gars ordinaire qui, pour une raison quelconque, avait envie de courir. Mais je n'étais pas un véritable coureur.

EN ROUTE POUR LE PLUS CÉLÈBRE MARATHON DU MONDE

Sept ans auparavant, j'avais couru mon premier marathon en compagnie de deux amis du collège. Tous trois sans grande expérience de course, mais en bonne condition physique, nous avions décidé de nous inscrire, nous fixant ainsi un objectif élevé.

Il ne s'agissait pas juste de courir un marathon. Nous allions faire mieux. Nous voulions courir suffisamment vite pour nous qualifier pour le marathon de Boston, la course la plus célèbre et la plus prestigieuse de toutes. Chaque année, au Patriot's Day, un jour férié plus connu à Boston sous le nom de « Marathon Monday », environ 20 000 personnes y participent, encouragées par un demi-million de partisans.

Tout le monde veut courir à Boston, mais seuls certains sont admis à cette épreuve. Afin de limiter le nombre de participants et de faire en sorte que la course conserve son statut de compétition pour coureurs aguerris, la Boston Athletic Association a imposé en 1970 des exigences très strictes de qualification. Le formulaire d'inscription pour l'édition de 1970 du marathon de Boston stipulait : « Ceci n'est pas une course pour joggeurs. » Cette restriction, bien entendu, n'a fait qu'ajouter au prestige de la course, augmentant encore le désir des marathoniens internationaux de porter le titre de « Qualifié pour Boston ». Pour nous trois qui avions moins de 35 ans, cela signifiait que nous devions courir notre marathon en 3 heures, 10 minutes et 59 secondes ou moins — un rythme de 4 minutes et 52 secondes par kilomètre pendant 42 kilomètres et 195 mètres.

Dans un premier temps, nous nous sommes beaucoup entraînés, et la course est devenue notre priorité. Puis il y eut les courbatures, les douleurs, les examens de mi-session et les fêtes au collège.

De façon surprenante, nous nous sommes tout de même rendus à la ligne de départ du marathon de San Diego. L'entraînement n'avait pas été optimal, mais suffisant pour nous laisser croire que nous pourrions le terminer. Et, bien que cette journée ait été l'une des plus douloureuses de notre vie, c'est exactement ce que nous avons fait.

Malheureusement, nous l'avons couru en 4 heures et 53 minutes, c'est-à-dire 100 minutes de plus que le temps de qualification pour Boston. Ce dur rappel de la réalité était sans doute mérité pour nous qui pensions atteindre du

Nous nous sommes beaucoup entraînés, et nous avons fait de la course notre priorité. Puis il y eut les courbatures, les douleurs, les examens de mi-session et les fêtes au collège.

premier coup (rien de moins) l'objectif que de nombreux marathoniens expérimentés manquent.

Mes amis, des gens raisonnables, ont alors abandonné l'idée d'aller à Boston. Nous nous étions trompés et nous devions faire preuve d'humilité. Aujourd'hui, tous deux continuent de se tenir en forme, mais pour autant que je sache, ni l'un ni l'autre n'envisagent de courir un autre marathon. Ils ont tourné la page. Moi, je n'ai pas pu.

Sept ans plus tard, j'y étais revenu. Je me trouvais à seulement six kilomètres, et une demi-heure, d'atteindre mon objectif : me qualifier pour Boston ! Proche du but et à deux doigts de tout laisser tomber, amis, famille, lecteurs. Oui, lecteurs, puisque 500 personnes suivaient mon entraînement sur le blogue consacré à la course et à l'alimentation que j'avais créé six mois auparavant.

MES PREMIERS PAS VÉGÉ

Après le précédent marathon, j'avais commencé à ressentir une certaine frustration. Malgré les améliorations que j'avais apportées à ma course, j'étais encore à 10 minutes du temps de qualification pour Boston. De plus, en forçant trop, je m'étais blessé à un genou quelques semaines après ce même marathon. Pour la centième fois, je me demandais si Boston ferait partie ou non de mes plans.

Cette frustration et cette blessure ont été les éléments déclencheurs de mon passage au végétarisme. Depuis quelques années déjà, je ressentais une inclinaison éthique m'incitant à arrêter de manger de la viande. Mais en tant qu'athlète tentant de se qualifier pour Boston, je n'y avais pas donné suite.

Comme la plupart des gens, je préférais ignorer le fait que de nombreux athlètes de calibre international, spécialement en sports d'endurance, suivent des régimes 100 % végétaliens, c'est-à-dire sans viande, sans produits laitiers et sans œufs. Je me posais donc la même question que tant d'autres : où trouver les protéines et les calories nécessaires pour soutenir un entraînement de 80 à 100 km par semaine sans manger de viande ? Pensant que c'était trop risqué, j'ai commencé par éliminer la viande rouge et la viande de porc. Je me suis ainsi senti plus en accord avec mes choix alimentaires, mais je n'étais pas prêt à changer quoi que ce soit d'autre.

Pourtant, comme je plafonnais à trois heures 20 minutes (notamment après m'être blessé), je commençais à remettre en question mon alimentation et mes programmes d'entraînement. L'approche que j'avais suivie et qui avait longtemps fonctionné ne me permettrait pas d'atteindre mon objectif. Le statu quo n'était donc plus une option.

Je ne voulais rien faire qui puisse me ralentir, mais je commençais à prendre conscience qu'une diète végé excluant les produits d'origine animale, notamment les produits laitiers, aurait des retombées à plus long terme sur ma santé. En la suivant de façon consciencieuse, je pourrais certainement gagner en vitesse.

Et je me suis lancé. J'ai arrêté de manger mes poitrines de poulet préférées et mes burgers de dinde et j'ai éliminé la plupart des produits laitiers. Le poisson demeurait ma seule source de protéines, du moins comme je définissais les « sources de protéines » à l'époque.

Après seulement deux semaines, je me suis rendu compte que le poisson n'était pas nécessaire. Mes sources de protéines pourraient provenir des haricots, des noix, des graines et même des légumes verts. Je me sentais aussi rassasié après un solide et savoureux repas végé qu'après un repas de poisson. J'avais découvert qu'il existait des athlètes végétaliens, comme Brendan Brazier, et j'apprenais d'eux. Je me sentais plus en forme que jamais, et j'avais plus d'énergie que lorsque j'étais enfant.

Petit à petit, j'ai donc éliminé le poisson et, n'ayant jamais été un amateur d'œufs, le fromage est resté la seule source de produit animal dans mon alimentation. Par la suite, j'ai fini par totalement la supprimer.

Pendant ce temps, mon genou blessé guérissait, je continuais à penser à Boston et je décrivais avec enthousiasme mon nouveau régime alimentaire sur mon blogue.

Environ un mois plus tard, j'ai participé à une course que je n'oublierai jamais. Il s'agissait de la première longue distance depuis que le médecin m'avait autorisé à reprendre l'entraînement. Je n'avais pas de grandes attentes.

Je trouvais bizarre d'être capable de m'entraîner aussi fort qu'avant et de récupérer aussi facilement.

Il s'agissait d'un parcours de 19 kilomètres que je pratiquais régulièrement lorsque j'étais en bonne santé. J'espérais ne pas me blesser.

À ma grande surprise, j'ai terminé la course six minutes plus tôt que prévu. Cela peut vous paraître peu, mais sur 19 kilomètres, six minutes signifient 19 secondes par kilomètre. Si je pouvais améliorer de la même façon mon rythme au marathon, ce serait suffisant pour me qualifier pour Boston! Après deux mois d'interruption quasi complète de mes entraînements, se pouvait-il que ce résultat soit dû à ma nouvelle diète?

À partir de ce moment, j'ai eu l'impression de courir en descente tout l'été. J'ai fait mon meilleur demi-marathon, puis mon 5 km le plus rapide. Pendant 16 semaines, j'ai effectué mon meilleur entraînement au marathon, sans blessure, sans stress ni fatigue dus à un rythme excessif. Ne vous méprenez pas, j'ai travaillé très fort, mais je trouvais bizarre d'être capable de m'entraîner aussi fort qu'avant et de récupérer aussi facilement.

Me voilà ainsi revenu au début de cette introduction, pendant cette journée venteuse du mois d'octobre 2009, à Corning dans l'État de New York, alors que j'arrivais au 35e kilomètre du Wineglass Marathon, une demi-heure avant que l'horloge de la course n'indique trois heures et 11 minutes. L'objectif pour lequel j'avais travaillé si fort au cours des sept dernières années était à portée de main. Et je ne pensais pas y parvenir.

Je m'étais senti bien pendant la majeure partie de la course, malgré un vent de face soutenu et un parcours moins plat que ce à quoi je m'attendais. J'avais été en mesure de courir un peu plus vite que la moyenne de 4 minutes et 52 secondes requise par kilomètre pour se qualifier pour Boston. Pendant la première moitié de la course, j'étais sûr de réussir.

Puis sont arrivés les kilomètres 24, 25 et 26. Si vous avez déjà participé à un marathon, vous connaissez certainement cette sensation. Vous remarquez que vous devez fournir un effort supplémentaire pour bouger vos jambes. Vous aimeriez vous convaincre que vous êtes presque arrivés, mais vous réalisez qu'il reste encore 16 kilomètres. La ligne d'arrivée est encore loin.

Rendu au 32e kilomètre, j'ai senti que ça m'échappait. Le 33e kilomètre fut pire. En plus de la perspective d'échouer une nouvelle fois, j'appréhendais le fait d'avoir à annoncer aux lecteurs qui me soutenaient que j'avais abandonné.

Tous les efforts que j'avais consacrés à cette course n'avaient servi à rien. C'est exactement ce que je pensais rendu au 32e kilomètre. J'imaginais un retour à la maison très triste et des semaines à venir particulièrement misérables. L'idée d'abandonner mon blogue ou de ne jamais y mentionner la course me traversa l'esprit.

Au panneau du 35e kilomètre, j'avais terminé les deux kilomètres précédents en 4 minutes 66 secondes, perdant ainsi 40 secondes sur mon objectif de cadence. Rien ne permettait de penser que les choses allaient s'améliorer. Au contraire, elles ne pourraient qu'empirer, comme cela avait été le cas lors des autres marathons auxquels j'avais participé. J'attendais le naufrage.

Le naufrage, cependant, ne se produisit pas. J'eus alors une idée. Si j'arrivais à réaliser trois autres kilomètres à 4 minutes 66 secondes, il me resterait trois kilomètres à franchir à un rythme de quatre minutes 40 secondes pour terminer la course juste en dessous de la barre imposée des 3 heures, 10 minutes et 59 secondes.

Avoir pensé que je serais capable d'accélérer sur les trois derniers kilomètres d'un marathon me dépasse carrément. D'habitude, ma vitesse ralentissait vers la fin. En sachant qu'il me restait seulement trois kilomètres à parcourir et que toutes les souffrances endurées en valaient la peine, j'arriverais peut-être à terminer ma course. Il suffisait que j'investisse le peu de force qu'il me restait et que je me prépare à souffrir pendant les 15 minutes suivantes avant de m'effondrer sur la pelouse.

À ma grande surprise, la première partie de mon plan fonctionna parfaitement. En me parlant intérieurement, en grimaçant de douleur et en avançant avec des mouvements qui ressemblaient davantage à une claudication qu'à de la course, je tins ma moyenne de 4 minutes 66 secondes pour les 39e et 40e kilomètres. Je sautai les points de ravitaillements en eau et ne pris même pas la peine de croiser le regard des bénévoles afin de les remercier. Je souffrais littéralement et j'étais plus concentré que jamais.

En entamant le 41e kilomètre, je me dis à voix haute: « Ça ne peut pas s'arrêter là. » Je n'ai pas l'habitude de me parler ainsi. Quand je vois des personnages de films le faire, cela me fait rire. Qui fait ça dans la vraie vie ? Et pourtant, voilà exactement ce qui s'est passé à ce moment précis. Je ne me disais pas : « Je peux faire plus. Allons-y. » Le message était plutôt de cet ordre : « Pour y arriver, il faut que tu te dépasses. »

Je me suis mis à accélérer et j'ai ressenti une sorte de libération. Si la cadence était trop élevée et que je m'écroulais au dernier kilomètre, ce n'était plus grave puisque je ne parviendrais pas à me qualifier si je n'accélérais pas. En d'autres termes, je n'avais plus rien à perdre.

J'ai couru une partie du 41e kilomètre face au vent. Au moment où je pensais avoir surmonté cette nouvelle épreuve et alors que le vent faiblissait, j'ai vu en levant les yeux qu'il y avait une côte à franchir. Sans y prêter attention, j'ai continué à courir, presque avec insouciance et, en atteignant le poteau indicateur du kilomètre franchi, j'ai jeté un coup d'œil à mon chronomètre pour découvrir avec joie qu'il indiquait 4 minutes 35 secondes.

Nous étions enfin arrivés au 42e kilomètre. Si je pouvais réitérer le temps du kilomètre précédent, c'était dans la poche. L'enthousiasme ressenti m'a permis d'accélérer la cadence. Je ne garde pratiquement aucun souvenir de cette dernière ligne droite, sinon que je regardais mon chronomètre et que j'étais surpris que le temps passe si vite. Je savais que je courais assez vite. Lorsque j'ai aperçu le poteau indicateur du 42e kilomètre, mon chronomètre m'a confirmé que j'allais réussir.

J'ai franchi les derniers 200 mètres en sprintant sur un pont entre deux rangées de spectateurs jusqu'à la ligne d'arrivée. Parmi les encouragements, j'ai entendu quelqu'un crier : « Cours vite ! » et découvert plus tard qu'il s'agissait d'Erin, mon épouse. J'ai terminé la course en moins de trois heures dix, soit une minute de moins que le temps de qualification maximal. J'ai cru un moment avoir échoué, car mon chronomètre indiquait 3:11:04, mais mon temps officiel était en fait 3:09:59. Une fois la ligne d'arrivée franchie, j'ai titubé dans un état second pendant qu'on m'accrochait une médaille autour du cou et qu'on me mettait une couverture Mylar sur les épaules.

La première personne que j'aperçus fut Erin. Elle s'est élancée vers moi et m'a enlacé en criant : « Tu as réussi Matt ! Tu t'es qualifié pour Boston ! »

Je lui ai répondu « J'ai réussi », et mes yeux se sont remplis de larmes comme ils l'avaient fait des dizaines ou des centaines de fois quand j'imaginais ce moment au cours des sept dernières années. J'avais mérité de participer au plus prestigieux marathon au monde.

QU'EST-CE QU'UN RÉGIME VÉGÉ ?

Plusieurs facteurs ont une influence sur l'entraînement et je ne pourrais pas jurer que mon changement de régime alimentaire est la seule raison de la baisse de 10 minutes de mon temps au marathon. Je peux cependant affirmer deux choses hors de tout doute :

➤ Après avoir éliminé de mon régime alimentaire la viande et la plupart des produits laitiers, j'ai perdu 2,25 kg au cours des deux premières semaines. Ma puissance musculaire est demeurée stable si je me fie aux poids que je soulevais au gym. Pour une personne comme moi qui pèse 66 kg, cette différence de 2,25 kg peut faire une différence lors d'une course de 15 ou 30 kilomètres.

➤ Après mes séances d'entraînement, j'étais en mesure de récupérer plus rapidement que jamais. Chaque semaine, j'intercalais trois programmes de course très difficiles avec des courses plus faciles et je faisais deux séances de musculation. Je suis particulièrement impressionné par le fait que je ne me suis pas blessé et que j'ai été en mesure de me plier à ces entraînements alors que j'étais à peine remis de ma précédente blessure.

Ces deux points ont contribué aux progrès remarquables que j'ai réalisés. La perte de poids résultait hors de tout doute de ma nouvelle diète. Avant cela, mon poids s'était toujours maintenu. Peu après, il se stabilisa à peu près à trois kilos de moins que mon poids initial. Il est moins évident d'établir un lien avec les facteurs de guérison étant donné qu'il s'agit d'un élément subjectif. Depuis, chaque fois que j'ai interrogé un athlète de haut niveau qui suivait un régime végé, tous m'ont répondu qu'ils avaient établi un lien entre leur diète, la réduction de leur temps de récupération et une plus faible propension à se blesser.

PLUS FORT, PLUS RAPIDE, PLUS LÉGER

Je crois vraiment qu'une diète végé permet de gagner en force, d'être plus rapide, plus en forme et plus léger. Essayez ! J'ai beaucoup réfléchi à l'impact de mon régime végétarien, puis végétalien, sur ma carrière de coureur. N'étant pas du genre prêcheur, j'essaie d'être aussi objectif que possible.

Après m'être qualifié pour Boston, encouragé par ma nouvelle résistance aux blessures, je me suis inscrit à des ultramarathons. J'ai ainsi participé en un mois à deux courses de 80 km sur piste, ainsi qu'à plusieurs courses de 50 km au cours de la même année. Plus récemment, j'ai terminé ma première course de 160 km, qui consiste en un effort soutenu sans interruption durant 28 heures.

J'en conclus que ma diète végé n'a pas, comme je le croyais au départ, nui à mes performances. Dans la plupart des disciplines sportives, et notamment dans les sports d'endurance, on trouve des athlètes d'élite végétaliens. Ainsi, Scott Jurek est l'un des meilleurs ultramarathoniens de toute l'histoire et détient actuellement le record américain de 266,6 km en 24 heures. Il se distingue en outre par ses performances remarquables en vitesse et en force. Mac Danzig, un champion d'arts martiaux, est tout aussi exceptionnel. Si vous avez déjà regardé une compétition de combat ultime à la télévision, il est inutile de préciser qu'il faut être dans une condition physique extraordinaire pour survivre sur le ring. Mac et bien d'autres athlètes suivent des régimes végétariens ou végétaliens. Et s'ils choisissent ce genre d'alimentation, c'est parce qu'elle leur permet de progresser et de mieux performer.

Cependant, les bénéfices vont bien au-delà de l'amélioration de la condition physique à court terme et des performances sportives. De nombreuses études ont établi un lien direct entre la consommation de protéines animales et les maladies cardio-vasculaires ainsi que certains cancers. En outre, j'ai déjà mentionné que la raison première de mon intérêt envers le végétarisme était que je ressentais un certain malaise à l'idée de manger des animaux. Ce que j'ai appris depuis sur l'élevage en batterie et sur les mauvais traitements infligés aux animaux n'a fait que renforcer mes convictions à ce sujet. Adopter un régime végé a de plus un impact majeur sur l'environnement : diverses études montrent que notre empreinte carbone s'améliore davantage quand on mange végé que lorsqu'on arrête de conduire une voiture.

COMMENT UTILISER CE LIVRE

Ce livre s'adresse à plusieurs types de lecteurs. Il y a les sportifs d'ores et déjà végétariens qui désirent passer à l'étape supérieure, que ce soit en nutrition ou en performance sportive. Il y a les sportifs carnivores que le végétarisme intéresse. Il y a aussi les végétariens et les végétaliens qui souhaitent se mettre en forme et arrêter de consommer de la *malbouffe*. On peut en effet suivre une diète végé et ne pas manger sainement. Enfin, il y a toutes les personnes novices en tout : des sédentaires qui négligent leur alimentation et qui sont prêts à envisager des changements majeurs.

J'ai divisé le livre en deux parties indépendantes que vous pourrez lire dans l'ordre qui vous convient.

La première partie, « Manger végé », traite de l'alimentation et de la façon d'adopter le régime végé progressivement et durablement. J'y aborde le thème des habitudes alimentaires saines, simples et logiques qui ne dépendent pas du compte des calories ou de données chiffrées prêtant à confusion. Je livre des données pratiques concernant l'alimentation, la planification et la préparation de repas savoureux contenant les éléments nutritifs et caloriques nécessaires à un sportif. Enfin, je donne de nombreuses recettes végé, satisfaisantes, délicieuses et saines, incluant des recettes pour faire le plein d'énergie pendant vos séances d'entraînement.

Dans la deuxième partie, « Courir végé », je propose une approche permettant de s'entraîner à la course, de changer ses habitudes et d'augmenter ses chances de réussite. J'aborde ensuite les entraînements plus avancés avec une stratégie végé conçue pour soutenir l'athlète pendant l'effort et la récupération. Enfin, je propose des programmes ciblés pour des 5 km, des 10 km et des demi-marathons.

Pourquoi la course plutôt qu'une autre activité physique ? La course est le meilleur moyen, pour des personnes comme vous et moi, d'accomplir des choses extraordinaires. Courir un marathon de 42,195 km est une chose extraordinaire. Et je considère que presque n'importe qui est capable de courir un marathon à condition d'y consacrer suffisamment de temps et d'efforts pour s'y préparer. On ne peut pas en dire autant, par exemple, du tennis ou du golf. Ces disciplines sportives sont agréables et exigent d'être en bonne condition physique, mais contrairement à la course ou à d'autres sports d'endurance, très peu de personnes sont suffisamment douées pour y exceller. Courir 5 km, un demi-marathon ou un ultramarathon entraîne d'importants changements dans sa vie, pas seulement dans son corps. Courir avec discipline calme l'esprit, augmente la propension au bonheur et donne du sens à la vie.

Avec tout cela en tête, commençons !

La course est le meilleur moyen, pour des personnes comme vous et moi, d'accomplir des choses extraordinaires.

PREMIÈRE PARTIE

Manger végé

CHAPITRE 1
Manger est devenu si compliqué

Tous les supermarchés proposent aujourd'hui des centaines de produits qui n'auraient pu être qualifiés d'alimentaires il y a à peine quelques décennies :

- ➤ Yogourts en tubes
- ➤ Fromages fondus pasteurisés
- ➤ Fromages en boîtes
- ➤ Pepsi Cease Fire conçu, et ce n'est pas une blague, pour éteindre l'incendie allumé dans votre bouche par les croustilles « brûlantes » de Doritos.

L'ensemble de ces produits constitue ce que nous appelons la malbouffe. Pourtant, les progrès technologiques ont aussi mis à notre portée des « aliments santé » que nous trouvons maintenant presque partout et non plus exclusivement dans les magasins spécialisés.

- ➤ Margarine enrichie en oméga 3
- ➤ Pains et laits enrichis de vitamines et minéraux
- ➤ Boissons gazeuses sucrées sans calorie
- ➤ Multivitamines qui fournissent 10 fois l'apport quotidien nécessaire en vitamines et minéraux
- ➤ Substituts de repas à boire conçus en laboratoire et convenant à n'importe quel régime.

La plupart des aliments que nous achetons contiennent tellement d'agents de conservation qu'il est impossible qu'ils moisissent. Avec tous ces aliments de haute technologie, nous pourrions croire que nous sommes en meilleure santé que jamais. Si vous vous rendez dans la section « santé » de n'importe quelle librairie, vous trouverez des centaines de titres vous promettant de résoudre vos problèmes grâce aux dernières et aux meilleures approches en matière de régimes alimentaires. Et pourtant, le taux d'obésité chez les adultes, mais aussi chez les enfants, continue de grimper, augmentant par conséquent les risques de maladies graves, maladies cardiovasculaires, accidents vasculaires cérébraux (AVC), diabète et certains types de cancer. Nous risquons d'être la première génération à ne pas survivre à nos parents.

QUE S'EST-IL PASSÉ ?

S'alimenter a déjà été simple. Il y a quelques millénaires, avant le développement de l'agriculture, nos ancêtres étaient des chasseurs-cueilleurs. Ils mangeaient des noix, des légumes, des racines, des fruits, de la viande lorsque c'était possible et c'était à peu près tout. Aucun agent de conservation n'existait et la façon de garder les aliments n'avait pas encore été découverte. Le prochain repas étant hypothétique, les hommes préhistoriques se dépêchaient de manger ce qu'ils avaient trouvé, avant que les denrées ne pourrissent ou soient volées par un autre homme ou un animal. Ils n'avaient aucune idée de ce qu'étaient les protéines, les graisses ou les glucides et encore moins les antioxydants ou les radicaux libres.

Nos ancêtres disposaient d'un avantage certain : *lorsqu'un aliment avait bon goût, c'est probablement parce qu'il* était bon. En fait, c'est exactement la raison pour laquelle il avait bon goût. Si vous n'avez jamais réfléchi à propos de l'évolution, cela vaut la peine de le faire pour réaliser la beauté de ce processus.

À propos de l'évolution

Selon la théorie de l'évolution, notre organisme s'est développé au cours des derniers millénaires en fonction des aliments disponibles et des conditions environnementales. Sans être trop technique, qu'est-ce que cela signifie ?

Prenons l'exemple d'un enfant allergique aux noix qui aurait vécu dans une région où cet aliment aurait constitué la base de l'alimentation. Cet enfant aurait eu peu de chance d'atteindre l'âge adulte. Il n'aurait donc pas pu transmettre ses gènes et la prédisposition à cette allergie à ses enfants. Un autre enfant capable de se nourrir de noix aurait eu plus de chances de grandir. Il aurait eu une descendance qui elle aussi aurait aimé les noix et aurait ainsi pu vivre une existence heureuse. Il serait mort vieux, moins rapide et aurait été mangé, par exemple, par un tigre.

Au fil du temps, et je parle de nombreux siècles, les gènes permettant de s'adapter aux aliments disponibles se sont également bien transmis aux individus du groupe. Parallèlement, les gènes incapables de s'adapter aux aliments disponibles ont été systématiquement éliminés du bassin génétique. Les individus qui les portaient sont morts avant de pouvoir les transmettre.

Le même principe s'applique aux goûts. Pourquoi les matières grasses et le sucre ont-ils si bon goût? Parce qu'il s'agit de sources extraordinaires d'énergie! À poids égal, les matières grasses contiennent plus de deux fois les calories de tout autre élément nutritif. Le sucre quant à lui se transforme rapidement en énergie. Autrefois, à une époque où le repas suivant était loin d'être acquis, il aurait été fou de ne pas consommer une grande quantité de matières grasses ou de sucre.

La sélection naturelle a donc récompensé les individus qui aimaient le goût des matières grasses et du sucre. Ces individus avaient un avantage sur ceux qui appréciaient davantage le goût de l'écorce d'arbre, pauvre en nutriments, et avaient plus de chances de vivre vieux et d'avoir une descendance. Par conséquent, les gènes du goût pour les matières grasses et le sucre se sont transmis sur des milliers de générations.

Il n'y a rien de fondamentalement mauvais dans les matières grasses et le sucre. Le problème est plutôt le suivant: au cours des millions d'années de notre évolution, les matières grasses et le sucre existaient en quantités relativement rares. De nos jours, il suffit de pousser la porte d'un magasin d'alimentation. Alors qu'autrefois, abattre un bison pour se nourrir de sa chair n'arrivait pas tous les jours, vous pouvez maintenant vous procurer un Big Mac et un Coke au service à l'auto pour quelques dollars. Il était quasiment impossible de consommer trop de matières grasses ou de sucre puisqu'ils étaient disponibles uniquement dans des aliments entiers, et non pas extraits et concentrés comme aujourd'hui. Par exemple, il n'y avait à cette époque aucun moyen d'extraire du sirop à forte teneur en fructose à partir d'un épi de maïs.

Ainsi, pour absorber 30 g de matière grasse, notre ancêtre aurait dû avaler un si gros morceau de viande ou une si grande quantité de noix que son estomac aurait envoyé un signal à son cerveau lui intimant d'arrêter de manger. De nos jours, il suffit de deux cuillerées à soupe d'huile (28 ml) pour absorber la même quantité de matières grasses, quantité qui prend très peu de place dans l'estomac et ne déclenche donc pas de signal du type « Ça suffit, arrête de t'empiffrer. »

Le même principe s'applique au sucre. Lorsque nous absorbons plus de sucre que pour nos besoins immédiats, l'excédent est emmagasiné sous forme de matière grasse. Ceci ne représentait pas un grave problème à l'époque où la seule manière de se procurer du sucre était de manger un fruit. Il suffit de peu de fruits pour être rassasié en raison des fibres qu'ils contiennent. Aujourd'hui, si nous buvons un verre de jus riche en sucre et exempt de fibres, nous absorbons une grande quantité de sucre et nous n'avons pas l'impression d'être rassasiés. Souvenez-vous que nous avons évolué avec des aliments entiers, chaque partie de ces aliments servant notre organisme selon des principes que les scientifiques ne comprennent pas totalement.

Pire encore, nous consommons du sucre dans des sirops ultraconcentrés comme ceux que l'on trouve dans la plupart des boissons gazeuses et dans presque tous les desserts emballés, dans les céréales, le pain, les muffins, les bagels de nos petits-déjeuners, dans les sauces à salade, le ketchup, la sauce barbecue, les sauces pour les pâtes, les compotes de pommes, les yogourts, les soupes, les bretzels, le poulet en morceaux, les boissons énergisantes et, malheureusement, aussi dans nos médicaments. Après ça, comment s'étonner que tant de gens aient des problèmes de poids ?

Pendant des millions d'années, les matières grasses et le sucre étaient des éléments rares. De nos jours, il suffit d'entrer dans un magasin d'alimentation pour s'en procurer.

Des aliments pauvres

Les huiles hautement traitées, les sucres raffinés et les produits laitiers (sur lesquels je reviendrai plus tard) sont, selon moi, les principaux responsables de la mauvaise alimentation de la population américaine. Il y a toutefois d'autres facteurs. Ce livre se proposant de donner des solutions et non de traiter des causes, j'aborderai ces questions dans le seul but d'étayer les recommandations que je fais dans cette première partie.

1. DES ALIMENTS SURTRANSFORMÉS

En dehors des huiles traitées et des sucres raffinés et concentrés, le problème est beaucoup plus vaste. Les céréales sont les aliments raffinés les plus fréquents. Le blé, par exemple, est habituellement « nettoyé » du son riche en fibres et en nutriments qu'il contient, avant d'être moulu et transformé en cette farine blanche qui sert à préparer la plupart des pains, des bagels et des pâtes alimentaires. C'est un peu le même processus que pour le riz blanc qui est brun avant d'être transformé. Les fibres et les nutriments retirés lors de la transformation sont également censés remplir notre estomac, contribuant ainsi à déterminer la quantité d'aliments que nous pouvons absorber. Sans eux, bien entendu, nous ne recevons pas de signal à cet effet.

De nombreux produits alimentaires sont en fait des assemblages de produits qui ont été transformés et auxquels ont été ajoutés divers ingrédients artificiels. Si vous examinez la liste des ingrédients de la plupart des collations et des sodas populaires, vous n'y trouverez rien qui ressemble de près ou de loin à des aliments entiers.

Cette transformation qui élimine les éléments nutritifs ne s'opère pas seulement dans les usines traditionnelles. Souvent, les fruits et les légumes perdent leurs éléments nutritifs avant même de quitter la ferme.

2. DES PRODUITS PAUVRES EN NUTRIMENTS

Autrefois, nous ne pouvions pas manger de tomates en plein hiver. Désormais, nous réussissons à nous procurer presque tous les aliments tout au long de l'année. Ces produits sont expédiés de partout sur la planète, souvent en provenance de fermes monocultures.

Ces tomates que nous achetons l'hiver ont-elles le même goût que celles que nous achetons au petit marché local l'été ? Évidemment, non. Celles qui voyagent en hiver dans les remorques des camions sont généralement roses, pas rouges, et elles manquent autant de goût que de couleur. Elles manquent également de nutriments. Il peut se passer plusieurs semaines entre le moment de leur cueillette et celui où elles arrivent dans nos assiettes. Afin que ces légumes ou ces fruits soient mûrs au moment où vous les mangez, les fermiers doivent les cueillir avant qu'ils mûrissent. Cela signifie qu'ils n'ont pas eu le temps de développer leurs nutriments ni leur goût comme cela aurait été le cas s'ils avaient été cueillis mûrs juste avant d'être consommés.

L'agriculture industrielle est pratiquée de telle façon qu'elle appauvrit au fil du temps le sol de ses nutriments. Bien que les pratiques d'agriculture durable assurent une rotation annuelle des semences et une récolte ou une cueillette qui vise à éviter un tel appauvrissement, la majeure partie de ce que nous achetons dans les magasins d'alimentation n'est pas cultivée de cette façon. Ainsi, au fil des saisons, les fruits et les légumes que nous consommons contiennent de moins en moins de nutriments et de minéraux. Une étude publiée en 2004 par l'*American College of Nutrition* a mesuré le taux de nutriments contenus dans 43 produits alimentaires récoltés. Elle montre que les taux de six nutriments et minéraux, dont les taux de protéines, de fer, de calcium et de potassium, ont considérablement diminué entre 1950 et 1999. Elle conclut que le rendement est responsable de cette baisse de nutriments.

3. DES SOLUTIONS RÉDUCTRICES

Nous croyons souvent qu'il suffit d'ajouter des nutriments ou des vitamines dans les produits alimentaires pour régler le problème. Si nous avons besoin de vitamine E, mettons-en dans le lait ! Si nous manquons de fer, mettons-en dans le pain ! Si vous ne voulez pas manger d'aliments riches en vitamines, prenez des suppléments !

Nous commençons à peine à comprendre l'incroyable complexité des aliments et la manière dont notre organisme les absorbe. Il s'agit d'interactions très précises. Difficile d'imaginer qu'il suffit de retirer les oméga-3 d'un aliment, de les mettre dans un autre et que notre organisme va s'en accommoder. Cette argumentation fallacieuse du réductionnisme scientifique, tel que le signale Michael Pollan dans son *Manifeste pour réhabiliter les bons aliments* explique pourquoi, alors que nous disposons de plus en plus d'aliments santé, notre société est de moins en moins en santé. Il écrivait en 2007 dans le *New York Times* :

> « … les gens ne mangent pas des nutriments, il mange des aliments et ces derniers ont un impact très différent de celui des nutriments qu'ils contiennent. Les chercheurs ont longtemps cru (…) que les régimes riches en fruits et en légumes constituaient une sorte de protection contre le cancer. Tout naturellement, ils se sont donc posé la question suivante : "À quels nutriments contenus dans ces fruits et ces légumes doit-on attribuer ces caractéristiques ?" Une des hypothèses retenues est que les antioxydants contenus dans les produits frais – comme le bêta-carotène, le lycopène, la vitamine E, etc. – sont le facteur déterminant. Cela semble couler de source : ces molécules (…) protègent notre organisme des radicaux libres qui peuvent endommager l'ADN et entraîner des cancers. Du moins, c'est ce qui semble fonctionner en laboratoire. Et pourtant, dès que vous retirez ces molécules utiles des aliments entiers où elles se trouvent – un peu comme ce que nous faisons en créant des suppléments antioxydants – ils n'ont pas du tout cet effet. En fait, dans le cas du bêta-carotène pris sous forme de supplément, les scientifiques ont même découvert qu'il augmentait les risques de certains cancers. Oups. »

4. DES PRÉOCCUPATIONS ENVIRONNEMENTALES ET ÉCONOMIQUES

Nous savons que notre mode de vie a des impacts négatifs sur les ressources naturelles de notre planète. Lorsque nous pensons aux questions environnementales, nous voyons des usines aux cheminées crachant de la fumée, des produits toxiques déversés dans des cours d'eau ou des autoroutes aux heures de pointe engorgées de véhicules énergivores et polluants.

Rares sont ceux qui pensent aux conséquences de nos choix alimentaires sur l'environnement. Les fermes industrielles, notamment les fermes d'élevage, constituent pourtant l'une des deux ou trois causes principales des problèmes environnementaux, tant à l'échelle locale que globale. C'est ce qu'ont déterminé les experts qui ont rédigé *Livestock's Long Shadow*, un rapport publié en 2006 par l'Organisation des Nations Unies. Nous entendons par élevage, l'élevage de tous les animaux de ferme incluant les porcs, les volailles (viande et œufs) ainsi que les vaches laitières.

➤ L'élevage industriel en expansion contribue significativement à la défo-
restation. Par exemple, en Amérique du Sud, 70 % de la surface autrefois
occupée par la forêt amazonienne est aujourd'hui aménagée en pâtu-
rages pour le bétail et la plus grande partie des 30 % restants est utilisée
pour les cultures fourragères destinées à ces animaux.

➤ L'élevage est responsable de 18 % des émissions des gaz à effet de serre,
soit plus que l'ensemble de l'industrie des transports.

➤ Aux États-Unis, l'élevage est responsable de 55 % de l'érosion et des
sédiments. Il utilise à lui seul 37 % des pesticides et la moitié des antibio-
tiques produits.

➤ 30 % de la surface de la Terre qui constituait autrefois l'habitat naturel
de la faune est désormais utilisé pour l'élevage. Ce seul facteur a amené
les auteurs du rapport à déclarer que « l'élevage pourrait bien être la
cause principale de la réduction de la biodiversité ».

Il me semble assez clair que nous nous sommes mis dans le pétrin et que
nous avons mis notre planète en danger. Et je n'aborde pas les questions
éthiques liées au fait de manger des animaux. Nos choix alimentaires entraînent
des problèmes majeurs. Ils ont une incidence sur notre santé et sur l'environnement. Alors, que pouvons-nous faire pour corriger la situation ?

UNE SOLUTION SIMPLE

La résolution des problèmes d'alimentation est d'une simplicité remarquable. La
solution repose sur un facteur commun qui fait le succès de plusieurs régimes
alimentaires. Notez que les mots « régime » ou « diète » sont ici utilisés dans le
sens de « façon de s'alimenter » par opposition aux conditions imposées par les
régimes ou les diètes qui forcent une personne à diminuer son apport en calories
ou à modifier radicalement son alimentation dans le but de perdre rapidement
du poids (poids que cette personne reprendra généralement après coup).

Jetons un coup d'œil à quelques-uns des régimes les plus populaires pour
voir si vous pouvez identifier quel est ce facteur commun.

Il me semble assez clair que nous nous sommes mis
dans le pétrin et que nous avons mis notre planète en danger.

Le régime paléolithique

Le régime paléolithique est basé sur les théories liées à l'évolution que nous avons évoquées plus haut. Il consiste à retrouver l'alimentation qui a prévalu pendant la plus grande partie de l'évolution de l'espèce humaine. Certains aliments ayant depuis disparu ou s'étant considérablement modifiés, des aménagements s'imposent. Par exemple, la culture sélective a entraîné une modification radicale des fruits que nous mangeons aujourd'hui, les rendant plus juteux et plus riches en fibres qu'ils l'étaient à l'origine.

Le régime paléolithique met l'accent sur les aliments riches en protéines et pauvres en glucides : viande de gibier, fruits, légumes, noix et tubercules. Les céréales et les produits laitiers étant apparus relativement tard au cours de l'évolution sont éliminés.

Ce régime fonctionne pour les athlètes, du moins à court terme, comme en témoigne sa popularité auprès des athlètes de compétition, notamment chez les adeptes du CrossFit.

Le crudivorisme et le fructivorisme

Le crudivorisme considère que la cuisson des aliments étant relativement récente, notre organisme n'a pas eu le temps de s'y adapter. Il est donc conçu pour absorber les aliments dans leur état naturel, c'est-à-dire crus. Cette diète prône que les enzymes qui contribuent, avec d'autres nutriments, à la digestion, sont dénaturés pendant la cuisson et deviennent inefficaces. Certains adeptes du crudivorisme mangent des produits laitiers et de la viande crue.

Cousin du crudivorisme, le fructivorisme met davantage l'accent sur les fruits que sur les légumes. Il est composé d'environ 80 % de glucides, ne comprend aucun produit animal et est un régime cru au sens le plus strict du terme. Vous connaissez peut-être les variantes que sont « 30 bananes par jour » ou « 80/10/10 » qui permettent de manger essentiellement des aliments contenant des glucides simples et de faibles quantités de protéines et de matières grasses. Michael Arnstein, principale figure du fructivorisme, a déjà remporté la *Vermont 100 Endurance race*, une course de 160 km, et s'est classé dans les premiers lors du *Leadville Trail 100 Run*, l'un des plus célèbres ultramarathons au monde.

Le végétalisme

Au lieu de végétalisme, je me réfère habituellement aux expressions « régime végé » ou « diète végé » puisque ce livre cible davantage une alimentation saine que des choix éthiques. Le végétalisme existe sous plusieurs formes.

L'ultramarathonien Scott Jurek suit un régime végé. Il consomme beaucoup plus de calories que la moyenne des végétaliens afin de pouvoir courir des ultramarathons de 160 km et plus. Mentionnons aussi Brendan Brazier, ancien triathlète, ironman et auteur du best-seller *Thrive*. Il suit une diète végé en mettant un accent particulier sur les aliments crus. Le régime suivi par ces deux athlètes est constitué d'une importante quantité de matières grasses (environ 25 %).

Une autre version du végétalisme a acquis de la popularité, en partie grâce au remarquable documentaire *La santé dans l'assiette* diffusé en 2011 et basé sur les travaux de T. Colin Campbell, Ph. D., auteur du *Rapport Campbell*, et de Caldwell Esselstyn, M.D. Campbell et Esselstyn font la promotion du régime à base de plantes et d'aliments entiers après avoir établi un lien entre la consommation de viande et de produits laitiers et le cancer et les maladies cardiovasculaires. Les produits d'origine animale ainsi que les aliments transformés sont bannis. À titre d'exemple, Campbell et Esselstyn ne considèrent pas les huiles comme des aliments entiers puisqu'elles n'existent à l'état naturel qu'en tant que composantes d'autres aliments. Ils préconisent une cuisine à base de bouillon de légumes ou d'huile d'olive, aliment réputé sain depuis longtemps.

Le facteur commun

Les régimes que nous venons d'évoquer semblent différents, surtout si nous considérons les taux de protéines, de glucides et de lipides que chacun d'eux recommande. Cependant, n'avez-vous pas remarqué qu'ils ont un facteur commun ? Ils mettent l'accent sur les aliments entiers et conseillent d'éviter les aliments préparés ainsi que les produits laitiers. Si vous suivez ces deux seuls principes, sans apporter aucun autre changement à votre régime alimentaire actuel et en vous assurant de varier vos aliments pour avoir un apport équilibré en vitamines et en nutriments, votre état de santé devrait s'améliorer. C'est aussi simple que cela.

QU'EST-CE QU'UN ALIMENT ENTIER ?

La définition parfaite de l'aliment entier n'existe pas. Chaque aliment subit des transformations avant d'arriver dans nos assiettes. Le fait de sauter des légumes ou de les cuire au four est une forme de transformation. Par conséquent, nous considérons qu'un aliment entier subit un minimum de transformation. Qu'entendons-nous par cela ?

Ne nous attardons pas sur la différence entre aliments entiers et aliments transformés. Peu de personnes s'entendent sur le sujet. Considérons plutôt le degré de traitement ou de transformation et essayons de trouver dans quelle mesure l'aliment a été modifié pendant ce traitement ou cette transformation. Ne regardons pas l'apparence des aliments quand ils arrivent dans nos assiettes. Le tofu par exemple, ne ressemble en rien aux fèves de soja dont il provient. Il conserve cependant toutes les caractéristiques de ces fèves. (La question de savoir si le soja est un aliment sain ou non sera abordée au chapitre 3.)

Il n'y a pas de grille précise pour déterminer si un aliment est un aliment entier ou un aliment transformé. La plupart peuvent facilement être associés à un groupe ou à un autre. Quelques choix sont cependant plus difficiles à faire. Voici quelques exemples :

> Les pommes de terre au four sont des aliments entiers.
> Les croustilles sont des aliments transformés.
> Un *smoothie* fabriqué à partir de fruits entiers est un aliment entier.
> Le jus de fruits obtenu à partir de machines qui séparent le jus des fibres est un aliment transformé.
> Les grains de maïs séparés de l'épi sont des aliments entiers.
> Le sirop de maïs est un aliment transformé.
> La viande est un aliment entier.
> Les saucisses sèches ou les saucissons sont des aliments transformés.

Les produits laitiers

Nous aimons boire le lait des vaches. Nous avons été élevés avec l'idée que le lait nous rendait forts et que sa teneur en calcium fortifie les os. Le lait n'est pourtant pas un aliment sain. Nous avons abordé plus haut le sujet de notre évolution et de notre adaptation aux aliments présents dans l'environnement. Si nous nous fions à cette théorie, je dois admettre que, en petite quantité, c'est-à-dire en plat d'accompagnement quelques fois par semaine, la viande n'est pas mauvaise pour la santé. (Je préciserai plus tard les raisons pour lesquelles j'ai décidé de ne plus en manger.)

En ce qui concerne les produits laitiers, il s'agit d'une tout autre histoire. Les mammifères femelles produisent l'aliment parfait, le lait, afin de nourrir leur progéniture. Au cours de notre évolution, lorsqu'une femme était porteuse des gènes permettant de produire du bon lait, les chances qu'avaient ses enfants d'être bien nourris, d'atteindre l'âge adulte en bonne santé, de se reproduire et de transmettre à leur tour ces mêmes gènes augmentaient. Le lait d'une espèce est devenu l'aliment parfait pour les nourrissons de la même espèce.

Pendant la plus longue partie de leur évolution, les nourrissons humains n'ont pas bu le lait des vaches. Cela a commencé avec le développement de l'agriculture il y a environ 8000 ans. Il est peu probable que, sur une aussi courte période d'évolution, le lait des vaches soit devenu essentiel au développement des enfants et encore moins un aliment nécessaire. De plus, beaucoup d'adultes continuent à boire du lait de vache toute leur vie. Nous sommes les seuls mammifères qui boivent du lait après la petite enfance.

La nature a conçu le lait humain pour les bébés humains et le lait de vache pour les veaux. Le lait de vache est formulé naturellement pour qu'un veau prenne 1000 livres au cours de la première année de son existence. Alors faut-il se surprendre de l'apparition de certaines formes de cancer directement liées à la consommation de produits laitiers ? Une étude publiée en 2001 par la faculté de médecine de Harvard et effectuée auprès de 20 000 hommes médecins américains a permis d'établir que ceux qui avaient consommé plus de 2,5 portions de produits laitiers par jour couraient 34 % plus de risques de développer un cancer de la prostate que ceux ayant consommé moins d'une portion de produits laitiers par jour. Une autre étude, publiée en 2004 dans l'*American Journal of Clinical Nutrition*, indique que les femmes ayant bu plus d'un verre de lait par jour (quel que soit le pourcentage de matière grasse contenue dans

Beaucoup d'adultes continuent à boire du lait de vache toute leur vie. Nous sommes les seuls mammifères qui boivent du lait après la petite enfance.

ce lait) courent deux fois plus de risques de développer un cancer des ovaires que celles n'ayant bu qu'un verre de lait ou moins par jour.

En Amérique du Nord, nous avons grandi avec l'idée que le lait de vache était l'aliment idéal pour les humains, aidés en cela par des campagnes publicitaires réussies commanditées par l'industrie laitière. Qui ne se souvient pas de ces messages publicitaires où l'on voyait une belle moustache de lait sur le visage du buveur? Ou du slogan: « Milk — It does a body good » (Le lait – Pour avoir un corps parfait.) En fait, le résultat obtenu pourrait être exactement le contraire.

UN RÉGIME VÉGÉ

Une petite précision terminologique au sujet de ce que j'appelle dans ce livre un « régime végé » ou une « diète végé ». Il peut s'agir d'un régime végétalien sans produits animaux, pas même de miel. Pour d'autres, il peut s'agir d'un régime majoritairement à base de plantes, où la plus grande partie de l'alimentation est constituée de plantes. Vous pouvez alors manger du fromage de temps à autre et même un hamburger à l'occasion.

Que vous choisissiez l'une ou l'autre de ces options, vous tirerez bénéfice des informations et des recettes de ce livre. Deux personnes qui suivraient l'un ou l'autre de ces régimes auraient des bilans de santé comparables. En termes de qualité pour la santé, ces options sont pratiquement identiques. Ainsi, quand je parle de régime végé ou de diète végé, je reste intentionnellement vague. Si vous optez pour le végétalisme strict, il n'y a aucun problème. Si vous vous permettez de manger une crème glacée de temps en temps et de mettre du beurre sur votre popcorn, ça marche aussi. D'un point de vue éthique, cependant, il y a une grande différence et je suis, pour ma part, très fier d'être un « véritable » végétalien.

La diète végé est-elle meilleure pour la santé qu'une diète omnivore? Difficile à dire. Je crois que je suis en meilleure santé depuis que je suis végétalien. J'ai supprimé les produits de restauration rapide et les nombreux aliments

---

La diète végé est-elle meilleure pour la santé qu'une diète omnivore? Difficile à dire.

transformés qui sont très mauvais pour la santé et que je consommais avant. Il n'y a pour moi aucun doute qu'un régime végé bien planifié est meilleur pour la santé que le régime américain standard. Mais est-ce pareil pour un régime constitué d'aliments complets qui inclut en petites quantités de la viande, des œufs et quelques produits laitiers ? Je ne sais pas. Qu'est-ce qui rend une diète meilleure qu'une autre ? Je crois qu'elles s'équivalent. En ce qui me concerne, je passe devant un McDonald's sans ressentir d'envie particulière depuis que je suis végétalien, que je prépare davantage mes repas et que je mange beaucoup plus de fruits et de légumes qu'auparavant. Que demander de plus ?

CHANGER SA VIE, UN REPAS ET UNE COURSE À LA FOIS

Par Pete DeCapite

J'ai presque toujours été maigre. Peu importe ce que je mange, je suis incapable de prendre ne serait-ce que quelques grammes. À l'école secondaire, mon poids me préoccupait tellement que je mangeais à peu près n'importe quel aliment contenant des matières grasses. Je m'étais fixé l'objectif de manger tout ce qui n'était pas considéré comme sain, juste dans l'espoir de prendre du poids et d'avoir l'air « normal ». En une journée, je pouvais ingurgiter de nombreux produits de restauration rapide en plus d'une quantité impressionnante de viande. Et ça a marché : au collège, j'ai réussi à prendre 15 kg. Pour moi qui pesais moins de 60 kg, ça m'a paru une tonne.

Ces 15 kg m'ont permis de me sentir mieux, du moins en ce qui a trait à mon apparence, mais ils ont eu un impact sur ma santé. J'ai commencé à ressentir des douleurs à la poitrine alors que j'avais à peine 20 ans, douleurs suffisamment importantes pour que j'en perde le souffle et que je sois obligé de mettre un genou à terre à maintes occasions. J'ai dû consulter un médecin qui m'a appris que mon taux de cholestérol était d'environ 250 et que celui de mes triglycérides avait atteint 300. Ces chiffres ont servi à confirmer le profond malaise que je ressentais.

Ces résultats auraient dû entraîner un changement immédiat de mes habitudes de vie. J'aurais dû m'attaquer à ces problèmes de santé et améliorer mon alimentation. Or, rien de tout cela n'est arrivé. J'ai continué à mal m'alimenter et je n'ai pas fait d'exercice. J'étais jeune, que pouvait-il m'arriver ?

En 2009, j'ai reçu un courriel de mon ami Matt Frazier, dans lequel il m'annonçait qu'il lançait le blogue *No Meat Athlete*. J'ai trouvé le nom et le concept amusants et j'ai lu le premier billet. Bien que n'étant pas adepte du végé, j'ai essayé ses recettes. Après chaque repas, je me sentais mieux, et j'avais plus d'énergie. Je ne ressentais ni ballonnements ni fatigue comme c'était le cas avant. Un repas à la fois, j'ai donc fait la transition. Le gars qui se nourrissait de viande et de pommes de terre est devenu végé.

Ça m'a pris presque un an avant d'assumer devant les autres que j'étais végétarien. À ce moment-là, ce n'était plus un enjeu. Je me sentais vraiment bien. Je considérais sans embarras qu'un repas sans viande constituait un vrai repas. L'année suivante, j'ai poursuivi ce régime et j'ai finalement décidé d'éliminer les produits laitiers.

Je me suis aussi mis à courir. Je me suis inscrit à un 5 km auquel j'avais participé quand j'étais enfant. Les deux premiers mois ont été particulièrement éprouvants pour mon niveau d'énergie. Mais après chaque course, je me sentais plus fort. Mon frère m'a convaincu de poursuivre et de participer à un 16 km. J'ai accepté, un peu à contrecœur. Après chaque course, je disais que c'était fini, que j'avais atteint mon objectif, que j'allais revenir à des courses plus faciles. Pourtant, après le 16 km, j'ai décidé de courir un demi-marathon. Peu de temps après, je m'inscrivais à un marathon complet, alors que j'avais répété à Matt que ça n'arriverait jamais.

En novembre 2011, j'ai participé au marathon des Marines, battant de 14 secondes mon record établi à quatre heures. J'ai alors commencé à courir sur des sentiers et, deux mois plus tard, je participais à mon premier ultramarathon, le 50 km d'Elkton au Maryland. J'ai éprouvé un extraordinaire sentiment d'accomplissement. C'est difficile d'expliquer à quelqu'un qui ne court pas pourquoi on court. Mais une fois que vous avez atteint ce niveau après des heures et des heures passées à courir, les raisons sont claires.

Aujourd'hui, je pèse 66 kilos. Mon taux de cholestérol est sous la barre des 200 et diminue à chaque visite médicale. Je suis à des années-lumière du type qui a lu le courriel « No Meat Athlete » en pensant que l'ami qui le lui avait envoyé était un peu fou. Ma vie a changé du tout au tout, pour le mieux, un repas et une course à la fois.

QUATRE RAISONS DE CHOISIR UN RÉGIME VÉGÉ

Les points de vue exprimés dans ce chapitre peuvent sembler équivoques ou surprenants. Les végétaliens ne sont-ils pas censés défendre leurs choix alimentaires de façon plus catégorique ? Un grand nombre d'entre nous le fait et souvent pour de bonnes raisons. Mais dans la mesure où je ne peux pas affirmer sans l'ombre d'un doute qu'un régime végé est meilleur pour la santé qu'un régime omnivore à base d'aliments complets ou qu'il représente un avantage déterminant pour les sportifs, je ne vais pas le prétendre.

Sans prendre parti dans ce débat, je sais que le régime végé m'a personnellement permis de me sentir plus en forme, de courir plus vite et d'être généralement de meilleure humeur. Voici les raisons pour lesquelles j'ai choisi de le suivre.

1. Les considérations éthiques

Le facteur primordial qui m'a poussé à devenir végé est d'ordre éthique. Je ne me sentais pas en accord avec le traitement imposé à des dizaines de milliards d'animaux (il ne s'agit ni d'une erreur ni d'une exagération), année après année, de leur naissance jusqu'au moment où ils se retrouvent dans nos assiettes.

Je ne m'attarde pas davantage sur ce sujet, mais vous trouverez dans la section « Ressources » à la fin du livre, des références de films, sites internet et livres, si vous souhaitez vous documenter sur le sujet. La principale source de motivation de nombreux végétaliens est de contribuer à améliorer les conditions de vie des animaux.

2. Les découvertes scientifiques récentes

Qu'est-ce qui fait qu'un régime est bon pour la santé et que l'autre ne l'est pas ? Que sommes-nous censés croire ? Comment déterminer la qualité des recherches ? Comment transmettre des recommandations ? Si se familiariser avec les études scientifiques sur la nutrition est une chose, formuler des recommandations en est une autre.

Les végétariens en tant que groupe distinct font l'objet de nombreuses recherches depuis plusieurs décennies. Aux États-Unis, il s'est effectué plus de recherches sur les régimes végétariens que sur n'importe quel autre modèle alimentaire. Depuis longtemps, ces études scientifiques ont prouvé que les végétariens vivent plus longtemps et développent moins de maladies que l'ensemble de la population.

De plus, comme les végétariens mangent davantage de fruits et de légumes que l'ensemble de la population, ils consomment moins d'aliments riches en gras saturés et en cholestérol. Ils ont également tendance à moins fumer et à faire davantage d'exercice. Pouvons-nous alors avancer qu'un régime végé est garant de votre santé? Ce n'est pas aussi simple. Nous savons maintenant que tous ces facteurs, intrinsèquement et indépendamment du végétarisme, ont un impact positif sur la réduction des maladies chroniques et sur l'augmentation de l'espérance de vie.

Est-ce le végétarisme ou bien les saines habitudes de vie des végétariens qui ont une incidence sur le taux de maladies et l'espérance de vie? Les chercheurs – en particulier les chercheurs affiliés aux universités de l'Église adventiste du septième jour – se sont posé la même question. Sachant que la plupart des adventistes ne fument pas, font de l'exercice régulièrement et consomment fruits et légumes en quantité et que, aux États-Unis, environ 50 % d'entre eux sont végétariens, vous voyez où je veux en venir.

Ces chercheurs ont procédé à l'étude intitulée *Adventist Health Study*. Ils ont suivi 34 000 adventistes et ont étudié leurs habitudes de vie, et notamment la fréquence à laquelle ils font de l'exercice, la nature des légumes qu'ils consomment et à quelle fréquence et enfin les types de maladies qu'ils ont développés.

Les résultats de cette étude sont venus confirmer les bénéfices du régime végé. Plusieurs centaines d'autres études ont été menées à la suite de celle-ci, sur la base des informations récoltées auprès de ces 34 000 personnes ayant des habitudes de vie presque identiques, hormis le fait que certains individus consommaient de la viande et d'autres pas (seul un pourcentage réduit de ces

---

Est-ce le végétarisme ou bien les saines habitudes de vie des végétariens qui ont une incidence sur le taux de maladies et l'espérance de vie?

derniers sont végétaliens). À l'heure actuelle, les chercheurs se sont remis au travail et examinent les résultats d'une seconde étude, effectuée cette fois auprès de 125 000 personnes. Qui plus est, le pourcentage d'adventistes suivant un régime végétalien a considérablement augmenté depuis la première étude. Cette évolution permet aux chercheurs de tirer des conclusions non seulement sur les bénéfices d'un régime sans viande, mais également ceux d'un régime ne comprenant aucun produit d'origine animale.

Au moment de la publication de ce livre, seuls quelques articles scientifiques basés sur les résultats de cette étude avaient paru dans les revues spécialisées. Ces résultats préliminaires, tels que présentés par le directeur de recherche Gary Fraser, M.D., Ph. D., mettent en évidence les points suivants :

➤ Une étude publiée en 2009 par *Diabetes Care* indique que le risque de développer le diabète de type 2 et de devenir obèse est plus important chez les non-végétariens et plus bas encore chez les végétaliens. Ce risque augmenterait proportionnellement en fonction de la fréquence de consommation de produits d'origine animale. Les résultats persistent même lorsque des facteurs comme l'activité physique et l'indice de masse corporelle ont été contrôlés.

➤ Une étude publiée en 2012 conclut que, plus que tout autre régime alimentaire, les régimes végétaliens réduisent le risque de développer une forme de cancer. Les régimes lacto-ovo-végétariens, qui incluent la consommation de produits laitiers et d'œufs, mais aucune chair animale de quelque nature que ce soit, se sont également avérés protecteurs. Ici encore, les végétaliens couraient moins de risques de développer des cancers que les végétariens et les non-végétariens.

➤ Des membres de l'*Academy of Nutrition and Dietetics* (appelée autrefois *American Dietetic Association*), le plus important regroupement mondial de professionnels de l'alimentation et de la nutrition, ont analysé les principales études sur la nutrition et ont déclaré en 2009 (cette académie n'est généralement pas considérée comme un organisme provégétarien) :

« L'*Academy of Nutrition and Dietetics* est d'avis que, planifiés de façon appropriée, les régimes végétariens, incluant les régimes strictement végétariens ou régimes végétaliens, sont bons pour la santé, adéquats sur le plan nutritif et peuvent procurer des bénéfices substantiels en termes de santé en ce qui a trait à la prévention et au traitement de certaines maladies. Lorsque bien planifiés, ces régimes végétariens sont profitables à tous les individus et à tous les stades de la vie, y compris durant la grossesse, au moment de l'allaitement, dans la petite enfance, l'enfance et à l'adolescence, ainsi que pour les athlètes. (…) Les résultats d'une étude effectuée sur des données probantes montrent qu'un tel régime végétarien est associé à une diminution du risque de décès par cardiopathie ischémique. Les végétariens semblent également afficher des taux réduits de cholestérol à lipoprotéines de basse densité, une pression artérielle moins élevée, ainsi que des niveaux d'hypertension et de diabète de type 2 plus bas que ceux observés chez les non-végétariens. De plus, les végétariens semblent afficher un indice de masse corporelle plus bas et sont moins susceptibles de développer toutes formes de cancer. Les caractéristiques d'un régime végétarien pouvant contribuer à réduire le risque de maladies chroniques incluent une plus faible consommation de gras saturés et de cholestérol, parallèlement à une consommation plus élevée de fruits, de légumes, de grains entiers, de noix, de produits dérivés de soja, de fibres et de substances phytochimiques. »

3. Une alimentation variée

Je n'avais pas imaginé qu'en devenant végétarien j'allais découvrir des dizaines d'aliments que je n'avais jamais goûtés auparavant. Aux États-Unis, le consommateur moyen ne mange probablement pas plus de quelques dizaines d'aliments par an. Il est si facile de céder à la routine : griller une poitrine de poulet, l'accompagner de féculents (pommes de terre, riz ou pâtes) et y ajouter à l'occasion un légume. J'ai mangé ainsi pendant des années, croyant m'alimenter de façon saine.

Lorsque vous adoptez une diète végé, vous sortez de votre zone de confort et vous explorez. Il n'est pas interdit aux omnivores de manger du quinoa, de la courge kabocha, du chou frisé (kale), des bettes à carde, du céleri rave et du millet, mais combien le font vraiment ?

Je n'avais pas imaginé qu'en devenant végétarien j'allais découvrir des dizaines d'aliments que je n'avais jamais goûtés auparavant.

4. Les bénéfices environnementaux

Souvenez-vous des impacts environnementaux de l'élevage intensif que nous avons évoqués ci-dessus. Adopter un régime végé a un impact direct sur l'environnement, bien plus que tout autre autre choix de vie. Vous exprimez votre opinion en n'achetant pas les produits de l'industrie agroalimentaire et vous réduisez votre consommation indirecte d'eau et d'énergie.

> ➤ Selon une étude effectuée par *National Geographic*, une personne qui ne mange ni viande ni produits laitiers consomme indirectement chaque jour environ 2300 litres d'eau de moins qu'une personne suivant la diète américaine habituelle.
>
> ➤ Selon le bulletin scientifique de l'université Cornell, la quantité d'énergie fossile requise pour produire une calorie de protéine animale destinée à la consommation humaine est de 25,4 calories. La production d'une calorie de protéine végétale en nécessite dix fois moins, soit 2,2 calories.

Difficile de nier que les êtres humains se porteraient mieux s'ils choisissaient un régime végé, et que la planète en bénéficierait également. Sans devenir totalement végétalien, si vous faites le choix de devenir végétarien ou pesco-végétarien (un végétarien qui consomme du poisson) ou si, chaque semaine, vous consommez moins de viande, vous réduirez considérablement votre empreinte environnementale.

Si vous avez ouvert ce livre, c'est que la possibilité vous intéressait. Si vous vous l'avez lu jusqu'ici, c'est que le sujet vous intéresse vraiment. Continuons ensemble. Dans le prochain chapitre, je vous présente les premières étapes à suivre pour sauter le pas avant que nous abordions en détail la diète végé destinée aux personnes actives.

Si vous faites le choix de devenir végétarien ou pesco-végétarien ou si vous consommez moins de viande, vous réduirez considérablement votre empreinte environnementale.

ATTEINDRE LES PLUS HAUTES PERFORMANCES

Par Meredith Murphy
*Ultramarathonienne et acupunctrice, deux fois finaliste
du Badwater Ultramarathon de Californie, un parcours
de 217 km entre la Vallée de la mort et le mont Whitney.*

Avant 2009, je courais sur des kilomètres et je participais à des compétitions exigeantes sans jamais avoir suivi de programme d'entraînement intensif. Les choses allaient changer avec l'arrivée de ma fille. Il me faudrait trouver un équilibre.

Ma préparation à la course a été totalement bouleversée. J'ai dû apprendre à courir avec une poussette conçue spécialement pour les parents qui veulent continuer à pratiquer leur activité sportive. Je me levais avant tout le monde pour aller courir à l'extérieur et je profitais de ses siestes pour courir en silence sur le tapis roulant ou utiliser le *stair master*. J'ai diminué la durée de mes entraînements dès sa naissance et, durant les premières années de sa vie, j'ai choisi des courses qui ne m'empêcheraient pas de m'occuper d'elle et de la nourrir avec mon lait que j'aurais préalablement tiré. J'ai ainsi participé à beaucoup de courses en circuit fermé.

Je suis une diète végétarienne (en fait presque végétalienne). Pendant l'entraînement, je n'utilise pas de gels, de boissons ou de barres énergisantes à la mode. Je préfère les aliments complets. J'aime les barres à base d'aliments crus, les noix, les fruits, les jus de fruits, les laits de soja ou d'amande, les sandwiches au beurre d'arachide et à la confiture. J'ai participé deux fois au Badwater Ultramarathon, et suivre un régime végé s'est avéré compliqué. On ne trouve pas beaucoup d'aliments végétariens ou végétaliens dans la Vallée de la mort. Chacun apporte sa nourriture pour presque une semaine : des burritos, des burgers végétariens, du tofu cuit, du houmous, des pitas, des tortillas, des légumes coupés avec leur assaisonnement, ainsi que diverses autres collations. Pendant ces courses, j'ai consommé beaucoup de fruits. C'était mes aliments préférés et ceux que je digérais le plus facilement.

Quelle que soit la distance pour laquelle vous vous préparez, je vous recommande de consommer des aliments complets de qualité tout au long de l'entraînement. Lorsqu'il est difficile de porter sur soi certains aliments comme des fruits, j'emporte des barres nutritives de la meilleure qualité. Elles se glissent facilement dans une poche. Chaque fois que j'ai utilisé des produits spécifiques très élaborés, développés pour la course, j'ai eu beaucoup de difficulté à les digérer. Il m'a fallu beaucoup de temps, et beaucoup d'argent, avant de comprendre que mon organisme voulait juste de vrais aliments.

CHAPITRE 2
Établir de saines habitudes alimentaires végé

Il faut commencer par le commencement. Comment faire autrement?

Beaucoup de personnes prennent des décisions sans jamais les mettre en pratique. En ce qui concerne les habitudes alimentaires, tous les prétextes sont bons: vouloir absolument planifier les repas, se familiariser d'abord avec les principes de la diète, attendre que les réserves de mauvais aliments soient épuisées, attendre la semaine suivante… Planifier est important. Mais il ne faut pas que le besoin de planification devienne une forme de procrastination. Vous voyez ce que je veux dire.

Le rythme de la vie nous accapare, les événements s'enchaînent et rares sont ceux qui franchissent la première étape.

À PETITS PAS

Acquérir de saines habitudes alimentaires n'est pas juste une affaire de volonté. Lorsque nous répétons une action régulièrement, qu'elle est précédée d'un déclencheur précis et suivie d'une forme de récompense, notre cerveau construit un circuit en boucle. Ces habitudes deviennent une réponse naturelle au déclencheur.

Analysons le café du matin. Le réveil sonne, vous sortez du lit et vous ne vous sentez pas complètement réveillés (déclencheur). Vous préparez votre café et le buvez ou l'emportez en route vers le bureau (action). Enfin l'arôme, le goût, la chaleur et la caféine vous donnent le sentiment d'être tout à fait réveillés, alertes et heureux (récompense). C'est l'exemple parfait du circuit en boucle.

Combien de fois mangeons-nous parce que nous nous trouvons dans une situation stressante? Au retour du travail, le pas de la porte à peine franchi, nous nous dirigeons vers le réfrigérateur. Ce n'est pas nécessairement un mauvais réflexe, surtout si nous y conservons des aliments sains, mais cela illustre la force d'un circuit en boucle. Le retour à la maison est le déclencheur, manger est l'action et la récompense est le fait que nous nous relaxons à mesure que nous savourons nos aliments préférés et que notre estomac se remplit. Nous avons même tendance à suivre ce circuit après une journée de détente peu stressante. Le simple fait de franchir le seuil de la porte de la maison déclenche l'envie de manger.

Parmi les stratégies à votre disposition, la plus efficace consiste à commencer en douceur. De nombreuses études indiquent que la volonté fonctionne comme un muscle. Elle se renforce ou s'affaiblit selon que nous nous en servons ou pas. Plus important encore, la volonté est un muscle qui se fatigue, exactement comme les pectoraux qui ont besoin de repos entre deux séances de musculation. La volonté a tendance à s'épuiser si elle est surexploitée lors d'une tâche particulièrement ardue.

Lorsque nous cherchons à changer nos habitudes, qu'il s'agisse d'un régime alimentaire ou d'un programme de conditionnement physique, nous croyons que seule la force de notre volonté est à l'œuvre. Ainsi, lorsque nous fréquentons un nouveau club sportif, nous attaquons par un entraînement d'une heure. Au début, nous nous sentons bien. Notre volonté est à son maximum. Le lendemain, le plaisir est moins évident quoiqu'encore présent. Dès la fin de la semaine ou de la semaine suivante, sortir de la maison devient une corvée alors que la télévision, le divan et le sac de croustilles nous appellent. Notre volonté s'est épuisée avant que notre cerveau n'ait eu le temps de développer un circuit dans lequel le gym a été intégré.

La volonté est un muscle qui se fatigue, exactement comme les pectoraux qui ont besoin de repos entre deux séances de musculation.

Des recherches ont établi qu'il y avait de nombreuses façons de créer des habitudes afin de maximiser nos chances de succès, comme entreprendre l'action souhaitée uniquement si nous recevons le déclencheur approprié. Si votre objectif est de manger une salade chaque jour, vous pourriez décider de la manger après une activité quotidienne. Plus important encore, cette habitude doit s'installer avec facilité dès le départ.

Notre cerveau a besoin de temps et de nombreuses fois pour mettre en place le circuit qui deviendra une habitude. Dans l'exemple ci-dessus de la salade, la clé du succès est de rendre cette habitude agréable afin de ne pas devoir solliciter quotidiennement votre volonté à ce sujet. Si vous n'êtes pas un grand amateur de salade, faites votre possible pour que le plat soit savoureux pendant le processus de mise en place de l'habitude. Plus tard, vous privilégierez des versions plus saines, mais dans les premiers temps votre seul objectif est d'établir le circuit d'habitude.

Comment vous y prendre? Plusieurs possibilités s'offrent à vous. Par exemple, toujours dans l'exemple de la salade, utilisez votre vinaigrette préférée même si ce n'est pas la plus diététique. Ajoutez-y des croûtons, des noix caramélisées ou tout autre ingrédient que vous aimez et qui améliore ce plat. Rendez votre salade appétissante afin d'envisager avec plaisir le moment où vous la mangerez au lieu de mettre votre volonté à l'épreuve en vous forçant à ingurgiter une salade insipide. Si le temps de préparation vous paraît trop long, achetez-en une toute prête. Elle sera plus chère et moins bonne pour la santé, mais l'essentiel est de faciliter le processus.

Une fois que vous aurez solidement établi votre habitude dans sa forme « facile », ce qui pourrait prendre plusieurs semaines, vous pourrez envisager de passer à une version plus santé, mais plus exigeante en choisissant par exemple une meilleure vinaigrette.

La thématique du circuit se retrouve tout au long de cet ouvrage, non seulement pour changer ses habitudes alimentaires, mais également pour entamer un programme d'entraînement sportif.

Notre cerveau a besoin de temps et de nombreuses répétitions pour mettre en place le circuit qui deviendra une habitude.

Je vous propose plus loin sept menus qui vous permettront de dresser votre liste d'épicerie. Sentez-vous à l'aise d'intégrer ces sept repas dans l'ordre qui vous convient et privilégiez la facilité. L'important n'est pas de tout changer en une seule fois, mais d'intégrer graduellement les repas de façon à rendre cette intégration simple et amusante. Le changement ne doit pas être perçu comme un sacrifice.

Je vous suggère d'intégrer ces sept repas à votre régime sur une période de plusieurs semaines. Par exemple, des *smoothies* sont proposés pour le petit-déjeuner. Ne remplacez pas tous vos petits-déjeuners par des *smoothies* du jour au lendemain. Préparez-en une ou deux la première semaine de façon à l'apprécier et à envisager avec plaisir la prochaine occasion de le savourer.

Le même principe s'applique aux autres repas. Évitez une approche de sevrage brutal. Si vous y tenez absolument, que vous croyez que c'est la seule solution pour vous, faites-le. Vous vous connaissez mieux que moi. Mais si vous n'avez jamais essayé de changer vos habitudes en douceur selon une approche que de nombreuses études sur le fonctionnement du cerveau ont validée, envisagez cette possibilité. Bien que cette option prenne plus de temps pour donner des résultats, elle met en place de saines habitudes au long cours.

Maintenant, nous pouvons commencer.

METTRE EN PLACE DES HABITUDES DURABLES

Par Leo Babauta
Blogueur végétalien et chroniqueur sur le site ZenHabits.net

Suivre un nouveau régime ou un nouveau programme d'exercice physique est souvent voué à l'échec. Nous y parvenons pendant une semaine ou deux, mais s'y astreindre pendant des mois ou des années est pratiquement impossible. À moins de décider de changer réellement ses habitudes. Pour le novice, il est préférable de mettre l'accent sur le changement d'habitude plutôt que sur l'obtention rapide de résultats.

La plupart des gens ne savent pas grand-chose de ce processus que je vais clarifier.

Une habitude se prend lorsqu'une action est liée à un déclencheur, de telle manière que, lorsque ce déclencheur se produit, vous ressentez une envie automatique d'entreprendre cette action.

➤ Vous vous réveillez (déclencheur) et vous préparez votre café (habitude).

➤ Vous arrivez au bureau (déclencheur) et vous vérifiez vos courriels (habitude).

➤ Vous êtes stressés(es) (déclencheur) et vous consommez de la malbouffe (habitude).

Nos vies sont remplies de ces combinaisons déclencheur-habitude, souvent à notre insu.

Comment s'installent les habitudes ?

Le processus se développe au fil des ans, après une séquence régulière de répétitions. Tout commence par des gestes posés en pleine conscience qui se transforment peu à peu jusqu'à devenir automatiques.

Si vous n'aimez pas l'exercice physique ou si vous n'êtes pas très en forme, vous percevez la pratique d'une activité sportive comme douloureuse ou désagréable (réaction négative). Vous préférez ne pas en faire et vous sentir bien (réaction positive).

Si vous n'aimez pas les aliments sains, lorsque vous en mangez vous les trouvez insipides ou carrément mauvais (réaction négative). Lorsque vous consommez de la malbouffe, vous ressentez du plaisir (réaction positive).

Ces mouvements réactifs sont à l'origine de la prise de mauvaises habitudes. Vous pouvez heureusement renverser ces mouvements réactifs en transformant vos habitudes :

➤ Créez des réactions positives aux habitudes que vous voulez prendre. Commencez par des habitudes agréables et concentrez-vous sur le plaisir qui y est associé. Prenez vos amis à témoin en leur disant que vous travaillez sur de saines habitudes. Récompensez-vous.

➤ Créez des réactions négatives aux habitudes à ne pas prendre. En parler autour de vous est une façon d'y arriver. Dites à l'un de vos amis que vous travaillez à mettre en place une nouvelle habitude. Pendant les 30 jours suivants, chaque fois que vous faillirez, mettez en place une conséquence négative. Par exemple, vous pourriez convenir de lui donner 50 $ chaque fois que vous ne faites pas ce que vous devez faire. Ou bien versez cet argent à un organisme que vous détestez. L'impact en sera d'autant plus important.

Comment créer une habitude durable en six étapes

1. Choisissez UNE action positive. Si elle se mesure en temps (par exemple s'entraîner ou méditer), faites-la seulement pendant 5 ou 10 minutes pour commencer. Vous augmenterez la durée plus tard. Ceci est extrêmement important.

L'action que vous voulez voir devenir une habitude doit être entreprise immédiatement après le déclencheur, c'est-à-dire après quelque chose que vous faites déjà chaque jour. Cette action n'a pas à être entreprise exactement à la même heure (à 7 h du matin, le midi, etc.), mais bien après un déclencheur spécifique.

Le déclencheur doit se produire chaque jour et exactement une fois par jour. Sans cela, vous aurez beaucoup plus de difficulté à mettre en place l'habitude recherchée. Pourquoi seulement une fois par jour ? Parce que vous voulez intégrer cette action facilement. Si vous devez y penser plusieurs fois par jour, vous augmentez trop le degré de difficulté. Débuter avec un handicap n'est pas une bonne idée.

L'action à répéter doit être bien définie. Elle ne doit pas être vague. Par exemple, ne choisissez pas de faire de l'exercice ; précisez que vous voulez courir cinq minutes chaque jour, après votre café du matin. Si vous voulez boire plus d'eau, engagez-vous à boire un verre d'eau à chaque déjeuner. Si l'action n'est pas assez définie, il vous sera impossible de mesurer vos résultats.

Vous devez être en mesure d'évaluer le changement. Par exemple, allez-vous faire 10 pompes, cinq minutes de méditation, utiliser la soie dentaire avant d'aller vous coucher, vous réveiller 15 minutes plus tôt, éliminer chaque jour 10 choses inutiles qui encombrent votre maison ?

Les actions vagues sont vouées à l'échec. Les actions spécifiques ont beaucoup plus de chance de réussir.

2. Ayez un plan. Prenez une semaine pour choisir votre action (n'oubliez pas de commencer le plus petit possible). Identifiez un déclencheur. Prévoyez comment contourner les obstacles. Planifiez votre réseau de soutien. Créez un fichier pour mesurer vos résultats. Choisissez des récompenses et décidez quelles sont vos motivations. Écrivez tout noir sur blanc !

3. Mettez en place l'action immédiatement après le déclencheur et ce sur une période de quatre à six semaines. Élaborez des rappels. Essayez de ne jamais mettre de côté ce que vous voulez voir devenir une habitude. Plus vous serez constants, plus l'habitude s'installera dans la durée. Vous voulez créer un lien étroit entre le déclencheur et l'action. Chaque fois que ce déclencheur se produira, passez à l'action. Au départ, ce sera un processus conscient et délibéré. Au fil du temps, l'habitude s'installera et le processus deviendra presque automatique.

4. Établissez une réaction positive. Mettez l'accent sur le plaisir, faites-en un jeu, créez de la compétition ou, si c'est possible, faites-le avec un partenaire ou au sein d'un groupe. Voici quelques bonnes façons d'établir une réaction positive :

➤ Tirez plaisir de cette action. C'est la façon la plus efficace. Par exemple, si vous voulez vous mettre à la course, arrangez-vous pour que le temps que vous consacrez à courir soit le plus agréable possible : écoutez de la musique, courez avec un ami ou sur un trajet qui vous inspire ou qui vous détend.

➤ Faites part de votre succès une fois cette nouvelle habitude prise. Par exemple, après être allés marcher (votre nouvelle habitude), écrivez sur Facebook, Twitter, sur votre blogue ou parlez-en à un ami. Vous serez félicités. Vous vous sentirez bien.

➤ Faites quelque chose de vraiment agréable immédiatement après cette nouvelle habitude. Par exemple, si vous aimez vérifier vos courriels, mais que vous souhaitez développer l'habitude d'écrire 10 minutes par jour, vérifiez vos courriels immédiatement après avoir écrit vos 10 minutes (et pas avant).

5. Faites un compte-rendu quotidien à un groupe social (par exemple un blogue, Twitter, Facebook, par courriel ou en parlant à des collègues au travail). Utilisez ce groupe pour vous soutenir lorsque les choses deviennent difficiles. Si vous n'arrivez pas à mettre en place cette action, appelez quelqu'un pour vous aider. Un groupe social est une bonne source de réactions positives ainsi qu'une source de motivation. Voici quelques suggestions :

➤ Trouvez un groupe auquel vous attachez une réelle importance : vos amis Facebook ou Twitter, les lecteurs de votre blogue ou d'un forum en ligne, des amis, des membres de votre famille ou simplement des collègues avec lesquels vous communiquez par courriel. Chaque fois que vous entreprenez une action pour mettre en place une habitude, informez-en immédiatement votre groupe. Par exemple, dès que vous avez terminé votre course de 10 minutes, une fois arrivés à la maison prenez un verre d'eau, allumez votre ordinateur et informez votre groupe. Dites-le à votre partenaire de vie et à vos enfants, s'il s'agit du groupe social que vous avez choisi.

> Si, pour une raison quelconque, vous n'entreprenez pas cette action, faites tout de même un compte-rendu. Engagez-vous à faire ce compte-rendu quoiqu'il arrive. Ceci augmentera vos chances de succès.

6. Testez, ajustez, répétez immédiatement. En entreprenant un changement d'habitude, vous testez une approche qui peut échouer. Ce n'est pas grave. Si l'approche initiale n'a pas fonctionné, servez-vous de ce que vous en avez appris pour l'ajuster. Essayez à nouveau le plus tôt possible.

Une fois cette nouvelle habitude bien implantée, vous êtes prêts à planifier de nouveaux objectifs. Souvenez-vous de commencer petit, d'augmenter graduellement et de toujours privilégier le plaisir.

BIEN DÉMARRER SON RÉGIME VÉGÉ

Commencez tranquillement. Vous vous pencherez sur les détails plus tard. Vous n'avez besoin que de quelques indications pour vous lancer. Nous examinerons dans le prochain chapitre les moindres détails afin de nous assurer que vous absorbez bien les nutriments nécessaires à tout sportif végé.

Lisez la première étape ci-dessous, mais n'allez pas plus loin pour le moment. Prenez des notes, suivez les instructions pour choisir vos recettes, dressez une courte liste d'ingrédients et allez à l'épicerie.

Préparer ses propres repas

Beaucoup de personnes ne sont pas en bonne santé parce qu'elles ne cuisinent plus. Nous dépensons des fortunes pour aménager des cuisines spacieuses, luxueuses et parfaitement équipées, mais nous ne les utilisons pas. Plusieurs études indiquent que nous prenons près de la moitié de nos repas à l'extérieur de nos maisons. Si nous cuisinons, nous utilisons le four à micro-ondes pour quelques ingrédients ou bien nous consommons des plats préparés qui ont en général subi une importante transformation.

La faute en revient à notre rythme de vie moderne trépidant. Et puis, il existe tant de plats préparés spécialement pour nous! Quoi qu'il en soit, nous devons retourner à nos fourneaux pour être en bonne santé.

Bonne nouvelle, il y a des recettes gratuites partout. Vous trouverez d'ailleurs dans ce livre ainsi que sur mon site internet www.nomeatathlete.com une liste de recettes végé pour vous inspirer. Une multitude d'autres recettes végétariennes et végétaliennes sont accessibles sur internet. Vous pourrez en outre choisir votre blogue préféré dans la section Ressources (page 263). Ainsi, vous ne regarderez jamais plus désespérément votre frigo en vous questionnant sur le menu à préparer.

CHOISIR SES RECETTES

Vous vous sentez démunis à la perspective d'améliorer vos habitudes alimentaires et encore davantage à l'idée d'éliminer la viande et les produits d'origine animale de votre alimentation ? Vous pensez que vous allez perdre du temps à l'épicerie au rayon des produits santé pour choisir des aliments qui vous sont inconnus ? Et vous n'êtes même pas encore rendus à les cuisiner !

J'ai de bonnes nouvelles pour vous. Nous allons simplifier les choses. Dans un premier temps, partons avec sept repas simples que vous savez probablement déjà préparer. Choisissez-les, dressez la liste des ingrédients qu'il vous faut et rendez vous à l'épicerie pour les acheter (n'achetez que ces ingrédients).

Cette approche vous paraît évidente ? Sachez que la plupart des gens font le contraire : ils achètent des aliments sains puis essaient de dénicher des recettes ou de préparer leurs repas avec ce qu'ils ont dans leur frigo. Au final, ils perdent souvent une partie des ingrédients ou préparent des repas insipides.

Sept recettes de base

Vous remarquerez que presque toutes les recettes proposées constituent en soi des repas complets. Dans le régime traditionnel nord-américain, l'aliment central est la viande, source de protéines et de matières grasses. Elle est servie avec un féculent et un légume vert qui constituent l'apport en glucides. Les régimes végé n'offrent pas autant de possibilités de sources de protéines. Il y en a dans les haricots, les légumes frais, les noix et les grains entiers. Ces aliments contiennent plus que des protéines, notamment des glucides complexes et des matières grasses mono-insaturées saines. Il n'est donc pas nécessaire d'ajouter d'autres aliments riches en glucides à un plat principal qui en contient déjà beaucoup. La formule du plat unique permet d'équilibrer l'apport nécessaire en protéines, en matières grasses et en glucides.

Pour transformer une recette en recette santé, il suffit d'utiliser des ingrédients qui n'ont pas été transformés. Si c'est une première pour vous et que l'idée de choisir vos recettes et de changer votre mode d'alimentation vous insécurise, voici quelques tuyaux afin de planifier intelligemment vos repas et vos commissions.

1. Un smoothie. Débutez la journée avec un smoothie parfait (p. 120). Cette recette vous permet de varier les ingrédients au gré de votre humeur ou de ce que vous avez dans le frigo. Mon conseil : changez de fruit chaque jour.

2. Une salade. La salade est un repas léger à consommer quotidiennement. Les salades sont faciles à préparer, même sans recette précise. Si vous détestez ce mets, c'est sans aucun doute que vous n'en avez jamais mangé de savoureuses. Une salade, c'est bien plus qu'une simple laitue iceberg accompagnée de carottes en petits morceaux. Mon conseil : choisissez une recette qui vous inspire dans la section Salades (pp. 115 à 119) et débarrassez-vous de vos idées reçues.

Méfiez-vous des vinaigrettes. Les salades sont des repas sains qu'une mauvaise vinaigrette peut ramener dans la catégorie de la malbouffe. Les vinaigrettes maison sont simples à préparer et sont bien plus saines que celles du commerce. Personnellement, j'apprécie les vinaigrettes préparées à partir d'un simple jus citron, d'un peu d'huile d'olive et de sel de mer.

3. Une soupe ou un plat mijoté. Les soupes sont en général faciles à cuisiner : il suffit de jeter des ingrédients dans une marmite et de les laisser cuire. Vous pouvez en préparer une grande quantité et en manger plusieurs jours de suite, surtout si elles constituent un repas en soi. La riche soupe de pois chiches et pâtes (p. 112) est devenue l'une de mes préférées. Mon conseil : si une soupe ou un plat mijoté ne vous rassasie pas suffisamment, ajoutez un morceau de pain de grains entiers à votre repas.

4. Un burger végé. Les burgers végé maison sont infiniment meilleurs que tous ceux que vous trouverez en magasin. Ils sont faciles à congeler, ce qui vous permet de constituer une réserve pour les jours où vous n'aurez pas envie de cuisiner. La recette de l'incroyable burger végé (p. 149) vous donne, à l'instar du smoothie parfait, une base de préparation. Il ne vous reste qu'à choisir les ingrédients que vous aimez ou que vous avez sous la main.

Les pains sont optionnels. Les burgers végé peuvent se manger seuls, accompagnés de salade, de salsa ou de tout autre ingrédient que vous appréciez. Mon conseil: si vous décidez de manger vos burgers dans du pain, choisissez du pain de grains entiers ou, mieux encore, du pain de graines germées. Ce ne sont pas les options qui manquent! Par exemple, le pain pita de grains entiers ou de graines germées est excellent avec les burgers à l'indienne ou à la grecque, et une grande feuille de laitue peut facilement constituer une alternative santé pour remplacer le pain.

5. Un mélange de grains entiers, de légumes verts et de haricots. Il s'agit d'une formule gagnante pour préparer en peu de temps un repas sain, bon marché, délicieux, qui ne nécessite qu'un seul plat et facilite ainsi la vaisselle. Mon conseil: essayez la recette de riz aux haricots à l'hawaïenne (p. 148). Ensuite, préparez des haricots adzuki, du quinoa, des bok choy et la sauce parfaite aux arachides (p. 161) ou encore des haricots rouges, du chou vert, du millet avec une sauce épicée. Les possibilités sont sans limites et d'une grande simplicité.

6. Burritos et tacos. Ces recettes sont populaires auprès des jeunes, notamment parce qu'elles sont faciles à préparer et savoureuses. Elles constituent un excellent moyen de manger des légumes crus. Cuisinez la garniture du burrito ou du taco et rajoutez tomates fraîches, piments jalapeños, laitue, coriandre, jus de lime, avocat ou tout autre ingrédient que vous aimez.

La recette de riz aux haricots à la mexicaine (p. 146) est une recette de garniture parfaite pour les tacos ou les burritos. Ajoutez des dés de tomate fraîche, de l'avocat, de la salsa et du jus de lime pour leur donner un petit goût authentique. Mon conseil: enveloppez vos burritos dans une feuille de chou vert ou de chou frisé (*kale*).

7. Des pâtes. Choisissez des pâtes santé et mangez des portions raisonnables. Les pâtes s'inscrivent à merveille dans une diète végé sans dépayser les consommateurs omnivores. J'apprécie particulièrement les pâtes faites de farine de quinoa qui sont plus nourrissantes. Vous pouvez choisir des pâtes de blé entier ou multigrains qui sont moins onéreuses et vous permettent d'opérer votre transition végé en douceur.

FAIRE SON ÉPICERIE

La plupart des ingrédients que j'utilise dans mes recettes sont des produits frais et entiers qui nécessitent peu de transformation, mais vous pouvez également choisir des recettes ailleurs. Dans ce cas, il se peut que vous ayez à apporter des changements pour garder une approche saine. Voici quelques renseignements de base à garder en mémoire lorsque vous faites votre épicerie.

FRAIS OU CONGELÉ ?

Si trouver des produits locaux frais s'avère compliqué ou ne correspond pas à votre budget, n'hésitez pas à acheter des fruits ou des légumes congelés. Ils sont cueillis et congelés à pleine maturité et sont donc riches en nutriments, même une fois décongelés. Mieux encore, ils sont moins chers, faciles à conserver et à utiliser. Une option idéale pour les jours où vous êtes débordés et que vous n'avez pas eu le temps d'aller chercher des produits frais.

Les produits frais

À l'épicerie, vous devez passer les deux tiers ou les trois quarts du temps dans la section des produits frais. Votre budget devrait aussi être dépensé au même endroit dans les mêmes proportions. Impossible de vous tromper, tant que vous n'achetez rien d'emballé et de transformé.

Si vos moyens vous le permettent, achetez bio. Si vous ne le pouvez pas, achetez seulement les produits bios listés chaque année par *Environmental Working Group* (www.ewg.org/foodnews) comme étant ceux qui ont les taux pesticides les plus élevés (« *The Dirty Dozen* »).

En ce qui concerne les légumes verts en feuilles, sachez que ce sont ceux qui sont le plus foncé qui contiennent les meilleurs nutriments. Si vous mangez de la laitue iceberg, mélangez-la avec des variétés telles que la roquette, les épinards, le chou frisé (*kale*), le chou vert ou même la romaine, plus riches en vitamines.

Choisissez divers fruits que vous prendrez en collation ou en dessert.

Chaque fois que vous le pouvez, achetez des produits locaux. Il existe de nombreux marchés qui proposent les produits des fermes environnantes. Ceux-ci seront toujours meilleurs que ceux du supermarché qui propose trop souvent des aliments cultivés à grande échelle contenant peu de vitamines et de nutriments. Les fruits et les légumes perdent une grande proportion de leurs bienfaits nutritifs quelques jours après leur cueillette. Moins ils passent de temps dans un camion, meilleurs ils sont.

MARATHONIEN VÉGÉTALIEN MALGRÉ MOI

Par Tom Giammalvo

Je passais beaucoup de temps devant la télévision, je jouais à des jeux vidéo jusqu'aux petites heures du matin, je fumais, je travaillais de nuit et je mangeais n'importe quoi. J'ai changé tout cela par étapes. Aujourd'hui, je suis un marathonien, coureur universel, cycliste, triathlète, membre actif de la patrouille nationale de ski ainsi que du *Greater New Bedford (Massachusetts) Track Club* et, ce qui importe davantage, je suis un athlète végé !

C'est en 2010 que j'ai changé mon mode de vie quasi sédentaire de fumeur et de consommateur de boissons énergisantes. J'ai complété le programme P90x de Beach Body, un programme de conditionnement physique et de nutrition à suivre à la maison pendant 90 jours. Cette même année, j'ai couru mon premier 5 km en 26 minutes 39 secondes.

Encouragé par mon filleul, j'ai décidé d'arrêter de fumer et de tout faire pour assainir mon mode de vie. Le livre *The Accidental Vegan* ressemble à ce que j'ai vécu. Je n'avais jamais eu l'intention de devenir végétalien. Mais à mesure que je me suis amélioré à la course, j'ai cherché des moyens de me perfectionner. Manger plus sainement semblait être une bonne option. Petit à petit, j'ai d'abord éliminé la viande rouge, puis le poulet, le poisson et enfin les produits laitiers.

À mesure que ma diète végétalienne se mettait en place, j'ai constaté une amélioration de mon temps de récupération après les courses. J'avais aussi de moins en moins besoin d'utiliser des bandages après mes séances d'entraînement intensif. Je me suis entraîné en suivant cette diète végé de novembre à mars et j'ai franchi la ligne d'arrivée du demi-marathon de New Bedford en 1:45:45. J'ai voulu aller plus loin et, en octobre 2011, j'ai terminé le marathon de Cape Cod en 3:48:10.

Au cours des deux années suivantes, j'ai couru un autre demi-marathon, un autre marathon et mon premier ultramarathon.

Pendant les premiers mois de ma transition vers le végétalisme, j'ai éprouvé un bien-être croissant et je n'ai plus ressenti cette sorte de fatigue qui survient après un repas traditionnel. Depuis que je suis devenu végétalien, je n'ai pas été malade une seule fois. Et les retombées positives sur l'environnement et sur le monde animal importent vraiment pour moi.

Au cours des deux dernières années, j'ai gagné en force, j'ai eu un impact positif sur les autres, j'ai rencontré des végétaliens hors du commun et j'ai mené une vie d'athlète végé particulièrement enrichissante. J'encourage tout le monde à l'essayer.

Les grains : à consommer avec modération

Un mouvement de fond antiglucides, antigrains et surtout antiblé, s'exprime dans les réseaux de santé, notamment en raison de la popularité du régime paléolithique. Je reste malgré tout partisan de les consommer tout en partageant l'opinion de mon ami et coauteur Matthew Ruscigno. Selon lui, il n'est pas nécessaire d'éliminer les grains. La plupart des gens en consomment cependant beaucoup trop. Le blé, en particulier, occupe une place trop importante dans l'alimentation, même celle des personnes sensibilisées aux questions de nutrition.

Si vous n'êtes pas vigilants, il est facile de consommer du blé sous une forme ou sous une autre à chaque repas — bagels, céréales, pâtes, pains, collations ou desserts. Tâchez d'éviter de le faire. Souvenez-vous que la variété est le moyen le plus efficace pour recevoir tous les nutriments, les vitamines ou les minéraux nécessaires à votre organisme. Pourquoi manger un seul et unique aliment si souvent quand il en existe des centaines à votre disposition ?

Si vous n'êtes pas allergiques au blé ou que vous ne souffrez pas de la maladie cœliaque, vous pouvez consommer du blé de temps en temps. Le quinoa, qui techniquement est une semence et qu'on qualifie de pseudo-grain, est un bon substitut pour le blé. Achetez des grains entiers, bruns ou germés plutôt que des grains blancs, raffinés, qui ont été dépouillés de la plupart de leurs nutriments et des fibres qui agissent sur l'impression de satiété.

N'oubliez pas que vous pouvez remplacer la plupart des grains ou des pseudo-grains d'une recette. Ainsi, découvrez le quinoa, l'amarante, le sarrasin, le millet, ou encore l'orge, l'épeautre et le boulgour qui sont des versions anciennes du blé et qui ont des profils nutritifs différents. Le même principe s'applique aux farines faites à partir de ces grains.

La question des huiles

Quelle est la meilleure huile pour cuisiner? De nombreux professionnels de la santé, comme le médecin américain John McDougall qui est aussi un expert en nutrition, soutiennent qu'il est préférable de ne pas consommer d'huile du tout, puisque ce n'est pas un aliment complet. Mon approche est moins stricte. À mon avis, les huiles utilisées en petites quantités et à l'occasion permettent aux sportifs qui suivent un régime végé d'augmenter leur apport en calories et d'améliorer leurs performances. Brendan Brazier et Scott Jurek, deux des athlètes végétaliens les plus réputés, font valoir que certaines huiles ont eu un impact positif tant sur leurs performances que sur leur santé. C'est également ce que soutient le docteur Walter Willett, directeur du département de nutrition de la *Harvard School of Public Health* et auteur de plusieurs livres sur la nutrition.

La variété est le moyen le plus efficace pour recevoir tous les nutriments, les vitamines ou les minéraux nécessaires à votre organisme.

L'HUILE SUR LE FEU

Mis à part quelques exceptions, les huiles végétales contiennent des taux élevés de matières grasses mono-insaturées saines qui ne sont pas affectées lorsqu'elles sont chauffées. Chaque huile supporte une certaine température de cuisson au-delà de laquelle elle se désagrège, perd de son goût et de ses bénéfices nutritionnels. Il faut donc veiller à ne pas la chauffer jusqu'à une température où elle se met à fumer. Il est cependant vrai que certaines vitamines et certains minéraux sont perdus lorsque l'huile est chauffée même à des températures moindres. Cela étant dit, elles contiennent si peu de ces vitamines et de ces minéraux que ce n'est pas très grave, l'important étant de préserver les gras mono-insaturés qui se transforment lorsque l'huile se met à fumer.

J'utilise personnellement de l'huile d'olive pour les salades et pour certains plats cuisinés à basse température. J'ai choisi l'huile de noix de coco pour les smoothies ou comme substitut de beurre sur des toasts ou sur du maïs soufflé. L'huile de pépins de raisins convient pour la cuisson à plus haute température. Méfiez-vous des huiles hautement élaborées et chauffées, comme la plus générique de toutes, l'huile végétale.

Souvenez-vous, quelle que soit l'huile que vous choisissez, de l'utiliser avec parcimonie : ne consommez pas une cuillerée à soupe lorsqu'une cuillère à café suffit. Les huiles ne sont pas des aliments complets. Elles contiennent énormément de calories dans un tout petit volume.

Les condiments et les grignotines

Il n'y a aucun problème à ce que vous continuiez à manger les condiments que vous aimez. Là encore, la modération sera meilleure pour votre santé. Vérifiez la liste des ingrédients qui les composent. Assurez-vous que vous les connaissez tous et que la plus grande partie d'entre eux sont des aliments complets. Méfiez-vous du sirop de maïs et des huiles de mauvaise qualité qui sont malheureusement utilisées dans la production de la plupart des condiments. Vérifiez également la teneur en sodium. Les aliments préparés sont une source non négligeable de sel. Si vous le pouvez, préparez vos condiments vous-mêmes. Dénichez des recettes de houmous, de baba ganoush, de sauce barbecue, etc.

Essayez de ne pas trop utiliser de sel. Le docteur Joel Fuhrman rappelle que pendant des millions d'années les humains n'ont pas salé leur nourriture. Le sodium que l'on trouve naturellement dans les aliments représente un apport quotidien de 600 à 800 milligrammes, alors qu'une seule demi-cuillerée de sel représente près de 1000 mg de sodium. Souvenez-vous toutefois que le sel de table iodé est une source importante d'iode. Si vous réduisez votre consommation de sel ou si vous utilisez du sel de mer non iodé, il serait nécessaire de prendre des suppléments d'iode, car peu d'aliments en contiennent.

Dans le cas des grignotines, les mêmes principes s'appliquent: examinez la liste des ingrédients en vous assurant qu'il s'agit d'aliments complets et évitez le sel et les huiles conditionnées. Les noix, crues ou rôties, sont sans aucun doute ce que vous trouverez de mieux.

Des boissons à éviter

La quasi-totalité des boissons gazeuses sont mauvaises pour la santé. Elles ne contiennent que de l'eau gazeuse, du sucre (ou un substitut) et des colorants. Notons tout de même que l'eau de noix de coco et les boissons spécialisées pour sportifs servent à reconstituer les réserves de glycogène pendant les longues séances d'entraînement ou les courses. Elles ne constituent cependant pas des sources de calories appropriées au quotidien.

Votre meilleure option est de boire de l'eau. Si vous trouvez ça insipide, ajoutez quelques gouttes de jus de citron ou de lime. Vous finirez par y prendre goût. Notez aussi que le thé est une meilleure option pour votre organisme que le café. Le thé vert demeure mon préféré. Mais il existe une grande variété de tisanes sans caféine, très savoureuses et remplies d'antioxydants. Si vous n'avez pas l'habitude de boire du thé, je vous recommande de le sucrer très légèrement au début avec, par exemple, quelques gouttes de sirop d'agave. Vous réduirez ensuite progressivement la quantité d'agave jusqu'à apprécier le thé nature.

LES 10 RÈGLES DE BASE

La simplicité est la base de tout, surtout quand il s'agit d'alimentation. Lorsque vient le moment de passer à table, je n'aime pas l'idée d'avoir à me restreindre ou d'être régi par des règlements et des listes d'ingrédients. Manger est l'un des grands plaisirs de la vie. Il faut apprécier la nourriture et le temps que nous passons à table.

C'est de cette simplicité que se réclame Michael Pollan dans *Manifeste pour réhabiliter les bons aliments* : « Mangez de vrais aliments. Principalement des plantes. En quantités raisonnables. » Ces trois phrases cohérentes ont sans doute amené Pollan à écrire *Les règles d'une saine alimentation*, un autre ouvrage incontournable rempli de règles générales inoubliables comme « Mangez seulement ce que votre grand-mère aurait appelé de la nourriture. »

Voici les règles de base que je m'efforce de suivre. Elles ne sont peut-être pas aussi accrocheuses ou faciles à retenir que celles de Pollan, mais elles résument honnêtement ce que je considère être la meilleure façon de s'alimenter. Pas seulement ce mois-ci ou jusqu'à ce que vous ayez perdu ces derniers sept ou huit kilos, mais pour le reste de votre existence.

1. Des aliments entiers, non raffinés

Cette règle est primordiale. Si vous n'appliquez que celle-là, vous modifieriez en profondeur vos habitudes alimentaires et vous améliorerez votre santé. Cette seule règle s'oppose à la façon dont la plupart d'entre nous se nourrissent en Occident. N'achetez plus les pseudo-aliments que l'industrie agroalimentaire veut vous vendre.

Préférez par exemple :

➤ Le riz brun au riz blanc
➤ Les fruits au jus de fruits
➤ Les smoothies faits de fruits entiers plutôt que du jus duquel on a éliminé les fibres
➤ De la farine de blé entier plutôt que de la farine blanche.

2. Un régime végé le plus possible

Contrairement à de nombreux végétariens ou végétaliens, je ne crois pas que la viande et les œufs sont fondamentalement mauvais. Beaucoup de gens se portent bien en suivant différentes diètes omnivores ou végé. Je pense que tous ces régimes peuvent nous convenir.

Le problème avec la viande, c'est la quantité consommée. Du temps de nos ancêtres il se passait plusieurs jours entre deux chasses fructueuses. Nous avons désormais tendance à manger de la viande comme s'il s'agissait d'un festin au retour de la chasse. La densité calorique de cette viande laisse peu de place pour les autres aliments et contraint notre système digestif à un effort considérable. C'est la raison pour laquelle nous nous sentons repus et même léthargiques pendant des heures après un gros repas.

Dans de nombreux autres pays, la viande rehausse un plat ou est consommée comme un à-côté. Elle est rarement l'élément central de l'assiette. Si vous souhaitez continuer à manger de la viande, en dehors de toute considération éthique, je vous recommande d'en manger avec parcimonie.

3. Des plats cuisinés à la maison

Si vous suivez la première règle, c'est-à-dire manger des aliments complets, faire la cuisine devient implicite. C'est une règle à part entière, car la plupart des gens ne cuisinent plus ce qu'ils mangent. Vous pouvez préparer la quasi-totalité de vos repas. Vous apprendrez ainsi à connaître les ingrédients qui les composent.

Voici une liste d'aliments qui s'achètent à l'épicerie, mais que vous pouvez envisager de préparer chez vous facilement avec un robot culinaire ou un mélangeur.

- ➤ Houmous
- ➤ Baba ganoush
- ➤ Pesto
- ➤ Sauce tomate, sauce barbecue et ketchup
- ➤ Beurres de noix
- ➤ Farine à partir de céréales ou de légumineuses
- ➤ Smoothies
- ➤ Boissons pour les sportifs

4. Des fruits et des légumes frais

Les vertus du cru et celles du cuit alimentent beaucoup de discussions. Les partisans du crudivorisme prétendent que les aliments crus sont plus faciles à digérer puisque les enzymes qu'ils contiennent naturellement sont dénaturés par la cuisson. Mais de nombreux aliments ne sont pas mangeables crus. La cuisson se pratique depuis si longtemps qu'elle a sans aucun doute eu le temps d'influencer l'évolution de notre organisme. Partagé entre ces deux options, j'ai choisi de manger autant d'aliments crus que cuits. Notez que nous sommes habitués à manger plus d'aliments cuits que crus. Assurez-vous donc de consommer des aliments crus chaque jour.

Je vous recommande de prendre l'habitude de boire un smoothie cru le matin et de manger une grosse salade le midi. Ajoutez des fruits frais comme collation pendant la journée et vous atteindrez une bonne proportion d'aliments crus et sains sans avoir à y penser.

CRU OU CUIT?

Cuire peut améliorer le profil nutritionnel de certains légumes. Par exemple, cuire des carottes augmente le taux de bêta-carotène assimilable par l'organisme. Cuire des tomates brise les fibres et augmente le taux de lycopène phytochimique. Des études ont montré que les lycopènes jouent un rôle dans la prévention du cancer. Il reste beaucoup à découvrir sur le sujet, mais ces résultats sont prometteurs.

5. Un smoothie et une salade chaque jour

Tant que vous boirez un smoothie et mangerez une salade chaque jour, je prends le pari que vous pourrez manger ce que vous voulez le reste du temps sans engraisser d'un gramme. À moins que vous ne décidiez de prendre tous vos autres repas chez McDonald's ou dans un steak house!

Les smoothies et les salades vous mettent dans la bonne direction. En consommant ainsi des fruits et des légumes frais, vous avez conscience que vous faites du bien à votre organisme. Quand vous avez commencé votre journée par un smoothie, aller chez McDonald's le midi ne semble plus une aussi bonne idée. Et quand vient le moment de décider quoi manger le soir, la salade est un choix gagnant. Petit à petit, ces repas sains deviennent la norme et laissent peu de place à la malbouffe.

6. Du blé avec modération

Vous n'avez aucune envie d'arrêter de manger du pain et des pâtes et je vous comprends. Moi non plus. Mais il y a tant d'aliments qui contiennent du blé que vous risquez d'en consommer à chaque repas si vous n'y prêtez pas attention. Il est préférable de varier son alimentation plutôt que de dépendre d'un seul aliment.

Les gens ont divers degrés de sensibilité au blé. Certains n'arrivent pas ou ont de la difficulté à le digérer. D'autres ont une sensibilité moindre, mais ressentent un impact négatif sur leur niveau d'énergie. Ces problèmes associés au gluten persistent avec des produits préparés avec du blé entier et non seulement des farines blanches. Il faut savoir que de nombreux athlètes ont décidé d'éviter de manger du blé et que d'autres en consomment uniquement à des moments clés de leurs entraînements.

Il existe aujourd'hui de nombreuses alternatives, notamment en ce qui concerne les pâtes qui sont préparées à partir de farines de riz, de quinoa ou même de pois chiches.

Ma suggestion: n'éliminez pas complètement le blé si vous n'avez pas de sensibilité particulière au gluten. Essayez d'en limiter la consommation à un repas par jour ou, idéalement, à quelques repas par semaine, comme tout autre aliment.

7. Une alimentation variée

Si la perspective de suivre un régime végétarien ne vous enchante pas, c'est peut-être que vous considérez que vous allez perdre beaucoup. Si vous mangez essentiellement de la viande, les assiettes risquent de vous paraître vides. Je crois, au contraire, que vous avez tout à gagner. Vous découvrirez et ajouterez de nombreux aliments à votre régime, tant à la maison qu'au restaurant. C'est

---

Faites de votre mieux pour arrêter de consommer des boissons gazeuses, des boissons énergétiques ou des boissons pour sportifs, même les versions « diète ».

une excellente chose pour votre santé. Votre apport en vitamines et en minéraux sera plus varié au lieu d'en absorber certains en trop grandes quantités et d'autres en quantités insuffisantes, comme c'est le cas si vous mangez toujours les mêmes aliments.

8. Des boissons peu caloriques

La plupart des boissons riches sont conditionnées. Elles prennent relativement peu de place dans notre estomac. Il est donc très facile d'en boire en quantité excessive avant de se sentir rassasié.

Le même raisonnement s'applique aux smoothies. Sous cette forme, vous pouvez consommer plus de fruits que si vous les mangiez entiers. Cela étant dit, dans la mesure où vous préparez votre smoothie matinal avec des ingrédients complets et des fruits et des légumes frais, ils représentent une excellente façon de démarrer la journée.

Faites de votre mieux pour arrêter de consommer des boissons gazeuses, des boissons énergétiques ou des boissons pour sportifs, même les versions « diète ». Elles contiennent beaucoup trop de sucre ou pire, un ersatz de sucre ; certaines contiennent aussi d'importantes quantités de caféine. Les sportifs doivent limiter la consommation de boissons sucrées aux longs entraînements, quand ils doivent préserver leurs réserves en glucides.

9. La faim justifie les moyens

Manger étant l'un de nos grands plaisirs, limiter les quantités que nous mangeons risque de réduire considérablement ce plaisir. Heureusement, si vous consommez des ingrédients sains, vous n'avez a priori pas à surveiller vos quantités (à moins que vous ayez un problème de poids sérieux).

Si vous consommez des aliments sains et transformés le moins possible, votre organisme ressentira la satiété au juste moment.

Si vous consommez des aliments sains et transformés le moins possible, votre organisme ressentira la satiété au juste moment. Des récepteurs dans notre estomac envoient à notre cerveau un signal indiquant que nous avons reçu assez de nourriture et que nous nous sentirons moins bien si nous en absorbons davantage. Mais pour cela, il faut laisser à notre organisme le temps de réaliser que nous sommes rassasiés. En nous précipitant sur la nourriture, nous court-circuitons ce système et nous mangeons trop avant que notre estomac ait la possibilité de réagir.

Prenez votre temps, mâchez bien vos aliments et soyez conscients de ce que vous ressentez.

Les Japonais utilisent l'expression « *hara hachi bu* » qui incite à manger à 80 % de sa faim. Cette pratique fonctionne puisqu'il y a un certain délai entre le moment où nous absorbons un aliment et celui où nous ressentons la satiété. En prêtant attention à ce que nous ressentons, nous finissons par reconnaître les signes indicateurs. Ainsi, je recommande de ne pas terminer votre assiette si vous n'avez plus faim. Et si vous regardez la télévision, ne mangez pas jusqu'à la fin de votre émission sans vous en rendre compte.

10. Des écarts aux règles

Il s'agit d'une règle essentielle, en particulier si le principe de saine alimentation est nouveau pour vous. L'idée de ne plus jamais manger tel ou tel aliment peut compromettre vos objectifs à long terme. Je ne vous incite pas pour autant à enfreindre toutes les règles chaque jour. Je considère qu'il est préférable et globalement plus constructif de faire preuve de souplesse dans votre démarche plutôt que de vous imposer des restrictions à chaque repas. Je vous conseille donc d'enfreindre à l'occasion quelques-unes de ces règles.

Pour Tim Ferriss, auteur de *The 4-Hour Body*, cela signifie s'autoriser à tricher une journée par semaine en mangeant ce qui nous fait plaisir. La seule condition est de suivre à la lettre la diète le reste du temps. Si cette formule ne vous convient pas, permettez-vous une petite incartade à l'occasion. Faites-vous plaisir pour des occasions importantes. Si vos saines habitudes alimentaires sont bien installées, ce n'est pas un petit écart qui les mettra en péril.

VOYAGER VÉGÉ

Voyager en mangeant végé : tout un défi ! Vous trouverez sans problème des hamburgers, et rien ne vous empêche de faire une incartade à votre régime. Mais je suis prêt à parier que vous ne le ferez pas. Il serait incongru de dire que vous êtes végétarien en sachant que trois jours auparavant, à court d'options, vous avez dévoré un hamburger et bu un lait frappé. Là où d'autres personnes font des exceptions, les personnes qui suivent une diète végé sont prévoyantes parce qu'elles ont entrepris une démarche sérieuse.

Que pouvez-vous emporter avec vous ? Selon que vous voyagez en voiture ou en avion, que vous avez un endroit pour cuisiner dans l'appartement que vous avez loué ou que vous séjournez à l'hôtel, que vous avez accès ou non à un magasin d'alimentation naturelle, voici quelques recommandations :

➤ Un sac de noix ou un mélange de noix et de fruits séchés.

➤ Des fruits (des bananes si c'est tout ce que vous trouvez).

➤ Des fruits séchés (achetés dans le commerce ou préparés avec un déshydrateur).

➤ Du houmous (maison ou acheté dans le commerce) dans un pain pita.

➤ Un bagel ou un pita avec du beurre de noix (fait maison si possible).

➤ Des carottes, du céleri, du brocoli, ou tout autre légume coupé en morceaux avec une tartinade végé en accompagnement.

➤ Un substitut de repas en poudre, comme Vega One, dilué dans de l'eau ou dans du lait d'amandes, ou une autre boisson que vous aurez à portée de main.

Les restaurants végé

Les athlètes professionnels, les auteurs de livres de recettes et les blogueurs végétaliens que j'ai questionnés recommandent le site www.happycow.net pour trouver des restaurants convenant aux végétariens et aux végétaliens qui voyagent en Amérique du Nord et à l'étranger.

D'UN RÉGIME OMNIVORE À UN RÉGIME VÉGÉ

La transition d'un régime omnivore à un régime végé doit s'effectuer graduellement. Certaines personnes préféreront l'approche « tout ou rien ». Cela peut en effet être stimulant de changer d'habitudes alimentaires du jour au lendemain. Cependant, souvenez-vous des occasions où vous avez choisi une approche draconienne, soit pour suivre un régime ou pour prendre une résolution de début d'année. Si ces tentatives se sont soldées par un échec, essayez autre chose.

J'ai tenté deux fois de devenir végétarien. La première fois, j'ai échoué lamentablement au bout d'une semaine. La seconde dure depuis cinq ans. Et ce n'est que deux ans après avoir entamé ma diète végétarienne que je suis devenu végétalien. Aujourd'hui, je n'ai aucune intention de revenir en arrière.

En me basant sur mon expérience personnelle et sur ce que j'ai appris des autres, voici 5 points à retenir pour que votre changement soit durable.

1. N'essayez pas de ne plus jamais manger de viande

J'admire les personnes qui, du jour au lendemain, arrêtent définitivement de manger de la viande et passent d'une diète omnivore à une diète végétarienne, voire même végétalienne. J'aurais aimé que cela m'arrive. Bien au contraire, lors de ma première tentative, la seule chose à laquelle je pensais, c'était combien je trouvais le processus difficile. J'étais persuadé de ne pas y arriver.

Lors de ma deuxième tentative, j'avais établi des échéances. J'ai d'abord décidé de suivre une diète pesco végétarienne pendant 10 jours. Le onzième, je me laissais l'opportunité d'arrêter si je le désirais. Comme je me sentais bien, j'ai décidé d'éliminer le poisson durant les 30 jours suivants. Au terme de cette période, j'avais la liberté d'arrêter. De ce fait, quand j'ai commencé à me dire que je n'allais plus manger de viande, l'envie d'en consommer avait disparu puisque je m'étais habitué à ne plus en manger. Du coup, je n'ai jamais ressenti de manque ou de sacrifice.

2. Établissez une transition en douceur

J'ai réussi à arrêter de manger de la viande en suivant une tactique précise. J'ai d'abord éliminé celle d'animaux à quatre pattes (viande rouge et viande de porc) pendant une année complète. Je n'avais pas encore le projet de devenir végétarien, projet qui me paraissait difficile à réaliser. Éliminer la viande de bœuf, de porc, de veau et d'agneau me semblait constituer une excellente alternative. Je m'en sortais bien avec des burgers de dinde, des fruits de mer et beaucoup de poulet. De plus, je cuisinais mes recettes italiennes préférées en remplaçant la viande hachée habituelle par de la viande hachée de volaille.

Au bout d'une année, j'ai décidé de passer à une deuxième étape en éliminant la viande venant d'animaux à deux pattes, c'est-à-dire celle de nos amis à plumes. J'ai continué de manger du poisson pendant quelques semaines. Puis j'ai réalisé un beau matin que je n'avais plus de plaisir à consommer du poisson. J'en mangeais si peu que je ne me souviens pas vraiment du moment exact où j'ai arrêté. Ce n'est finalement que deux ans plus tard, après avoir peu à peu éliminé les produits laitiers, que j'ai décidé de devenir végétalien.

J'ai ainsi découvert et expérimenté qu'une suite de petits changements, apportés les uns après les autres, représentait la meilleure façon de mettre en place de grands changements.

3. Planifiez chaque étape

Comment planifier d'arrêter de manger du poulet? Vous devez d'abord vous assurer de ne pas en avoir dans votre réfrigérateur. S'il vous en reste, finissez-le ou offrez-le à quelqu'un. Ensuite, une petite recherche s'impose. Vous tentez d'éliminer une source de protéines, il ne faudrait pas la remplacer par des glucides. Choisissez des menus végétariens à tester, comme ceux suggérés plus loin dans ce livre ou que vous aurez trouvés sur internet.

Planifiez une semaine complète de menus sans poulet. À cette étape, vous pouvez utiliser des substituts faits à base de soja ou de protéines végétales. Faites votre épicerie pour la semaine. Il ne vous restera plus qu'à apprécier vos progrès et le bien-être que vous ressentirez à mesure que votre régime alimentaire change.

Un rappel: si vous partez en voyage ou êtes invités chez des amis qui risquent de ne pas avoir la nourriture qui vous convient, soyez prévoyants. Emportez ce qu'il vous faut ou prenez un repas léger avant. Essayez de ne pas vous imposer trop d'épreuves difficiles pour tester votre volonté.

DES CHANGEMENTS MINEURS

Voici une autre astuce pour effectuer votre transition en douceur. Préparez vos repas végé préférés et apportez des changements mineurs aux autres repas que vous prenez afin d'en éliminer la viande petit à petit. Par exemple, si vous aimez manger du bœuf avec des brocolis, augmentez la proportion de brocoli chaque fois que vous préparez ce plat, jusqu'au moment où il sera composé presque exclusivement de brocoli.

4. Prenez une pause…

… mais pas une pause de végétarisme ! Permettez-vous de temps en temps de manger des aliments moins sains. Si vous limitez votre consommation de viande, autorisez-vous un peu plus de pâtes, de substituts de viande ou même de fromage. L'idée est d'amoindrir le choc, de rendre la transition plus agréable et de ne pas décrocher.

Je mange encore de temps en temps des saucisses végétariennes quand j'en ai vraiment envie. Elles contiennent du gluten et ne constituent pas un aliment complet. Elles ne sont donc pas très saines. Mais cette petite entorse au règlement me permet de suivre ma diète à 95 % le reste du temps. Le jeu en vaut la chandelle !

5. Essayez de nouveaux aliments

Réjouissez-vous, vous allez découvrir plein de nouveaux aliments ! Vous auriez pu les goûter depuis longtemps, mais pour une raison ou pour une autre, vous ne l'avez pas fait. Vous étiez pris dans vos habitudes : viande, féculents et quelques légumes.

Élargissez vos horizons. Préparez des plats indiens, allez dans un restaurant thaïlandais ou mangez éthiopien, avec vos mains. À l'épicerie, dans la section des légumes, choisissez une racine bizarre, brune, poilue, puis allez sur internet chercher des recettes de racines bizarres, brunes et poilues et préparez-en une ! Au magasin, assurez-vous de bien noter le nom de la racine en question, car je suis presque certain que la caissière ou le caissier n'en saura rien.

Portez toute votre attention sur ces nouvelles saveurs et ces nouvelles textures. Au lieu d'accorder une attention excessive à ce qui manque dans votre assiette, concentrez-vous sur la nouveauté.

L'apport en protéines

Vous avez désormais des lignes directrices simples et faciles à suivre ainsi qu'une approche à l'alimentation relax et naturelle. Mais le portrait n'est pas tout à fait complet. Il manque un petit quelque chose. D'où vient l'apport en protéine ? Cette question récurrente est primordiale, même si elle ne constitue pas en soi un problème. Nous aborderons le sujet dans le prochain chapitre, ainsi que celui des autres nutriments dont vous avez besoin, et nous examinerons comment vous assurer d'équilibrer votre diète. Nous parlerons aussi du fer ou de la vitamine B 12, deux carences potentielles dans les régimes végé. Pour l'instant, l'important était de vous lancer.

CHAPITRE 3
Guide pour manger végé

J'ai demandé à Matthew Ruscigno, diplômé en nutrition et en santé publique, végétalien et ex-président du Vegetarian Nutrition Practice Group de l'Academy of Nutrition and Dietetics, d'écrire ce chapitre sur la nutrition. Matthew est également un sportif de haut niveau. Il s'est notamment classé 10ᵉ lors de la Furnace Creek 508, une course cycliste de 817 kilomètres qui se déroule dans la Vallée de la Mort. Vous êtes entre de bonnes mains.

— MATT FRAZIER

Malgré toutes les données disponibles sur la nutrition, il est souvent difficile de faire les bons choix personnels. Les enjeux sont importants, car les habitudes alimentaires ont un rôle déterminant sur la santé, les performances sportives ainsi que sur la prévention de nombreuses maladies.

Nous avons tous des idées préconçues sur les aliments qui nous viennent des habitudes alimentaires de nos sociétés. Nous avons grandi avec l'idée que le lait est la meilleure source de calcium et que la viande est la meilleure source de protéines. C'est le résultat de campagnes de publicité particulièrement réussies et si efficaces que les gens confondent maintenant aliments et nutriments. Cette idée est si bien ancrée que les partisans des régimes végé prouvent la valeur nutritionnelle des plantes en comparant, par exemple, le lait de soya avec le lait de vache ou les légumineuses avec la viande. S'alimenter végé, ce n'est pas manger des aliments précis pour obtenir des nutriments précis. Ces comparaisons sont donc inutiles. La diète végé met l'accent sur la nécessité de consommer une grande variété d'aliments complets contenant de nombreux nutriments en quantités variées. Nul besoin d'obtenir 30 % de notre apport en calcium à partir d'un seul et unique aliment quand nous pouvons l'obtenir d'une douzaine de sources différentes.

Ce chapitre aborde les principes de base de la nutrition végé afin que vous vous sentiez en confiance pour préparer et consommer des repas végétariens et végétaliens. Vous trouverez aux chapitres 8 et 9 des renseignements supplémentaires sur la façon d'intégrer l'alimentation végé à l'entraînement.

LES DIVERSES SOURCES DE NUTRIMENTS

Les aliments complets végé sont des sources incroyables de vitamines et de minéraux. Les données habituelles sur la nutrition présument que les gens consomment de petites quantités de fruits frais, de légumes ou de grains entiers. Dans la diète végé, l'accent est mis sur la variété et la quantité d'aliments riches en nutriments. Cette variété satisfait les papilles gustatives et constitue la pierre angulaire du programme nutritionnel végé.

1. Nous absorbons plus de nutriments lorsque nous les consommons en petites quantités. Notre corps n'est pas un contenant dans lequel nous ajoutons des nutriments. Il absorbe et utilise les nutriments au fur et à mesure de ses besoins. Si nous mangeons plus que nécessaire, notre organisme les laisse de côté. Si vous prenez 18 mg de supplément de fer d'un coup, ils seront peu assimilés puisque le fer est absorbé en petites quantités. La plupart des nutriments fonctionnent de cette manière.

2. Plus nous varions notre alimentation, plus nous absorbons de nutriments. Le régime alimentaire moyen manque de variété. L'équation est donc logique : moins de variété, moins de nutriments. Pensez-vous que si vous arrêtez de consommer des produits laitiers, vous allez manquer de calcium ? La réponse est non. Beaucoup de plantes sont des sources de calcium : chou frisé (*kale*),

---

La diète végé met l'accent sur la variété et la quantité d'aliments riches en nutriments.

brocoli, chou vert, tofu... Vous n'aimez pas les légumes verts en feuilles ? Consommez du lait de soja. Vous n'aimez pas le goût du lait de soja ? Essayez le lait d'amandes. Les possibilités sont nombreuses !

3. La variété, une assurance contre les carences. En consommant la même dizaine d'aliments jour après jour, semaine après semaine, il est probable que vous développiez une carence en certains acides aminés, en vitamines ou en nutriments. Il est moins probable que vous ayez ce problème à long terme avec une alimentation variée.

DES VALEURS NUTRITIVES BASSES

La valeur nutritive des portions de fruits et de légumes est très basse. Il faut cependant savoir que les sportifs qui suivent une diète végé consomment plusieurs portions à la fois. Une portion de brocoli correspond à une demi-tasse (36 g), soit quelques fleurons. Si le brocoli constitue l'ingrédient principal de votre repas, vous en mangez trois tasses (213 g), soit six portions et six fois les nutriments d'une portion unique. Vous absorbez ainsi 10 % des besoins quotidiens en calcium et en fer en consommant seulement 60 calories.

C'est la même chose pour les fruits. Mon petit-déjeuner préféré est constitué de bananes écrasées avec du beurre d'amande et des pommes coupées en morceaux. Si je prévois un entraînement intense, j'utilise quatre bananes bien mûres. Les bananes sont principalement des glucides, mais quatre portions renferment 5 g de protéines. Ce fruit ne représente pas une source de protéines importante, mais quatre bananes en contiennent plus qu'un petit œuf.

LES MACRONUTRIMENTS : GLUCIDES, PROTÉINES ET MATIÈRES GRASSES

Dans le documentaire *Super Size Me (Malbouffe à l'américaine)* de Morgan Spurlock, des passants sont interrogés sur la définition du mot « calorie ». Dans la plupart des cas, ils répondent que c'est mauvais pour la santé et qu'il faut éviter d'en consommer. Cela prouve à quel point la nutrition est mal comprise.

Les calories sont des unités de mesure d'énergie. Elles ne sont ni bonnes ni mauvaises. Tous les aliments contiennent des calories, que ce soit sous forme de glucides, de protéines ou de matières grasses. Ensemble, ces sources de calories sont appelées macronutriments. Ces macronutriments sont les seules sources de calories.

Comme vous le verrez plus loin, les glucides constituent de loin la meilleure source d'énergie pour vos séances d'entraînement, les protéines végétales valent les protéines animales et les matières grasses sont essentielles et bénéfiques. Il est primordial d'intégrer ces notions pour performer en tant que sportif et devenir un défenseur éclairé de l'alimentation végétarienne ou végétalienne.

CALCULER SES CALORIES

Déterminer la quantité idéale de calories qui vous est nécessaire chaque jour n'est pas indispensable. Toutefois pour les athlètes professionnels ou les sportifs attentifs (et contrôlants !) que nous sommes, l'exercice en vaut la peine.

Utilisez la méthode ci-dessous pour déterminer vos besoins caloriques quotidiens, en tenant compte du fait qu'il s'agit d'une estimation qui varie avec la masse corporelle maigre, le niveau de condition physique et le taux métabolique. Pour une évaluation plus précise, vos besoins en calories peuvent être mesurés en laboratoire par calorimétrie directe ou indirecte.

Étape 1

Établissez votre taux métabolique de base (TMB) en utilisant votre poids, votre taille et votre âge. Le TMB établit le nombre de calories quotidiennes dont vous auriez besoin pour vivre si vous restiez complètement immobile, c'est-à-dire l'énergie nécessaire pour rester en vie.

Pour les femmes : votre TMB = 655 + (4,35 x votre poids en livres) + (4,7 x votre taille en pouces) - (4,7 x votre âge en années)

Pour les hommes : votre TMB = 66 + (6,23 x votre poids en livres) + (12,7 x votre taille en pouces) - (6,8 x votre âge en années)

Étape 2

Utilisez la formule de Harris et Benedict pour multiplier votre TMB par le facteur approprié d'activité physique.

➤ Si vous êtes une personne sédentaire et que vous faites peu ou pas d'exercice :

Votre TMB x 1,2 = total de calories nécessaires par jour

➤ Si vous êtes une personne légèrement active et que vous faites des activités sportives simples 1 à 3 jours/semaine) :

Votre TMB x 1,375 = total de calories nécessaires par jour

➤ Si vous êtes une personne moyennement active et que vous faites une activité sportive modérée 3 à 5 jours par semaine :

Votre TMB x 1,55 = total de calories nécessaires par jour

➤ Si vous êtes une personne très active et que vous faites une activité sportive exigeante 6 à 7 jours par semaine :

Votre TMB x 1,725 = total de calories nécessaires par jour

➤ Si vous êtes une personne extrêmement active et que vous faites une activité sportive très exigeante et du conditionnement physique deux fois par jour :

Votre TMB x 1,9 = total de calories nécessaires par jour.

Votre apport en calories sera-t-il suffisant si vous vous nourrissez exclusivement de plantes ? Bien sûr ! Chris Carmichael, entraîneur cycliste réputé, recommande aux athlètes dans son livre *Food For Fitness* un équilibre calorique de 65 % de glucides, 13 % de protéines et 22 % de matières grasses. Ces pourcentages peuvent facilement s'obtenir dans le cadre d'un régime végé. Consultez le site www.nomeatathlete.com/calculations pour calculer avec précision vos proportions de macronutriments.

Les conseils de Carmichael, comme les miens, varient finalement assez peu selon la nature des entraînements. Bien souvent, les sportifs qui suivent une diète végé ne consomment pas suffisamment de calories. Pour développer les muscles, réduire la fatigue et tirer le meilleur profit des entraînements, il est nécessaire d'avoir un apport énergétique approprié.

LES GLUCIDES, VOTRE CARBURANT

Les glucides sont les calories qui se transforment le plus facilement en énergie et fournissent le carburant nécessaire aux entraînements. De nombreuses études ont montré que les glucides, qui ressemblent au glucose et au glycogène utilisés par nos cellules comme sources d'énergie, encouragent les athlètes à performer et constituent la base de l'alimentation des personnes actives.

Les glucides sont divisés en deux groupes : les glucides complexes et les glucides simples. Les glucides complexes sont de longues chaînes de glucose qui se trouvent dans l'amidon et la cellulose des plantes. Ces glucides complexes sont également très riches en fibres. Il s'agit du carburant idéal pour les athlètes. Vous les trouvez notamment en grandes quantités dans les végétaux comme les grains entiers, les féculents et les légumineuses.

Les glucides simples se trouvent dans les fruits, la farine raffinée et les produits à base de sucre. Ce sont des molécules à chaîne courte qui sont digérées très rapidement et transformées en énergie.

Puisque 50 à 70 % de nos calories devraient provenir des glucides, je vous recommande de préparer des repas qui incluent des féculents, des grains entiers et des légumineuses.

Choisir les bons glucides

Le régime Atkins ou le régime paléo font mauvaise presse aux glucides. De plus en plus de personnes ont tendance à les éviter. Et c'est vrai que si vous diminuez votre consommation de glucides, vous perdrez du poids, vous vous sentirez plus en forme et vous gagnerez en force. À quoi cela est-il dû ?

Les régimes faibles en glucides réduisent considérablement ou éliminent carrément les produits contenant des glucides raffinés : pain blanc, riz blanc, sodas, biscuits et autres produits raffinés. Est-ce que cela vous paraît familier ? Nos recommandations vont dans le même sens, mais elles ne recommandent en aucun cas de diminuer l'apport en glucides. Le sucre raffiné et les grains raffinés contiennent beaucoup de calories, mais ont peu de valeur nutritive. Nous les qualifions de calories vides. Or, il est très facile et courant de surconsommer ce type d'aliments. Nous le faisons ou nous l'avons tous fait.

Les aliments raffinés différent des aliments complets que nous vous recommandons. Les grains entiers, les légumineuses, les fruits et les féculents contiennent les glucides nécessaires pour avoir de l'énergie et un apport varié et équilibré en protéines, vitamines, minéraux, fibres et nutriments phytochimiques.

LES GLUCIDES POUR LES ATHLÈTES

Les glucides peuvent être stockés dans vos muscles et dans votre foie sous forme de glycogène, la source de carburant préférée et privilégiée de l'organisme. Si vos réserves en glycogène sont importantes avant un entraînement, ce carburant vous permettra de prolonger vos efforts et de retarder l'apparition des premiers signes de fatigue. Les athlètes d'élite peuvent se dépenser pendant des heures en ayant mangé relativement peu en raison de leur capacité supérieure de stockage de glycogène. C'est en partie la raison pour laquelle certains coureurs peuvent compléter les 42,2 kilomètres d'un marathon sans rien absorber d'autre que de l'eau.

La graisse corporelle est la deuxième source d'énergie sur laquelle compter. En d'autres termes, cette graisse corporelle est de l'énergie stockée. Lorsque nous surconsommons des calories, quelle que soit leur origine, nous emmagasinons l'énergie sous forme de graisse corporelle. Ce surplus pourra être utilisé ultérieurement.

Au début d'un entraînement, nous commençons par utiliser le glycogène et une petite partie de graisse corporelle. À mesure que l'effort se poursuit et que notre réserve de glycogène diminue, notre organisme commence à puiser son énergie dans les réserves de graisse corporelle. Il faut cependant noter que la graisse corporelle n'est pas une énergie que nos muscles peuvent utiliser immédiatement. D'où l'utilité de consommer des glucides pendant l'effort ou pendant une compétition.

Nous avons la possibilité d'améliorer la capacité de notre corps à utiliser la graisse corporelle comme carburant. Plus régulièrement nous vidons nos réserves de glycogène, plus facilement nous pouvons passer au stade d'utilisation de la graisse corporelle. Cependant, notez qu'il arrive aussi aux athlètes les plus performants de « frapper un mur », expression utilisée pour décrire l'épuisement total des réserves de glycogène.

Augmentez vos réserves de glycogène de façon significative en prenant des repas riches en glucides peu de temps après l'entraînement. Cet apport vous permettra de récupérer plus vite, de ressentir moins de fatigue et de mieux vous préparer pour le prochain effort. Bien que les études scientifiques actuelles ne soient pas tout à fait claires à ce sujet, il semble avisé de prendre un repas léger ou une collation 45 minutes après la fin de l'entraînement. Idéalement, ce repas devrait contenir un ratio de quatre glucides pour une protéine. Si ce repas contient 40 g de glucides, ajoutez 10 g de protéines.

Des fibres, encore et encore

Pour passer d'un régime omnivore à une diète végé, il faut augmenter de façon significative sa consommation quotidienne de fibres. Les fibres ont notamment l'avantage de faciliter le transit intestinal. Je vous recommande donc de vous adapter en douceur et d'accroître progressivement votre apport en fibres. En cas de maux d'estomac ou d'augmentation excessive du transit intestinal pendant l'entraînement, ajustez-vous. Réduisez votre consommation de fibres avant et pendant l'activité sportive ou durant une longue journée d'effort. Dans ce cas, vous serez sans doute obligés de hausser votre consommation de glucides raffinés afin de répondre à vos besoins caloriques.

Trouvez l'équilibre qui convient à votre organisme en fonction de ce que vous préférez manger. Si la plupart du temps, vous suivez un bon régime santé à base de fruits, de légumes et de grains entiers, manger à l'occasion des aliments ayant des taux de fibres moins élevés n'aura pas d'impact significatif sur votre état de santé général. Certains sportifs attendent avec plaisir ces journées où ils s'autorisent à consommer des aliments qu'ils évitent habituellement. D'autres ne ressentent pas le besoin de le faire.

Les protéines sont des acides aminés qui jouent des rôles spécifiques dans le métabolisme, le développement de la masse musculaire et le processus de guérison des blessures.

LES GLUCIDES RECOMMANDÉS

Les glucides complexes :

➤ Riz brun

➤ Patates douces

➤ Courges musquées (butternut ou kabocha)

➤ Pâtes alimentaires, céréales et pains de grains entiers

➤ Quinoa, avoine, orge, millet, épeautre, sarrasin et tout autre grain ou pseudo-grain entier

➤ Haricots et lentilles

Les glucides simples :

➤ Fruits de toutes sortes

LES PROTÉINES POUR LES MUSCLES

Les sportifs se prononcent sur le sujet des protéines comme s'ils étaient des experts en la matière. Et si vous abordez la question du régime végé, les critiques fusent. La croyance populaire veut que la diète végé ne fournisse pas suffisamment de protéines. Pourtant, les protéines existent ailleurs que dans la viande ou le poisson. Examinons la question d'un peu plus près.

Les protéines sont en fait des acides aminés qui jouent des rôles spécifiques dans le métabolisme, le développement de la masse musculaire et le processus de guérison des blessures. Notre organisme peut lui-même produire neuf de ces acides aminés qui sont appelés acides aminés « essentiels ».

Lorsque nous déclarons qu'une source de protéines est meilleure qu'une autre, nous faisons référence à la façon dont les acides aminés sont produits. Certains aliments d'origine animale contiennent l'ensemble des acides aminés dans les proportions idéales pour nous. Si nous mangions uniquement des œufs pendant des mois, nous ne développerions pas de carence en acides aminés (mais probablement d'autres carences). Toutefois, si nous faisions la même chose avec des lentilles, il nous manquerait un apport en méthionine.

Par chance, personne ne s'alimente ainsi. En consommant une variété d'aliments qui contiennent telle protéine ou telle autre, nous obtenons les acides aminés dont nous avons besoin. Les lentilles et le lait de soja sont constitués de plus de 30 % de protéines. Certains aliments que nous considérons habituellement comme des sources exclusives de glucides contiennent également des pourcentages appréciables de protéines : l'apport calorique des pâtes de blé entier est constitué à 15 % de protéines, le pourcentage est de 8 % pour le riz brun.

Un apport quotidien

Dix à vingt pour cent de nos besoins quotidiens en calories doivent provenir des protéines : haricots, noix, graines et grains entiers. Il existe différentes manières de calculer cet apport. Les apports nutritionnels de référence (ANREF) recommandent une consommation de 0,80 g de protéines par kilogramme de poids corporel (ou 0,36 g de protéines par livre). Il est ainsi simple d'établir le nombre de grammes de protéines dont vous avez besoin pour une journée. Si vous pesez 80 kg, vous savez que vos besoins quotidiens en protéines sont de 64 g (80 x 0,80).

Vos besoins en protéines peuvent également se calculer en pourcentage du total des calories que vous ingérez (10 à 20 %). Si selon le calcul des calories quotidiennes (pp. 78-79), vous avez besoin de 2 400 calories par jour, vous devriez veiller à ce qu'entre 240 et 480 de ces calories proviennent des protéines. Chaque gramme de protéines équivalant à quatre calories, vous devez ainsi consommer 60 à 120 g de protéines par jour. Pour votre information, chaque gramme de glucide équivaut à quatre calories et un gramme de matière grasse représente neuf calories. Référez-vous aux pages 78 et 79 pour calculer vos besoins personnels.

Les athlètes ont besoin de plus de protéines. Vrai ou faux ?

Les sportifs ont en effet besoin de plus de protéines que les personnes sédentaires. Mais ils ont également besoin de davantage de glucides et de matières grasses. En fait, leurs besoins caloriques totaux sont beaucoup plus élevés que la moyenne parce qu'ils brûlent beaucoup plus d'énergie pendant les entraînements. La proportion de protéines restant la même, soit de 10 à 20 %, le nombre de grammes de protéines augmente automatiquement. C'est très logique : à mesure que nos besoins en calories augmentent en raison des exercices physiques que nous pratiquons, notre rapport en protéines augmente lui aussi proportionnellement.

Lorsque je m'entraîne de façon intense, longue et exigeante, j'ai besoin de plus d'énergie et mon apport calorique peut facilement doubler. Je double donc mon apport en protéines, afin de maintenir le ratio protéines/calories requis.

Mon conseil : comme les athlètes brûlent plus de calories que les personnes sédentaires, leurs besoins caloriques sont plus élevés. Je leur suggère de viser de 1 à 1,2 g de protéines par kilogramme de poids corporel (soit 0,45 à 0,55 par livre).

LE SOJA EST-IL UN ALIMENT SÛR ?

Le tofu et les fèves de soja font partie intégrante de notre régime alimentaire depuis des siècles. Le soja est une fève riche qui contient beaucoup de protéines, de matières grasses végétales saines, de substances phytochimiques et de micronutriments. C'est un aliment sur lequel d'innombrables études ont été effectuées. Elles ont montré non seulement que le soja est un aliment sûr, mais que sa consommation réduit le taux de LDL, le fameux « mauvais » cholestérol. La *Food and Drug Administration* (FDA) a publié un avis officiel sur le sujet. La FDA étudie des centaines de résultats de recherche et accumule plusieurs années de preuves scientifiques avant de se prononcer. Le soja est donc un aliment sain. Il pourrait même contribuer à réduire les risques de cancer.

Cela étant dit, quand un aliment acquiert une grande popularité, il se passe généralement deux choses :

1) L'industrie agroalimentaire exploite les résultats positifs des recherches et elle ajoute cet aliment ou certaines de ses composantes à des produits existants.

2) Il se produit un effet boomerang lorsque l'industrie cumule l'aliment « miracle » à d'autres aliments. Pourquoi ajouter des fèves de soja à des croustilles quand il suffit de manger des fèves de soja !

Les fèves de soja contiennent une substance phytochimique bonne pour la santé appelée isoflavone. Les isoflavones sont des œstrogènes végétaux aussi appelés phytoœstrogènes qui, contrairement à ce que nombre de personnes croient, sont différents des hormones œstrogènes que l'on trouve dans le corps humain. Les hommes peuvent donc consommer du soja sans risque de développer des attributs féminins ou de perturber leur production de spermatozoïdes. Il n'existe aucun risque de développer un cancer, ni d'impact négatif sur les fonctions thyroïdiennes ou cognitives. Le soja peut et devrait faire partie d'une alimentation saine et variée.

Les aliments complets comme le tofu, le tempeh et les edamames constituent les meilleures formes de soja. Les burgers végétariens et les substituts de viande peuvent être consommés sur une base régulière, à condition de limiter l'apport en protéines raffinées contenues dans le soja. N'oubliez pas qu'il est préférable de consommer le soja comme tous les autres aliments dans sa forme complète. De plus, le soja ne doit pas être la seule et unique source de protéines de votre régime végé. La variété est la meilleure voie.

Pour de plus amples informations sur le soja, vous pouvez consulter deux articles publiés par Ginny Messina, M.P.H., R.D. : « *Safety of Soyfoods* » (www.vegetariannutrition.net/docs/Soy-Safety.pdf) et « *Isoflavones* » (www. vegetariannutrition.net/docs/Isoflavones-Vegetarian-Nutrition.pdf), ainsi que « *Finally, the Truth About Soy* », par Leo Babauta (www.zenhabits.net/soy).

Qu'est-ce qu'une protéine « incomplète » ?

Les protéines végétales ne sont pas incomplètes. J'aimerais démolir ce mythe une bonne fois pour toutes et rayer cette expression du vocabulaire. Lorsque les gens disent d'une protéine qu'elle est « incomplète », ils sous-entendent qu'elle est dépourvue de certains acides aminés. C'est faux : chaque source de protéines comprend l'ensemble des acides aminés essentiels. Ce sont les proportions qui varient. Certaines plantes riches en protéines ne possèdent pas les quantités d'acides aminés souhaitées si vous deviez vous en nourrir uniquement pour le reste de vos jours. Dans le domaine de la nutrition, nous ne devons pas nous concentrer sur les nutriments spécifiques d'un aliment sans analyser le contexte d'un régime global qui comporte plusieurs aliments. C'est ainsi souvent sur cette base que sont critiqués les régimes végé.

Un autre mythe à démolir : il n'est pas nécessaire de combiner des protéines dans un même repas afin d'avoir un apport en acides aminés parfait. En effet, notre organisme réserve les acides aminés dont nous avons besoin pendant 24 heures et les utilise au besoin.

Certaines combinaisons de protéines se forment naturellement : les haricots pinto avec le riz, les pois chiches avec le couscous, le muesli avec le lait de soja. Cependant, vous n'êtes pas obligés de chercher absolument à combiner les aliments pour obtenir les acides aminés essentiels. Combiner les protéines est devenu populaire dans les années 70 au lendemain de la publication de l'ouvrage de Francis Moore Lappe, *Diet for a Small Planet*. Cette idée persiste en dépit du fait que l'on sait depuis des décennies que ce n'est pas nécessaire. Lappe a lui-même ajouté une note à ce sujet dans les éditions subséquentes de son livre.

SPORT ET PROTÉINES

Le seitan est fabriqué à base de gluten, une protéine du blé. Savoureuse alternative à la viande, le seitan s'achète dans les magasins d'alimentation et se trouve au menu des restaurants végétariens. Comme tous les substituts de viande, il a une forte teneur en protéines et est devenu extrêmement populaire auprès des athlètes suivant un régime végé.

Le gluten est malheureusement un aliment difficile à digérer. Il est donc peu recommandé comme source principale de protéines. Les substituts de viande étant souvent composés d'un mélange de soja et de gluten, je vous recommande de lire attentivement la liste des ingrédients afin de savoir ce que vous consommez. Le gluten est un aliment sain qui convient à la plupart des gens. Mais assurez-vous de varier vos sources de protéines et de donner la priorité aux aliments complets.

En plus du seitan, les protéines en poudre sont un choix très populaire auprès des athlètes végétariens. Très pratiques, ces suppléments ne nuisent pas à la santé, mais souvenez-vous que vous n'en avez pas besoin, même si vous êtes un sportif de haut niveau. Votre régime alimentaire végé doit suffire à combler vos besoins en protéines.

Qui pourrait avoir besoin de tels suppléments ? Les athlètes de force qui suivent très peu d'entraînements d'endurance et les athlètes qui essaient de perdre du poids en suivant des séances d'entraînement intensif. Dans ces cas, une diète hyper protéinée est nécessaire. Ces deux catégories de sportifs vont donc accroître leur consommation de protéines sans augmenter leur apport en calories.

Si vous décidez d'utiliser des protéines en poudre, un mélange de protéines de chanvre, de riz et de pois offre un équilibre intéressant d'acides aminés et constitue sans doute le meilleur choix pour des athlètes suivant un régime végé.

LES SOURCES RECOMMANDÉES DE PROTÉINES

➤ Tempeh (un aliment à base de soja fermenté)

➤ Lentilles, haricots noirs, pois chiches et autres légumineuses

➤ Tofu

➤ Burgers végétariens complets

➤ Noix et beurres de noix

Les calories de certains grains entiers, pseudo-grains et légumes verts sont constituées de 15 % de protéines.

LES INDISPENSABLES MATIÈRES GRASSES

Les matières grasses font partie intégrante de tout régime alimentaire équilibré : acides gras oméga-3 et oméga-6 dont notre organisme a besoin ou gras mono-insaturés bénéfiques pour le cœur parce qu'ils réduisent le taux de cholestérol.

Un gramme de gras correspond à neuf calories, soit deux fois plus qu'un gramme de glucide et de protéine. Une cuillerée à soupe d'huile d'olive contient 120 calories. Il faut six tasses de brocoli pour arriver au même nombre de calories ! Mais, alors que 120 calories de brocoli contiennent une quantité extraordinaire de nutriments comme le calcium et d'éléments phytochimiques comme la lutéine, l'huile d'olive est constituée à presque 100 % de matière grasse et de très peu de nutriments. Et comme nous le savons tous, les calories issues des matières grasses s'accumulent rapidement dans l'organisme.

Les gras saturés sont-ils mauvais ?

Les gras saturés se trouvent notamment dans les produits d'origine animale, les produits laitiers, et aussi dans certains produits d'origine végétale comme la noix de coco. Des études récentes s'interrogent sur le lien entre ces gras et les

Chaque source de protéine comprend l'ensemble des acides aminés essentiels. Ce sont les proportions qui varient.

maladies cardiovasculaires. Elles ne contredisent toutefois pas les résultats des recherches précédentes menées sur des décennies. Les gras saturés accroissent bel et bien les risques de maladies cardiovasculaires. Elles insistent plutôt sur l'importance de ce que nous consommons à leur place. Si nous consommons des glucides raffinés, les risques sur la santé diminuent peu ou pas du tout. Si nous remplaçons ces gras saturés par des gras d'origine végétale, les risques baissent de manière substantielle.

Devriez-vous éliminer les gras saturés ? Si vous consommez beaucoup d'aliments végé complets, que vous faites beaucoup d'exercice et que vous ne fumez pas, consommez-en avec modération et limitez-les à moins de 10 % du total de votre apport en calories.

LA NOIX DE COCO

Au cours des dernières années, la popularité de la noix de coco n'a cessé de croître auprès des adeptes des régimes végé. Est-ce pour autant un aliment sain puisqu'elle contient énormément de gras saturés et que la consommation de ce type de gras favorise le cholestérol et les risques de maladies cardiovasculaires ?

L'originalité de la noix de coco vient du fait qu'elle contient aussi des triglycérides à chaîne moyenne qui n'ont pas d'impact négatif sur le taux de cholestérol. Une partie des gras saturés de la noix de coco n'est donc effectivement pas mauvaise pour la santé, mais le gras qu'elle contient (comparable au saindoux) a une forte teneur en acides myristique et palmitique qui, eux, entraînent une hausse du taux de cholestérol.

Il y a quelques années, un lien causal direct a été établi entre le gras saturé et l'augmentation du taux de cholestérol. L'industrie agroalimentaire l'a remplacé dans ses produits les plus populaires par des gras transformés, hydrogénés aussi appelés acides gras trans ou gras trans. De nouvelles recherches ont établi par la suite que ces gras trans étaient mauvais pour l'organisme humain et que nous devions éviter d'en consommer. Que faire ?

Nous savons qu'il est préférable de consommer des aliments complets plutôt que des aliments transformés. Ce principe vaut même quand les aliments complets sont gras. De cette façon, ce gras est accompagné d'autres nutriments et de composants bénéfiques. La question de la noix de coco n'est pas encore réglée, mais des éléments tendent à prouver que sa consommation n'entraîne pas de risques cardiovasculaires, en dépit de ses taux élevés d'acides myristique et palmitique.

Les matières grasses sont nécessaires à toute diète végé. Mais il faut surveiller votre apport en gras, notamment en gras saturés.

DU CARBURANT VÉGÉTAL

Par Mike Zigomanis,
hockeyeur professionnel de la Ligue américaine de hockey (AHL) et de la Ligue nationale de hockey (LNH)

J'ai choisi un régime végé pour plusieurs raisons : améliorer mon temps de récupération après les entraînements ou pendant la convalescence suite à une blessure, augmenter mon niveau d'énergie et ma résistance, améliorer ma santé et mon bien-être en général. Et c'est exactement ce qui s'est produit. Depuis que mon organisme s'est ajusté au changement, je ressens plus d'énergie, je récupère plus rapidement, mes blessures guérissent vite et je dors mieux. Sur la glace, je me sens aussi fort, sinon plus qu'auparavant.

Je sais aussi qu'en suivant ce régime, je contribue à la santé de la planète et des animaux qui y vivent.

Je recommande à quiconque décide d'opter pour une diète végé d'y aller tranquillement. Écoutez votre corps et apportez les changements nécessaires de façon graduelle.

J'aime les jus de fruits frais et les smoothies. Ils me permettent d'emmagasiner une bonne quantité de nutriments et de protéines. Avant une partie de hockey, je prends du *Pre-Workout Energizer* de la compagnie Vega pour augmenter mon niveau d'énergie et conserver mon endurance lors de la compétition. Mon smoothie préféré est préparé avec du *Sport Performance Protein Chocolate* toujours de chez Vega, du beurre d'amandes, des bananes, de l'eau et du lait d'amandes non sucré.

LES HUILES : AMIES OU ENNEMIES ?

Les huiles n'étant pas des aliments complets, beaucoup de végétaliens soutiennent que nous devrions les bannir de notre alimentation. Ils ont raison en ce qui concerne la nature des huiles. Manger une olive est plus nutritif que consommer la seule huile qui est extraite : imaginez la quantité impressionnante d'olives qu'il nous faudrait consommer pour obtenir les calories d'une cuillerée à soupe d'huile ! Mais il ne faudrait pas oublier le caractère bénéfique de certaines matières grasses. L'huile d'olive, par exemple, a une teneur supérieure en gras mono-insaturés.

Mais la question des huiles est encore plus complexe que cela, et je ne crois pas que nous devons éviter d'en consommer. Elles jouent en effet un rôle-clé à plusieurs égards qui ne sont pas directement liés au profil nutritionnel :

➤ Les huiles sont nécessaires à l'absorption des vitamines A, D, E et K.

➤ Les huiles contribuent au maintien d'une bonne santé.

➤ Les huiles sont une source concentrée d'énergie qui peut aider les athlètes à satisfaire leurs besoins caloriques élevés.

➤ Les huiles sont utiles dans la préparation et la cuisson des aliments. Elles améliorent la texture et contribuent au goût, raison pour laquelle nous ajoutons de l'ail et des oignons lorsque nous faisons sauter les aliments dans de l'huile.

Il vous revient de décider si vous souhaitez intégrer l'huile dans votre régime. Les recettes de ce livre peuvent être modifiées afin de les préparer sans huile. Des indications sont fournies à ce sujet au début du chapitre six.

Si vous utilisez de l'huile pour cuisiner, souvenez-vous des points suivants :

➤ Utilisez une huile de bonne qualité, extraite par pression, plutôt qu'une huile générique de maïs ou de soja qui risque d'être génétiquement modifiée et qui contient des pourcentages insignifiants d'oméga-3 et de gras mono-insaturés.

➤ Chauffez votre poêle avant d'y ajouter l'huile. Versée ainsi à chaud, l'huile prend de l'expansion, et vous pourrez couvrir le fond de votre poêle en en utilisant peu.

➤ Utilisez des aliments complets comme alternative à l'huile. Les olives et les beurres de noix sont des aliments complets qui peuvent être ajoutés aux sauces et aux assaisonnements. Ces aliments sont non seulement bénéfiques en raison de la qualité des matières grasses qu'ils contiennent, mais ils procurent plus de micronutriments que l'huile.

À L'ATTENTION DES ATHLÈTES

Sa densité calorique étant deux fois plus importante que celle des glucides et des protéines, prenez de l'huile pour combler l'ensemble de vos besoins caloriques. Toutefois, il n'est pas recommandé de consommer trop de matières grasses avant vos entraînements, car le processus de transformation de cette matière en énergie est très lent.

Les oméga-3

Les acides gras oméga-3 sont très nutritifs et participent au bon fonctionnement du métabolisme, en plus d'être à l'œuvre dans le processus de croissance. Nous les trouvons dans les poissons gras. Ils sont surtout connus parce qu'ils font baisser le taux de cholestérol. Ces omégas-3 se retrouvent aussi dans plusieurs plantes, dont les graines de lin, les noix de Grenoble, les graines de chanvre, le chou frisé (*kale*) et d'autres légumes verts. Vous avez bien lu : les légumes verts contiennent eux aussi un certain pourcentage de gras et c'est une excellente nouvelle. Le chou frisé par exemple contient 12 % de gras dont une grande partie est composée d'oméga-3. Les légumes verts ne sont généralement pas recommandés comme source de matière grasse puisqu'ils ont une basse teneur en calories. Par exemple, 67 g (une tasse) de chou frisé cru contient seulement 33 calories et un demi-gramme de gras. En d'autres termes, il vous faudrait consommer 134 g (deux tasses) de chou frisé cru pour obtenir 1 g de matière grasse.

Certaines études avancent que c'est le ratio oméga-6/oméga-3 qui est plus important pour la santé. Dans le régime alimentaire standard, ce ratio est d'environ 10 pour 1, ce qui est très élevé. Il n'existe pas de consensus sur un ratio idéal, mais il doit être bien inférieur à 10 pour 1. Les huiles de fèves de soja et de maïs sont riches en oméga-6 et pauvres en oméga-3. Elles ont donc un impact négatif sur l'équilibre en acides gras. Aux États-Unis, la plupart des gens affichent un ratio loin de l'idéal en raison de la surconsommation d'huiles raffinées, preuve supplémentaire qu'un régime à base d'aliments entiers est le choix le plus judicieux.

Afin de vous assurer de consommer suffisamment d'oméga-3, veillez à inclure régulièrement dans votre alimentation graines de lin, de chanvre, de chia ou noix de Grenoble et n'hésitez pas à consommer de plus grandes portions de chou frisé.

LES SOURCES RECOMMANDÉES DE MATIÈRES GRASSES

➤ Noix de Grenoble et autres noix

➤ Beurres de noix

➤ Graines de lin, de chanvre, de chia

➤ Avocats

➤ Kale, mâche, salades vertes

➤ Huile d'olive extra-vierge, huile de pépins de raisins, huile de chanvre, huile de noix de coco, toutes en quantités modérées

AUTRES NUTRIMENTS ESSENTIELS

Pour que notre régime alimentaire soit équilibré, nous devons absorber suffisamment de calories et de nutriments. Les nutriments assurent la croissance et le maintien de la vie. En plus des acides aminés essentiels, des acides gras et des glucides, les nutriments incluent les vitamines et les minéraux qui remplissent chacun des fonctions spécifiques au niveau cellulaire.

La vitamine B_{12}

Si vous suivez un régime végé, vous devez vous familiariser avec la vitamine B_{12}. Elle joue un rôle crucial dans le système nerveux, le système cérébral, les globules rouges et de nombreuses autres fonctions. Une carence prolongée en vitamine B_{12}

peut avoir des conséquences irréversibles sur la santé incluant cécité et démence. Sachez que les plantes ne contiennent pas de vitamine B_{12}. Contrairement à ce que certains avancent, le tempeh, les algues ou la spiruline non plus.

La vitamine B_{12} est cependant ajoutée à de nombreux aliments végétaliens préparés, comme le lait de soja ou d'amande fortifié, les céréales, les levures alimentaires, les substituts de viande et les barres énergétiques. Vérifiez toutefois les étiquettes, car certains aliments ne contiennent pas de supplément de B_{12}. Les symptômes courants de carence sont la fatigue, les engourdissements, la nausée, les pertes de mémoire et même l'état dépressif. Pour un adulte en bonne santé, l'apport journalier recommandé est 2,4 microgrammes. Il s'agit d'une quantité minime, mais néanmoins cruciale. Pour de plus amples renseignements, je vous recommande l'article : « B_{12}: *Are You Getting It ?* » (www.veganhealth. org/articles/vitaminb12) par Jack Norris, R.D.

MANGER SUFFISAMMENT

Si vous êtes actifs physiquement et que vous vous alimentez principalement avec des plantes, certaines règles nutritionnelles ne s'appliquent pas.

➤ Grignoter, c'est bien.

Pour que votre apport en calories vous permette de soutenir des entraînements exigeants, vous pouvez grignoter entre les repas. N'hésitez pas à manger chaque fois que vous avez faim. De cette façon, vous ne mangerez pas de façon excessive au moment des repas.

➤ Manger le soir, c'est bien.

Ne pas manger avant d'aller se coucher est un mythe persistant. S'il est vrai qu'il est préférable de ne pas prendre un repas juste avant le coucher, afin de ne pas affecter la qualité de votre sommeil, manger tard le soir n'est pas un problème. Surtout si vous avez besoin de récupérer les calories que vous avez brûlées pendant la journée ou lorsque vous voulez en mettre en réserve pour vos entraînements du lendemain.

Le fer

La carence en fer est le problème nutritionnel le plus commun en Amérique du Nord. Les symptômes fréquents incluent fatigue, teint blême, faiblesse et incapacité de maintenir sa température corporelle. Végétariens et végétaliens doivent s'assurer d'avoir un apport en fer suffisant.

De quelle quantité de fer avons-nous besoin ? En 2001, l'*Institute of Medicine* a révisé le niveau de référence du fer pour les végétariens. Il estimait qu'il devait être 1,8 fois plus élevé que pour la population en général. Jack Norris fait remarquer que cette hausse n'est pas basée sur des études effectuées sur les végétariens, mais sur le fait que le fer d'origine végétale n'est pas absorbé aussi facilement que le fer d'origine animale (vous trouverez les détails complémentaires plus loin). Selon de nombreux experts en végétarisme, ces recommandations sont bien supérieures à ce qui est nécessaire.

Mon opinion : en suivant les principes du régime végé sain, varié, équilibré en céréales, légumes, noix, graines, fruits et légumes ainsi que les recommandations de ce chapitre, votre apport en fer sera suffisant.

Fer d'origine végétale et fer d'origine animale

Afin d'assurer un bon apport en fer à notre organisme, voici deux informations méconnues des végétariens et des végétaliens :

1. Il existe deux types de fer : le fer hémique qui provient des aliments d'origine animale et le fer non hémique qui se trouve dans les plantes. Notre organisme absorbe mieux le fer hémique que le fer non hémique.

2. Il semble que les végétariens et les végétaliens ont des réserves en fer plus basses que les omnivores.

Sachez cependant que si les végétariens ont des réserves en fer plus basses que les omnivores, ils n'affichent pas de taux d'anémie supérieurs. Des recherches effectuées en 2009 pour *The Academy of Nutrition and Dietetics Position Paper on Vegetarian Diets* ont montré que les réserves en fer des végétariens sont en effet plus basses que la normale, mais qu'elles améliorent les fonctions liées à l'insuline tout en réduisant les risques de maladies cardiovasculaires et de cancer.

Pour vous assurer d'un bon apport en fer dans le cadre d'un régime végé, commencez par consommer des aliments qui en contiennent des taux significatifs. Les meilleures sources végétales de fer sont :

- Les légumineuses : lentilles, pousses de soja, tofu, tempeh, fèves de Lima et arachides
- Les céréales et les pseudo-céréales : quinoa, céréales fortifiées, riz brun et gruau
- Les noix et les graines : citrouille, courge, noix de pin, pistache, tournesol, noix de cajou et de sésame non décortiqué
- Les légumes : sauce tomate, bette à carde et chou vert
- Autres aliments : mélasse noire et jus de pruneaux

Mais le plus important, ce n'est pas tant la quantité de fer que nous consommons, mais plutôt la façon dont nous l'absorbons. Voici les quatre façons d'améliorer l'absorption de fer non hémique :

1. En petites quantités. Lorsque vous consommez en une fois de grandes quantités de fer, le pourcentage de ce fer que votre organisme absorbe est inférieur à ce qu'il absorberait si votre repas en contenait seulement quelques milligrammes. Il est donc préférable de consommer de plus petites quantités réparties dans la journée.

2. En mélangeant vitamine C et fer non hémique, l'absorption du fer peut être jusqu'à cinq fois plus rapide ! Ces combinaisons existent déjà dans de nombreuses recettes : haricots et riz avec salsa, falafel et tomates, houmous et jus de citron… Le fer contenu dans les haricots et dans les graines est mieux absorbé lorsqu'il est combiné à la vitamine C contenue dans les fruits et les légumes. En prime, certaines sources de fer comme les légumes verts à feuilles, le brocoli et la sauce tomate contiennent déjà de la vitamine C.

3. En évitant le café et le thé. Le café, même décaféiné, et le thé contiennent des tanins qui empêchent l'absorption du fer. Je vous suggère donc d'éviter d'en boire une heure avant et deux heures après vos repas végé riches en fer.

Le plus important, ce n'est pas tant la quantité de fer que nous consommons, mais plutôt la façon dont nous l'absorbons.

4. En utilisant des poêles en fonte. Cuisiner avec un bon vieux poêlon en fonte contribue à augmenter la teneur en fer des aliments, et en particulier si vous y cuisinez des aliments contenant de la vitamine C.

En tant que sportif végé, il vous suffit de suivre ces principes pour vous assurer un apport en fer adéquat tout au long de la journée. Le fer est l'un des seuls nutriments pour lesquels une carence est immédiatement détectable et a un impact négatif immédiat sur la santé : c'est pourquoi je vous recommande en cas de symptôme de demander à votre médecin de procéder à une analyse de sang. Si vous êtes effectivement en carence, vous pourrez rapidement ramener votre taux de fer à un niveau normal en utilisant les méthodes mentionnées ci-dessus ou en prenant des suppléments.

LE FER À L'ATTENTION DES ATHLÈTES

En plus d'aider l'hémoglobine à transporter l'oxygène vers les cellules, le fer se trouve dans la myoglobine des tissus musculaires et joue un rôle dans la transformation des acides aminés. Il est donc primordial pour les athlètes de consommer suffisamment de fer, plus particulièrement pendant les périodes d'entraînement intensif. Suivez les conseils de cette section pour vous assurer une consommation suffisante de fer et son absorption efficace. Si vous mangez des barres énergétiques emballées ou autres grignotines, lisez bien les étiquettes afin de vérifier que ces produits contiennent du fer.

PHYTONUTRIMENTS, COMPOSÉS PHYTOCHIMIQUES ET ANTIOXYDANTS

Les phytonutriments (phyto signifie plante) sont des composés phytochimiques que l'on trouve dans de nombreuses plantes et qui semblent avoir un effet protecteur sur la santé. Ils diffèrent des vitamines et des minéraux en ce que ce ne sont pas des nutriments essentiels comme les acides aminés et les glucides. Des milliers de composés phytochimiques ont été identifiés. Les aliments contenant de grandes quantités de phytonutriments sont souvent appelés des super-aliments.

On trouve des phytonutriments dans pratiquement tous les aliments d'origine végétale : fruits, légumes, céréales, légumineuses, noix, graines, épices, fines herbes et cacao ainsi que dans des boissons comme le thé et le café. Nombre de phytonutriments agissent comme des antioxydants et protègent l'organisme contre les dommages causés par les radicaux libres aux membranes cellulaires, aux molécules d'ADN et à d'autres processus essentiels ou parties du corps. L'interaction de l'oxygène avec des radicaux libres peut endommager les cellules — un peu comme une pomme brunit au contact de l'air après avoir été coupée. Les antioxydants que nous absorbons aident à réduire les dommages globaux causés par cette oxydation.

Dans le cas des sportifs, la consommation de composés phytochimiques facilite et accélère la récupération et la guérison. Les régimes végé ont des taux élevés de phytonutriments puisque les aliments complets en contiennent. Des études comparant omnivores et végétariens indiquent que les végétariens ont un apport supérieur d'antioxydants et de composés phytochimiques et qu'ils affichent des taux plasmatiques plus importants d'antioxydants. Ces résultats expliquent en partie la moindre incidence de certaines maladies chroniques chez les végétariens et les végétaliens.

Les recherches sur les phytonutriments représentent l'avenir de la nutrition et l'on peut supposer qu'à mesure que nous en apprendrons davantage sur ces composés extraordinaires, les bénéfices des diètes végé seront confirmés.

Des études indiquent que les végétariens ont un apport supérieur d'antioxydants et de composés phytochimiques ainsi que des taux plasmatiques plus importants d'antioxydants que les omnivores.

LE CRU POUR PLUS DE NUTRIMENTS

Par Gena Hamshaw,
collaboratrice au magazine *VegNews* et blogueuse sur *Choosing Raw* (www.choosingraw.com)

Si vous vous intéressez à la nutrition et au bien-être, il y a de fortes chances pour que vous ayez déjà entendu parler des régimes crudivores. Le crudivorisme cherche à préserver les enzymes contenues dans les aliments. Les enzymes, qui sont des protéines, jouent un rôle dans l'activation des réactions biochimiques. La plupart des enzymes contenues utilisées dans le corps humain sont dénaturées, ou inactives, à des températures supérieures à 46 °C (115 °F).

Les aliments que nous mangeons sont riches en enzymes, mais notre organisme en produit d'autres qui les détruisent. En ne chauffant jamais les aliments au-dessus de 46 °C (115 °F), le crudivorisme prétend que les enzymes joueront un rôle dans leur digestion. Votre corps ne sera plus obligé de produire lui-même autant d'enzymes et l'énergie ainsi économisée pourra être redirigée ailleurs : vers la guérison, le renforcement des processus métaboliques ainsi que les défenses immunitaires.

Cela semble plutôt simple, non ? Pourtant, les données scientifiques au sujet des enzymes sont, au mieux vagues, au pire inexistantes. Ces théories ne prennent pas en compte le fait que ces enzymes sont dénaturées par l'environnement extrêmement acide de notre estomac (un pH d'environ 3). À ce stade, les enzymes sont brisées en acides aminés et digérées comme n'importe quelle autre protéine. Que vous ayez chauffé ou non votre nourriture, il arrive un moment où les enzymes digestives du corps sont appelées à participer au processus de digestion. Certains praticiens du végétalisme soutiennent que certaines enzymes peuvent survivre au processus digestif. Si tel était le cas, leur nombre ne pourrait être que très limité.

Si le principe central du crudivorisme n'est pas soutenu par la science, alors pourquoi manger cru ? En fait, pour bien des raisons. La première est purement esthétique. J'aime la simplicité, les couleurs et la fraîcheur de la cuisine crue. Lorsque j'ai découvert cette cuisine, je suivais à la lettre un régime à base de riz, de haricots en grains, de tofu et de légumes cuits. Ennui et manque total d'inspiration. Les aliments crus m'ont ouvert des horizons plus lumineux, des textures croquantes et des perspectives de créativité culinaire sans limites. Il faut beaucoup d'imagination pour créer des plats satisfaisants sans cuisiner. Il n'est donc pas surprenant que les chefs qui cuisinent cru soient réputés pour leur esprit novateur.

Même si la préservation des enzymes n'est peut-être pas si importante que cela, manger des aliments crus peut préserver certains de leurs micronutriments vitaux (minéraux et vitamines). La vitamine C notamment est susceptible d'être perturbée par la cuisson. Il en va de même pour certains composés phytochimiques qui seraient utiles pour combattre le cancer et les dommages causés par les radicaux libres. De plus, certaines études ont estimé que la cuisson faisait perdre de 30 à 40 % des minéraux. Il est bon de noter que tous les aliments ne sont pas meilleurs crus ; le lycopène par exemple, ce composé anticancéreux, n'apparaît que lorsque les tomates sont cuites.

La variété, encore et toujours, est un élément primordial. Avant de commencer à manger cru, je cuisinais tous les légumes, exception faite de la salade. Aujourd'hui, je prête une grande attention à créer des salades, des marinades et d'autres plats intégrant des éléments crus et d'autres cuits. Mon régime alimentaire n'en est que plus riche en nutriments, plus varié et surtout, plus intéressant.

Finalement, la raison pour laquelle les aliments crus me plaisent tant va bien au-delà de l'esthétique, du goût ou de la nutrition. Le crudivorisme nous oblige en effet à nous impliquer davantage dans la préparation des plats et à prêter une plus grande attention à la qualité et à l'intégrité des ingrédients que nous utilisons. Il nous encourage à tirer le meilleur des aliments dans leur état naturel, eux qui sont les fruits de la terre.

Il n'y a pas de bonne ou de mauvaise façon de commencer à manger cru. Commencez par ajouter un smoothie vert à votre routine matinale. Ou bien remplacez un sandwich standard du midi par une grosse salade, enrichie de noix, de graines, de morceaux d'avocat, de pousses de légumes et de quelques légumes cuits. Vous pouvez préparer une bonne réserve de beurre de noix de cajou et le tartiner entre des couches de courgettes, de tomate et de basilic pour une lasagne crue, préparée sur le pouce. Nombre de personnes trouvent que des entrées crues comme celle-ci risquent de ne pas être suffisamment nourrissantes. Pour y remédier, servez-les avec des légumes cuits, des légumes racines cuits ou du quinoa. Souvenez-vous : comme le but n'est pas de manger cru exclusivement, vous pouvez mélanger aliments cuits et aliments crus dans le même plat. En fait, la variété étant si bénéfique, un mélange d'aliments crus et d'aliments cuits est idéal.

Voici quelques-uns de mes plats crus préférés :

Petit-déjeuner

➤ Un smoothie vert

➤ Un fruit, une barre aux noix et une salade verte

➤ Des lentilles germées, des légumes et de l'avocat

➤ Une banane enveloppée dans une feuille de laitue romaine garnie de beurre d'amandes

➤ Un pouding aux graines de chia

Midi

➤ Une grosse salade, enrichie de matière grasse et de protéines

➤ Des makis végétaliens aux algues nori garnis d'un pâté de noix

➤ Du jicama ou du chou-fleur râpé garni d'un mélange de légumes et de lentilles ou de pois cassés cuits

➤ Du pain de graines germées, accompagné d'avocat et d'une salade

➤ Une soupe crue et une salade

Soir

➤ Du riz au panais cru avec de la courge musquée cuite et une sauce crémeuse aux noix de cajou

➤ Des « spaghettis » de courgettes avec une sauce tomate crue et des lentilles

➤ Des champignons portobello crus marinés avec une purée de chou-fleur cru et de noix de cajou

Vous verrez, ce n'est pas aussi exotique que cela. Si vous choisissez les bonnes recettes, le crudivorisme est une option facile, amusante et sans stress. Comme je suis étudiante à temps plein en médecine et blogueuse, je me fie à cette approche différente de la cuisine pour me donner le carburant requis par mon style de vie trépidant. Commencez à vous exercer avec quelques recettes de base en prêtant une attention particulière à l'esthétique de vos plats à mesure que vous les préparez. J'espère que vous serez aussi inspirés et enthousiasmés que moi par ces nouveaux territoires culinaires.

CHAPITRE 4
Aux fourneaux !

Régime végé ou régime omnivore, notre état de santé s'améliore quand nous nous mettons à préparer nos repas, car nous sommes obligés de prêter une attention particulière aux ingrédients que nous mettons dans nos recettes et donc dans notre corps. Le choix de restaurants santé étant limité, cuisiner n'est pas une option, mais bien une obligation pour les végétariens et les végétaliens.

Vous avez peur de cuisiner ? Vous vous sentez dépassés ou intimidés ? Vous imaginez qu'il vous manque la touche magique ? Ces craintes sont sans fondement. Cuisiner s'apprend facilement, et le simple fait de combiner des ingrédients modestes pour réaliser un plat délicieux, réconfortant et nourrissant est très encourageant. En résumé, apprendre à faire la cuisine est une compétence précieuse à acquérir pour votre santé, pour votre porte-monnaie et pour le bonheur de vos proches.

ÇA COMMENCE AUJOURD'HUI

Voici le secret pour savoir cuisiner : il suffit de suivre les instructions. Si vous avez les bonnes recettes, c'est dans la poche. La plupart des recettes sont écrites pour des débutants et ne requièrent aucune compétence particulière. Vous pouvez ainsi préparer chez vous des plats que les meilleurs chefs au monde ont élaborés pendant des heures et pour le seul prix des ingrédients !

J'ai inclus dans ce livre mes recettes végé préférées. Elles sont non seulement bonnes pour la santé, mais aussi suffisamment nourrissantes pour les sportifs. Certaines de ces recettes ont d'ailleurs été spécialement conçues pour eux : repas riches en glucides qui permettent d'engranger des réserves avant les compétitions d'endurance ou les entraînements intensifs, boissons énergétiques, smoothies et autres plats pour maximiser le processus de récupération des muscles afin de reprendre l'entraînement le plus rapidement possible.

J'ai simplifié ces recettes autant que possible. J'adore cuisiner et, les fins de semaine, je passe plusieurs heures à préparer mes repas. Mais je sais que vous êtes nombreux à préférer courir dehors plutôt que d'être pris au piège dans la cuisine ! Vous pouvez réaliser ces recettes même si vous n'avez aucune expérience en cuisine. Plus vous pratiquerez, plus vous aurez plaisir à le faire. Vous vous familiariserez avec certaines techniques de base, vous développerez des trucs pour gagner du temps et vous saurez éviter les pièges potentiels.

Pour vous aider à cheminer dans cette phase d'apprentissage, voici les techniques les plus pratiques que j'ai apprises au cours de la première année où j'ai cuisiné. Ces techniques vous permettront d'éviter toutes (ou presque toutes) les erreurs que j'ai commises.

QUATRE TECHNIQUES POUR GAGNER DU TEMPS

Si vous voulez vous jeter à l'eau et commencer à cuisiner tout de suite, vous pouvez réaliser certaines de ces recettes avant même d'avoir lu toute cette section. Mais, comme les renseignements ici vous permettront d'économiser beaucoup de temps et d'éviter de nombreuses erreurs, je vous recommande de prendre quelques minutes pour en prendre connaissance, car vous devez comprendre qu'il s'agit d'un investissement qui va vous rapporter des dividendes immédiatement.

1. Préparez vos ingrédients avant de commencer à cuisiner

Au début, suivre une recette peut s'avérer un peu stressant. Gardez le contrôle en vous préparant correctement. Cette phase s'appelle la « mise en place » et l'expression est utilisée en français dans presque toutes les langues.

Lorsque vous aurez réalisé la même recette deux ou trois fois, que vous aurez apprivoisé les étapes, vous pourrez faire vos préparatifs pendant que certains ingrédients cuiront. Ceci accélérera le temps de préparation de vos plats. Mais dans un premier temps, assurez-vous que tout est en place avant de vous lancer. Vous serez moins stressés, et vous risquerez moins de rater votre recette.

2. Gardez un bol à déchets à portée de main.

Assurez-vous d'avoir un bol à déchets à porter de main que vous viderez une fois la recette terminée. Cela vous évitera des va-et-vient inutiles.

3. Achetez deux couteaux de qualité.

Vous courez plus de risques de vous couper avec un mauvais couteau qu'avec un bon. Avec un couteau mal aiguisé, vous devez exercer une pression beaucoup plus forte et la lame risque davantage de glisser. Si vos couteaux actuels sont de mauvaise qualité ou n'ont pas été bien entretenus, procurez-vous-en de nouveaux.

Un couteau de chef de 20 à 23 cm (8 ou 9 pouces) et un petit couteau d'office, voilà ce dont vous avez besoin. Un couteau de taille moyenne pourrait s'avérer pratique, mais ce n'est pas essentiel.

Au moment de l'achat, vos nouveaux couteaux seront si bien aiguisés que vous vous demanderez comment vous avez fait jusque-là pour vous en passer. Sachez cependant que tout couteau doit être aiguisé régulièrement. Je vous suggère de faire appel à un professionnel une fois par an, en présumant que vous passez le fil de la lame sur une pierre ou un fusil à aiguiser avant chaque utilisation.

Achetez-vous une pierre ou un fusil à aiguiser, ce long instrument qui est inclus dans les ensembles de couteaux et que peu de personnes utilisent, afin de garder vos couteaux bien affûtés entre chaque aiguisage. Le fusil n'aiguise pas à proprement parler le couteau. Il permet de maintenir le fil de la lame en bon état. Essayez de prendre l'habitude de passer cinq ou six fois le fil de la lame de votre couteau sur le fusil avant chaque utilisation.

Il existe des méthodes établies pour découper chaque ingrédient. Le principe de base est de couper d'abord de fines bandes dans le sens de la longueur, puis de les aligner et de les couper en morceaux perpendiculairement. Pensez aux carottes et aux céleris pour lesquels la plupart des gens font le contraire en coupant d'abord des rondelles puis en coupant le reste un peu n'importe comment. Vous voudrez plutôt couper de longues bandes en premier, puis couper celles-ci en petits morceaux relativement uniformes.

Apprenez-en plus sur les techniques de découpage et sur l'utilisation sécuritaire des couteaux en regardant les photos et les vidéos du site :

http://chefsimon.lemonde.fr/techniques-tailles-legumes.html

4. Estimez rapidement vos proportions

Mesurer méticuleusement les ingrédients est ce qui vous fait perdre le plus de temps en cuisine. À moins de faire de la pâtisserie, discipline dans laquelle mesurer est crucial, arrêtez de mesurer. Dites-vous que les quantités qui sont données dans les recettes sont approximatives. Vous développerez votre palais et vous gagnerez progressivement en confiance en faisant quelques erreurs dans vos estimations.

Au lieu de prendre une cuillerée d'épices chaque fois qu'une recette l'exige, déterminez une bonne fois pour toutes à quoi correspond cette quantité d'épices dans la paume de votre main ou à combien de tours de moulin à poivre correspond une cuillerée de poivre.

Il faut environ une cuillerée à soupe d'huile (15 ml) pour couvrir le fond d'une poêle. Faites l'essai pour voir à quoi cela correspond vraiment dans votre poêle. Vous pourrez ensuite arrêter de mesurer précisément : un petit peu plus ou un petit peu moins d'huile ne fera pas une grande différence.

Dans le cas des ingrédients solides (beurre de noix, huile de noix de coco ou tout autre ingrédient semi-solide), 2 cuillerées à soupe (environ 30 g) représentent la taille d'une balle de ping-pong.

Vous trouverez plus de précisions sur ces estimations sur mon blogue : www.nomeatathlete.com/kitchen-time-savers.

LANCEZ-VOUS !

Sentez-vous à l'aise dans votre cuisine. Ne laissez pas vos craintes vous ralentir. Ce livre ne contient aucune technique avancée. Il s'agit bien au contraire de techniques de base, de cuisine 101. L'objectif principal est de vous donner des recettes végé simples, saines et savoureuses, qui vous soutiendront pendant vos entraînements. Il y a bien d'autres endroits que la cuisine où vous devez passer du temps et déployer vos efforts.

Êtes-vous passés à l'action ?

Avec les recettes du prochain chapitre, vous avez désormais tout en main pour que votre régime végé fonctionne. Vous possédez même plus d'informations que la plupart des nouveaux végétariens et végétaliens et infiniment plus que moi lorsque j'ai décidé de changer mes habitudes alimentaires.

Lire et rassembler des informations est important, mais la mise en pratique est primordiale. Certaines personnes animées des meilleures intentions ne franchissent parfois jamais cette étape.

Le moment est donc venu de passer à l'action. Il n'y a aucune raison d'attendre d'avoir fini la deuxième partie sur la course et sur l'entraînement pour entreprendre votre régime végé, intégrer une journée végé par semaine à votre diète omnivore ou éliminer progressivement les aliments d'origine animale. Choisissez des recettes dans le prochain chapitre et utilisez les conseils donnés au deuxième chapitre pour développer vos nouvelles habitudes alimentaires.

CHAPITRE 5
Recettes végé

Ces recettes sont la base de la philosophie nutritionnelle de *Courez mieux, courez végé*. Elles sont non seulement bonnes pour la santé, mais aussi faciles à réaliser seul, en famille ou entre amis, que vous soyez omnivores, végétariens ou végétaliens.

Quelques précisions concernant l'usage de l'huile et du sel. Nous considérons que certaines huiles sont bénéfiques pour la santé lorsqu'elles sont utilisées en petites quantités et ne sont pas chauffées au-delà du point de fumée. Si vous préférez limiter votre consommation d'huile, remplacez-la par des bouillons de légumes qui peuvent aussi servir à sauter les aliments. Pour les recettes de houmous, le liquide contenu dans les boîtes de conserve peut se substituer aux huiles. En revanche, il est peu recommandé de la substituer ou de la supprimer dans les recettes de desserts.

Le sel de mer brut, riche en minéraux et ayant subi le moins de transformations possible, rehausse en petites quantités le goût de la plupart des plats. Pour réduire la quantité suggérée dans une recette, salez les plats une fois qu'ils sont préparés plutôt qu'en cours de cuisson.

Soupes et salades généreuses

Soupe riche aux pois chiches   112
Soupe aux lentilles   113
Soupe de tortillas   114
Salade mince mince mince   115
Divine vinaigrette   116
Salade de tempeh   117
Salade de pois chiches   118
Salade de chou frisé (*kale*)   119

Smoothies et barres énergétiques

Smoothie parfait (recette de base)   120
Créer ses smoothies   121
Smoothie à la fraise   122
Boisson énergétique maison   123
Boisson énergétique +++   124
Chia Fresca   125
Gel énergétique maison   126
Barres énergétiques incroyables (recette de base)   127
Créer ses barres énergétiques   128
Barres canneberges-pistaches   129
Barres choco-quinoa   130
Barres granola   131
Super barres énergétiques   132
Crêpes de sarrasin et de quinoa   133

Plats principaux

Quinoa aux noix de cajou et oranges   134
Risotto de tomates et de haricots blancs   135
Cari de haricots blancs au lait de coco   136
Pâtes aux tomates, pois chiches et roquette   137
Pâtes aux pommes de terre, haricots verts et pesto   138
Lentilles rouges et riz express   140
Lentilles au cari   141

Bibimbap **142**
Orzo aux légumes citronnés **143**
Riz aux haricots (recette de base) **144**
Riz aux haricots à l'indienne **145**
Riz aux haricots à la mexicaine **146**
Riz aux haricots à l'asiatique **147**
Riz aux haricots à l'hawaïenne **148**
Incroyables burgers végé (recette de base) **149**
Créer ses burgers végé **150**
Mon burger passe-partout **152**
Pizza maison express **153**
Chili Cowboy **154**
Cari thaï d'ananas au lait de coco **155**

Trempettes, etc.

Trempette incomparable **156**
Noix à l'érable **157**
Succulente sauce tomate **158**
Tartinade et sauce de noix de cajou **159**
Pain indien **160**
Sauce parfaite aux arachides **161**
Croustilles de chou frisé (*kale*) **162**
Trempette à l'aubergine grillée **163**
Houmous citron et ail **164**
Houmous aux haricots noirs **165**
Houmous Buffalo **166**
Choux de Bruxelles rôtis **167**

Desserts

Brownies aux haricots noirs **168**
Mousse au chocolat et à l'avocat **169**
Parfait à la patate douce **170**
Biscuits avoine, épeautre et lin **172**

Soupe riche aux pois chiches

6 PORTIONS

De nombreux plats italiens traditionnels marient pâtes et haricots, comme la très populaire soupe *pasta e fagioli*. Dans l'interprétation de ce classique, j'utilise des pois chiches à la place des haricots cannellini et du romarin pour parfumer le tout.

60 ml (¼ tasse) d'huile d'olive extra vierge

1 petit oignon, coupé

2 branches de céleri, en petits dés

4 gousses d'ail, émincées

2 c. à café de romarin frais, haché fin

250 ml (1 tasse) de sauce tomate

1,5 litre (6 tasses) de bouillon de légumes

1 boîte (398 ml) ou 300 g (1 ½ tasse) de pois chiches cuits, égouttés et rincés

1 bouquet de chou frisé (*kale*) (environ 8 feuilles), coupés en carrés de 2 à 3 cm (environ 1 po) (sans les tiges centrales)

115 g (4 oz) de linguine de blé entier ou autre céréale, coupés en morceaux de 2,5 à 5 cm (1 à 2 po) de long ou encore des pâtes courtes

1 c. à café de sel de mer

½ c. à café de poivre noir fraîchement moulu

Dans une grande cocotte, à feu moyen, faire chauffer l'huile. Ajouter l'oignon, le céleri, l'ail, et 1 c. à café de romarin. Cuire environ 5 min jusqu'à ce que les légumes soient tendres et presque translucides.

Ajouter la sauce tomate, le bouillon de légumes et les pois chiches et amener à ébullition. Ajouter le chou frisé (*kale*) et laisser mijoter 5 min. Plonger les pâtes si leur temps de cuisson est de 7 à 8 min. Si les pâtes requièrent un temps de cuisson plus long, les ajouter en même temps que le chou frisé (*kale*). Remuer de temps en temps. Lorsque les pâtes sont *al dente*, retirer la soupe du feu, saler et poivrer.

Saupoudrer la deuxième c. à café de romarin frais.

PAR PORTION : **495** CALORIES ; **20** G DE LIPIDES (**35 %** DES CALORIES) ; **16** G DE PROTÉINES ; **67** G DE GLUCIDES ; **9** G DE FIBRES ; **2** MG DE CHOLESTÉROL ; **214** MG DE SODIUM

SUGGESTION

Ajouter quelques gouttes d'huile d'olive.

Soupe aux lentilles

6 PORTIONS

Importantes sources de protéines, les lentilles ne nécessitent pas de trempage et donnent de délicieuses soupes. L'utilisation de graines de cumin entières, plus fortes en goût que le cumin en poudre, donne à ce plat son caractère unique.

2 c. à soupe d'huile d'olive

2 c. à café de graines de cumin entières

1 petit oignon, coupé

4 gousses d'ail, émincées

1 c. à café d'origan séché

½ c. à café de flocons de piment rouge

½ c. à café de sel

4 carottes, en rondelles

2 à 4 branches de céleri, coupées

400 g (2 tasses) de lentilles brunes sèches, triées

2 litres (8 tasses) d'eau ou de bouillon de légumes, chaud

Sel et poivre noir, au goût

Jus de 1 citron (facultatif)

Dans une grande cocotte, à feu moyen, chauffer l'huile. Lorsque l'huile est chaude, y jeter les graines de cumin et les faire griller pendant environ une minute. Dès qu'elles sont odorantes, et avant qu'elles noircissent, ajouter l'oignon.

Après une minute, ajouter l'ail, l'origan, le piment rouge et le sel. Lorsque l'ail est odorant, après environ 1 min, ajouter les carottes et le céleri et les sauter 2 min. Ajouter les lentilles, mélanger et faire chauffer 2 min.

Ajouter l'eau ou le bouillon de légumes, amener à ébullition, réduire la chaleur et laisser mijoter à couvert. Cuire environ 45 min ou jusqu'à ce que les lentilles soient tendres.

Ajouter sel et poivre au goût et le jus de citron.

PAR PORTION : 292 CALORIES ; 5 G DE LIPIDES (16 % DES CALORIES) ; 19 G DE PROTÉINES ; 45 G DE GLUCIDES ; 22 G DE FIBRES ; 0 MG DE CHOLESTÉROL ; 225 MG DE SODIUM

Soupe de tortillas

8 À 10 PORTIONS

Les tortillas de maïs ont un goût authentique que n'ont pas les tortillas de blé. Cette soupe incorpore des tortillas de maïs réduites en purée qui ajoutent texture et saveur. Pour donner plus de corps à la soupe, plongez 300 à 550 g (2 à 3 tasses) de riz brun cuit en fin de cuisson.

2 c. à soupe d'huile de pépins de raisins

4 tortillas de maïs (15 cm/6 po), coupées grossièrement

250 ml (1 tasse) de maïs frais ou congelé (164 g)

4 gousses d'ail, coupées grossièrement

1 petit oignon, coupé grossièrement

1 petit piment jalapeño, épépiné et coupé grossièrement

1 c. à soupe de cumin moulu

2 boîtes (540 ml chacune) de tomates en dés

2 c. à soupe de pâte de tomates

2 litres (8 tasses) de bouillon de légumes

2 boîtes (540 ml chacune) ou 515 g (3 tasses) de haricots noirs cuits, égouttés et rincés

Sel et poivre noir fraîchement moulu, au goût

Jus de 1 lime

1 avocat, pelé, dénoyauté et coupé en cubes

Une généreuse poignée de coriandre fraîche, coupée

Dans une grande cocotte, à feu moyen, faire chauffer l'huile. Lorsque l'huile est prête, ajouter les tortillas coupées et les faire frire 2 à 3 min.

Ajouter le maïs, l'ail, l'oignon, le piment jalapeño et le cumin puis mélanger. Après 30 secondes, ajouter les tomates et la pâte de tomates. Mélanger de façon à dissoudre la pâte de tomates. Ajouter le bouillon de légumes. Augmenter la chaleur pour amener à ébullition, puis réduire à feu moyen. Couvrir et laisser mijoter 30 min.

En faisant attention de ne pas vous ébouillanter, réduire la soupe en purée avec un pied mélangeur, un robot culinaire ou un mélangeur. Ajouter les haricots noirs et attendre qu'ils réchauffent. Saler, poivrer et ajouter le jus de lime au goût.

Servir avec l'avocat et la coriandre en garniture.

PAR PORTION : 440 CALORIES ; 12 G DE LIPIDES (24 % DES CALORIES) ; 17 G DE PROTÉINES ; 69 G DE GLUCIDES ; 13 G DE FIBRES ; 2 MG DE CHOLESTÉROL ; 1 478 MG DE SODIUM

SUGGESTION

Faites frire quelques tortillas supplémentaires que vous effriterez sur la soupe en guise de garniture.

Salade mince mince mince

Je n'ai pas toujours été un amateur de salades mais j'ai changé d'avis depuis que j'ai découvert qu'on pouvait trancher finement les légumes. Si vous en avez une, utilisez la mandoline pour couper en minces tranches les poivrons, le concombre, le zucchini et les carottes.

455 g (1 livre) de salades assorties
  (mélange printanier)

2 gros poivrons rouges

1 concombre, pelé et coupé en deux en long

½ chou rouge

1 zucchini

1 tête de brocoli

2 carottes

½ avocat, dénoyauté et pelé

30 g (¼ tasse) de noix de Grenoble rôties
  et hachées

35 g (¼ tasse) de graines de tournesol

1 c. à soupe d'huile de lin

Jus de 1 citron (facultatif)

25 g (¼ tasse) de levure alimentaire

Sel et poivre, au goût

Couper tous les légumes en petits morceaux (même les feuilles de salade). Ajouter le reste des ingrédients et mélanger avant de servir.

PAR PORTION : 300 CALORIES ; 14 G DE LIPIDES (37 % DES CALORIES) ; 19 G DE PROTÉINES ; 36 G DE GLUCIDES ; 17 G DE FIBRES ; 0 MG DE CHOLESTÉROL ; 100 MG DE SODIUM

AUTRES SUGGESTIONS

Ajoutez une tasse de tofu mariné (240 g), de haricots noirs (180 g) ou de fèves d'edamame (190 g) pour varier la texture et augmenter l'apport en protéines. Pour une touche sucrée, ajoutez ¼ de tasse de raisins (35 g), de canneberges (30 g) ou de pommes coupées en petits dés (40 g). Surveillez les ingrédients à prix réduit dans votre magasin d'alimentation ou au marché fermier local.

Divine vinaigrette

250 ml (1 tasse)

Je suis plutôt du type huile et vinaigre balsamique. Mais depuis que j'ai goûté cette vinaigrette, je ne peux plus m'en passer. Réduisez au besoin la quantité d'huile.

65 g (¼ tasse) de tahini
3 c. à soupe de vinaigre de cidre
2 c. à soupe de tamarin
1 c. à soupe de jus de citron

1 petite gousse d'ail, émincée
125 ml (½ tasse) d'huile de pépins de raisins
1 c. à soupe de persil frais, haché fin
1 c. à soupe d'échalotes, coupées fin

Dans un bol de taille moyenne, mélanger le tahini, le vinaigre, le tamarin, le jus de citron et l'ail. Incorporer progressivement l'huile, puis ajouter le persil et les échalotes.

RECETTE TOTALE : 1360 CALORIES ; 140 G DE LIPIDES (90 % DES CALORIES) ; 14 G DE PROTÉINES ; 20 G DE GLUCIDES ; 6 G DE FIBRES ; 0 MG DE CHOLESTÉROL ; 2 080 MG DE SODIUM

AUTRES SUGGESTIONS

Cette vinaigrette accompagne à merveille d'autres plats. Préparez par exemple une pâte à pizza (page 153), cuisez-la et recouvrez-la de tempeh sauté ou cuit au four, de laitue romaine et de vinaigrette. Un pur délice.

Salade de tempeh

4 PORTIONS

J'ai découvert cette salade dans un restaurant proche de notre maison, à Asheville en Caroline du Nord. Je la mangeais avant d'être végétalien. Ma femme et moi, nous l'aimions tellement que nous avons passé un après-midi à la recréer chez nous. Cette salade se sert seule, sur une salade verte ou dans un pain pita.

Pour la salade

225 g (8 oz) de tempeh

2 branches de céleri, en petits dés

½ petit oignon, coupé fin

1 petite carotte (ou ½ grosse), râpée

½ tasse de tomates séchées (non marinées dans l'huile, de préférence), coupées

24 olives kalamata entières, dénoyautées et coupées

Pour la vinaigrette

2 c. à café de moutarde de Dijon

3 c. à soupe de mayonnaise vegan

1 c. à soupe plus 1 c. à café de vinaigre de cidre

½ c. à café de sel de mer

½ c. à café de poivre noir fraîchement moulu

Pour la salade

Faire cuire le tempeh 20 min à la vapeur afin d'éliminer son amertume puis le laisser refroidir.

Le couper en cubes de 1,3 cm (½ po). Dans un grand saladier, mélanger le tempeh, le céleri, l'oignon, la carotte, les tomates séchées et les olives.

Pour la vinaigrette

Dans un petit bol, mélanger les ingrédients de la vinaigrette, verser sur la salade et mélanger.

PAR PORTION : 255 CALORIES ; 16 G DE LIPIDES (52 % CALORIES PROVENANT DES LIPIDES) ; 12 G DE PROTÉINES ; 20 G DE GLUCIDES ; 2 G DE FIBRES ; 0 MG DE CHOLESTÉROL ; 815 MG DE SODIUM

SUGGESTION

Ajouter 1 c. à soupe de cari, ou plus, au goût.

Salade de pois chiches

2 À 4 PORTIONS

Cette recette a été créée par Mo Ferris, chef formé à l'université Johnson & Wales de Miami et marathonien végétarien. Cette salade est constituée d'un mélange équilibré de pois chiches et de verdure craquante relevé de notes citronnées. Si vous utilisez des pois chiches fraîchement germés, sautez la première partie de la recette et ajoutez deux tasses de ces pois germés à la salade. Si vous faites tremper vos pois chiches au préalable, la recette donnera plus de deux portions.

Pour les pois chiches

400 g (2 tasses) de pois chiches secs, trempés au préalable de 6 à 8 h

¼ oignon, coupé grossièrement

½ branche de céleri, coupée grossièrement

½ carotte, pelée et coupée grossièrement

1 feuille de laurier

2 c. à café de sel

Pour la vinaigrette

1 c. à soupe de vinaigre de champagne

Jus de ½ citron

1 c. à café de moutarde de Dijon

½ c. à soupe de nectar d'agave ou de sirop d'érable

Sel, au goût

Une pincée de poivre noir fraîchement moulu

80 ml (⅓ tasse) d'huile d'olive extra vierge

Pour la salade

75 g (1 tasse) de chou Napa, coupé en tranches très fines

1 c. à soupe de persil frais, coupé

Sel et poivre, au goût

Pour les pois chiches

Dans une grande cocotte à fond épais, mettre tous les ingrédients et recouvrir d'eau. Amener à ébullition, puis réduire le feu jusqu'à un léger bouillonnement. Cuire environ 45 min jusqu'à ce que les pois chiches soient tendres. Retirer l'oignon, le céleri, la carotte et la feuille de laurier. Mettre les pois chiches sur une grande plaque (par exemple une tôle à pâtisserie) et laisser refroidir complètement.

Pour la vinaigrette

Dans un petit robot culinaire ou un mélangeur, mettre tous les ingrédients, à l'exception de l'huile d'olive. Une fois bien mélangés, et pendant que le robot culinaire ou le mélangeur fonctionne encore, ajouter graduellement l'huile d'olive pour émulsionner la vinaigrette.

Pour la salade

Dans un grand saladier, combiner les pois chiches cuits ou germés (2 tasses), le chou Napa et le persil. Ajouter la vinaigrette et mélanger. Saler et poivrer au goût.

PAR PORTION : **1085** CALORIES ; **48** G DE LIPIDES (**38 %** DES CALORIES) ; **40** G DE PROTÉINES ; **130** G DE GLUCIDES ; **37** G DE FIBRES ; **0** MG DE CHOLESTÉROL ; **3294** MG DE SODIUM

Salade de chou frisé (*kale*)

4 PORTIONS

Cette recette de Susan Lacke, triathlonienne résidente chez *No Meat Athlete*, se prépare en un rien de temps.

35 g (¼ tasse) de noix de pin
½ c. à soupe d'huile d'olive
1 c. à soupe de jus de citron
Sel et poivre noir fraîchement moulu, au goût

210 g (3 tasses) de mini chou frisé (*kale*), coupé en morceaux
75 g (½ tasse) de baies (framboises, bleuets, fraises, mûres)

Dans une petite poêle, à feu moyen, faire griller les noix de pin environ 3 minutes en les remuant régulièrement pour éviter qu'elles brûlent. Dès qu'elles sont dorées, les transférer dans un bol.

Dans un grand saladier, mettre l'huile, le jus de citron, le sel, le poivre et les feuilles de chou. Mélanger vigoureusement les ingrédients afin d'attendrir le chou. Réfrigérer la préparation une dizaine de minutes. Ajouter les noix de pin et les baies avant de servir.

PAR PORTION : **88** CALORIES ; **6** G DE LIPIDES (**51 %** DES CALORIES) ; **3** G DE PROTÉINES ; **8** G DE GLUCIDES ; **3** G DE FIBRES ; **0** MG DE CHOLESTÉROL ; **20** MG DE SODIUM

Smoothie parfait

(recette de base)

2 SMOOTHIES DE 475 ML CHACUN

Le smoothie est le petit déjeuner végé parfait pour combler les besoins énergétiques. J'ai mis au point une formule idéale : une seule recette pour un smoothie différent chaque jour afin de varier les plaisirs et de ne pas se lasser. En plus d'être composés presque exclusivement de fruits et de légumes crus, les smoothies servent de base pour ajouter des ingrédients nutritifs complémentaires. Découvrez d'autres suggestions d'ingrédients et de recettes sur mon site Internet : www.nomeatathlete.com/formulas.

1 fruit à chair tendre

2 petites poignées de fruits en morceaux, congelés ou frais

2 à 4 c. à soupe de poudre de protéine

2 c. à soupe de liant

1 ½ c. à soupe d'huile (facultatif)

375 ml (1 ½ tasse) de liquide

1 c. à soupe d'édulcorant, au goût

Supplément de super aliment

6 glaçons (sauf si les fruits sont congelés)

Choisir un ou plusieurs ingrédients de chaque type et les mettre dans le mélangeur selon les proportions indiquées. Mélanger jusqu'à l'obtention d'une texture lisse. Vous déterminerez en fonction de vos goûts la quantité d'eau à utiliser pour obtenir la consistance désirée.

PAR PORTION : 390 CALORIES ; 25 G DE LIPIDES (53 % DES CALORIES) ; 17 G DE PROTÉINES ; 32 G DE GLUCIDES ; 8 G DE FIBRES ; 25 MG DE CHOLESTÉROL ; 65 MG DE SODIUM

NOTE

Si vous possédez un mélangeur à haute vitesse avec lequel vous pouvez faire des purées de fruits durs (comme des pommes ou des carottes) sans qu'il y ait de morceaux dans cette purée, alors vous pouvez remplacer les fruits à chair tendre de cette recette par une purée de presque n'importe quel fruit ou légume.

Créer ses smoothies

Pour chaque composante de cette formule, choisir un ingrédient ou une combinaison des ingrédients ci-après (ou tout autre de votre choix !).

Fruits (à chair tendre)
(1 fruit)
Banane
Avocat

Fruits frais ou congelés
(2 petites poignées)
Fraises
Bleuets
Mûres
Framboises
Pêches
Mangues
Ananas

Poudres de protéines
(2 à 4 c. à soupe)
Je recommande d'utiliser un mélange des trois.
Poudre de chanvre
Poudre de riz brun germé (a un goût plus
   « crayeux » que la poudre de chanvre, mais a
   une teneur supérieure en protéines)
Poudre de pois

Liants recommandés
(2 c. à soupe)
Graines de lin moulues
Beurre d'amandes ou tout autre beurre de noix
Amandes crues trempées (les faire tremper
   plusieurs heures avant de les utiliser)
Flocons d'avoine, entiers ou moulus
Wholesome Fast Food de la compagnie Udo's
   Choice
Noix de Grenoble crues

Huiles (facultatif)
   (1 ½ c. à soupe)
Huile de lin
Mélange de la compagnie Udo's Choice ou tout
   autre mélange d'acides gras essentiels
Huile de chanvre
Huile de noix de coco vierge
Beurre de noix de coco (qui comprend la chair
   de la noix de coco)

Liquides
375 ml (1 ½ tasse)
Eau
Lait d'amandes ou autre lait de noix
Lait de chanvre
Thé
Café

Édulcorants (facultatif)

(1 c. à soupe, ou au goût)

Nectar d'agave (très fort en fructose,
 seulement avant les séances d'entraînement)

Stevia (la quantité varie en fonction de la
 marque)

Poudre de lucuma

Dattes dénoyautées (2 à 3 dattes) (mes
 préférées sont les dattes Medjool)

Sirop d'érable

Super aliments (facultatif)

Grué de cacao (1 à 2 c. à soupe)

Brisures de caroube (1 à 2 c. à soupe)

Cannelle bio moulue (1 à 2 c. à café)

Graines de chia, entières ou moulues
 (1 à 2 c. à soupe)

Poudre de légumes verts (1 à 2 c. à café)

Feuilles d'épinard entières (1 à 2 poignées)

Poudre de maca (1 à 2 c. à café)

Piment jalapeño, épépiné et équeuté
 (au goût)

Piment de Cayenne moulu (une petite pincée)

Sel de mer (une pincée)

Jus de citron ou de lime (1 c. à soupe)

Pâte de miso (1 c. à café)

Graines de citrouille crues, écalées
 (1 à 2 c. à soupe)

EXEMPLE : SMOOTHIE À LA FRAISE

2 SMOOTHIES DE 475 ML

1 banane

2 petites poignées de fraises congelées

4 c. à soupe du mélange de poudres de
 protéines chanvre/riz/pois

2 c. à soupe de graines de lin moulues

1 c. à soupe de beurre de cacao

375 ml (1 ½ tasse) d'eau

1 c. à soupe de sirop d'érable

1 poignée de jeunes pousses d'épinards frais

2 c. à soupe de graines de chia

6 glaçons

Mettre tous les ingrédients dans le mélangeur et mélanger jusqu'à l'obtention d'une texture soyeuse.

PAR PORTION : 455 CALORIES ; 15 G DE LIPIDES (27 % DES CALORIES) ; 22 G DE PROTÉINES ; 67 G DE GLUCIDES ; 11 G DE FIBRES ; 50 MG DE CHOLESTÉROL ; 85 MG DE SODIUM

Boisson énergétique maison

500 ml (2 TASSES)

D'une simplicité enfantine, cette boisson pour sportifs assure l'hydratation et l'apport en sucre et en électrolytes nécessaires pendant l'entraînement. Avec la plupart des jus de fruits et une quantité équivalente d'eau, cette boisson comprend 25 à 30 g de glucides pour 500 ml (2 tasses) de liquide. Équilibrez votre boisson en fonction de la teneur en sucre du jus que vous choisissez. La majorité des jus de fruits contiennent une proportion raisonnable de potassium. En ajoutant ⅛ c. à café de sel, votre apport en sodium sera de 250 à 300 mg. Les différents types de sucre dans les jus (fructose, glucose, sucrose) ont un impact important sur la rapidité avec laquelle votre organisme transforme ce sucre en énergie.

250 ml (1 tasse) d'eau
250 ml (1 tasse) de jus de fruit naturel
⅛ c. à café de sel de mer

Mélanger l'eau et le jus de fruit puis y dissoudre le sel.

LES DONNÉES NUTRITIONNELLES VARIERONT SELON LES INGRÉDIENTS UTILISÉS.

Boisson énergétique +++

500 ML (2 TASSES)

Cette délicieuse boisson énergétique consiste en un mélange de dattes, de sirop d'érable, de sel (pour les électrolytes) et de jus de citron. Le citron apporte une réserve supplémentaire de sucre et équilibre le goût des dattes et du sirop d'érable. En remplaçant l'eau par de l'eau de coco, vous augmentez votre apport en potassium et électrolytes. Dans ce cas, le sirop d'érable n'est pas nécessaire. Utilisez des dattes fraîches entières : elles se mélangent plus facilement avec les autres ingrédients et ont bien meilleur goût.

500 ml (2 tasses) d'eau, ou plus au goût
2 dattes fraîches, dénoyautées (préférez les dattes Medjool)

1 c. à café de sirop d'érable
1 c. à soupe de jus de citron
1 c. à café de sel de mer

Dans un robot culinaire ou un mélangeur à haute vitesse, mélanger tous les ingrédients. Passer au chinois et ne conserver que le liquide.

Avec 500 ml (2 tasses) d'eau, vous obtenez une boisson énergétique relativement sucrée. Une fois la boisson préparée, ajoutez de l'eau au besoin pour diluer.

PAR PORTION : 155 CALORIES ; TRACES DE LIPIDES (0,1 % DES CALORIES) ; TRACES DE PROTÉINES ; 42 G DE GLUCIDES ; 4 G DE FIBRES ; 0 MG DE CHOLESTÉROL ; 485 MG DE SODIUM

Chia Fresca

1 BOISSON

Les graines de chia sont un aliment extrêmement populaire en raison de leur propriété hydratante et de leur teneur très élevée en protéines, en fibres et en acides gras. La légende raconte que les guerriers aztèques en mangeaient pour se donner de l'énergie avant les combats. Cette boisson simple, appelée *iskiate*, ressemble à celle que boivent encore aujourd'hui les Tarahumara, une tribu mexicaine à laquelle appartiennent les incroyables ultramarathoniens dont parle Chris McDougall dans son livre *Born to Run*. J'en bois le matin avant l'entraînement ou les compétitions d'endurance, mais également en fin de journée, avant une soirée qui risque de se terminer tard.

250 ml (1 tasse) d'eau froide
1 c. à soupe de graines de chia sèches

Quelques c. à café de jus de citron ou de lime
Nectar d'agave ou sucre non raffiné, au goût (facultatif)

Mélanger les graines de chia dans l'eau et laisser reposer 5 à 6 min. Remuer à nouveau la préparation. Ajouter le jus de citron ou de lime et le nectar d'agave au goût et mélanger pour bien dissoudre. Ajouter de l'eau au besoin.

PAR PORTION : **55** CALORIES ; **3** G DE LIPIDES **(43 %** DES CALORIES) ; **2** G DE PROTÉINES ; **7** G DE GLUCIDES ; TRACES DE FIBRES ; **0** MG DE CHOLESTÉROL ; **13** MG DE SODIUM

Gel énergétique maison

5 GELS DE 30 G

Les gels énergétiques du commerce, qui concentrent électrolytes et sucres dans un petit format pratique pour les courses d'endurance, ne sont pas particulièrement savoureux. La datte est un aliment complet qui remplit la même fonction. Ce gel maison entièrement préparé à partir d'aliments naturels vous fournira glucides et électrolytes dans un format très compact. Vous pouvez le transporter dans de petits sacs en plastique à fermeture à glissière. Il vous suffit de déchirer un coin avec les dents pour l'absorber. Ce gel se conserve au réfrigérateur dans un contenant hermétique pendant 3 à 4 jours.

1 c. à soupe de graines de chia moulues

4 c. à soupe d'eau

4 dattes fraîches, dénoyautées (les dattes Medjool sont les meilleures)

3 c. à soupe de jus de citron

1 c. à café de sel de mer

1 c. à café de mélasse

Dans un petit bol, mettre les graines de chia dans l'eau et les laisser gonfler environ 5 min, jusqu'à ce qu'elles forment un gel épais.

Dans un robot culinaire, mettre les autres ingrédients, activer l'appareil quelques secondes afin de bien hacher les dattes. Lorsque le gel de graines de chia a pris, l'ajouter aux autres ingrédients dans le robot et mélanger jusqu'à l'obtention d'un gel d'une consistance très lisse.

PAR PORTION : 360 CALORIES ; 4 G DE LIPIDES (9 % DES CALORIES) ; 3 G DE PROTÉINES ; 87 G DE GLUCIDES ; 8 G DE FIBRES ; 0 MG DE CHOLESTÉROL ; 1890 MG DE SODIUM

NOTE

Si possible, utilisez des dattes fraîches (qui sont généralement non dénoyautées). Elles se mélangent plus facilement que les dattes sèches et ont plus de goût.

Barres énergétiques incroyables

(recette de base)

24 BARRES

Comme pour les smoothies parfaits, j'ai demandé à ma sœur de m'aider à élaborer un modèle de barres énergétiques. Le principe a remporté un énorme succès sur mon blogue. Chaque semaine, de nouvelles combinaisons étaient proposées par les lecteurs. Choisissez un ingrédient dans chaque catégorie de la recette de référence. Vous pouvez même utiliser un ingrédient qui n'apparaît pas dans cette recette ! Consultez mon site pour plus de variantes : www.nomeatathlete.com/formulas.

1 c. à soupe d'huile de pépins de raisins (facultatif)

1 boîte (398 ml) ou 1 ½ tasse de haricots cuits, égouttés et rincés

½ tasse de liant

¼ tasse d'édulcorant

¼ tasse de fruits sucrés à chair tendre

1 c. à café d'extrait (facultatif)

1 c. à café d'assaisonnements secs (facultatif)

¼ c. à café de sel de mer

120 g (1 ½ tasse) de flocons d'avoine

1 tasse de mélange d'ingrédients secs de base

1 tasse de suppléments

Préchauffer le four à 180 °C (350 °F). Huiler un moule de 23 x 33 cm (9 x 13 po) avec de l'huile de pépins de raisins ou le graisser avec un enduit végétal en vaporisateur. Réserver.

Dans un robot culinaire, réduire en purée les haricots, le liant, l'édulcorant, les fruits, l'extrait, les assaisonnements et le sel jusqu'à l'obtention d'une texture lisse. Ajouter les flocons d'avoine, les ingrédients secs et donner quelques impulsions pour incorporer le tout. Ajouter les suppléments et donner à nouveau quelques impulsions. La consistance doit s'apparenter à une tartinade. Si la préparation paraît trop sèche, ajouter 60 ml (¼ tasse) d'eau. Si elle est trop liquide, ajouter ¼ tasse supplémentaire d'ingrédients secs de base.

Étaler la préparation dans le moule. Mettre au four 15 à 18 min. Couper 24 barres.

LES DONNÉES NUTRITIONNELLES VARIERONT SELON LES INGRÉDIENTS UTILISÉS.

Créer ses barres énergétiques

Utilisez des ingrédients non salés et non sucrés afin de contrôler vous-mêmes l'apport en sucre avec l'édulcorant et l'apport en sodium avec le sel.

Haricots

(1 boîte de 398 ml ou 1 ½ tasse de haricots cuits, égouttés et rincés)
Haricots blancs
Haricots noirs
Haricots pinto
Pois chiches
Haricots adzuki

Liants

(½ tasse)
Beurre d'amandes (130 g)
Beurre d'arachides (130 g)
28 g (¼ tasse) de graines de lin moulues mélangées à 60 ml (¼ tasse) d'eau
Citrouille réduite en purée (120 g)
Avocat écrasé (115 g)

Fruits à chair tendre

(¼ tasse)
Compote de pommes (60 g)
Banane écrasée (110 g) (environ une demie)
Dattes coupées (45 g) (dénoyautées)
Ananas écrasé (60 g)

Édulcorants

(60 ml / ¼ tasse)
Sirop d'érable
Sirop de riz brun
Nectar d'agave

Extraits (facultatif)

(1 c. à café)
Vanille
Amandes
Citron
Noix de coco
Café

Assaisonnements (facultatif)

(½ à 1 c. à café, ou au goût)
Cannelle
Gingembre
Noix de muscade
Cardamome
Café soluble

Ingrédients secs de base

(1 tasse au total, combinés)
Poudre de protéines (mélange de pois, chanvre et riz)
Farine de riz brun
Farine d'épeautre
Cacao (½ tasse maximum)
Farine de blé entier
Farine de sarrasin

Suppléments

(1 tasse)

Noix de coco râpée (85 g)

Canneberges séchées (120 g)

Raisins secs (145 g)

Abricots séchés, coupés en petits dés (130 g)

Noix hachées (varie selon les noix choisies)

Éclats de cacao (128 g)

Céréales sèches (varie selon la marque retenue)

Pépites de chocolat (175 g)

EXEMPLE : BARRES CANNEBERGES-PISTACHES

24 BARRES

1 c. à soupe d'huile de pépins de raisins (facultatif)

1 boîte (398 ml) ou 1 ½ tasse de haricots cuits, égouttés et rincés

30 g (¼ tasse) de graines de lin moulues mélangées à 60 ml (¼ tasse) d'eau

80 g (¼ tasse) de nectar d'agave

60 g (½ tasse) de compote de pommes

1 c. à café d'extrait de vanille

1 c. à café de cannelle

¼ c. à café de sel

120 g (1 ½ tasse) de flocons d'avoine

130 g (1 tasse) de poudre de protéines vanillée

60 g (½ tasse) de pistaches

60 g (½ tasse) de canneberges séchées

Préchauffer le four à 180 °C (350 °F). Huiler un moule de 23 x 33 cm (9 x 13 po) avec de l'huile de pépins de raisins ou le graisser avec un enduit végétal en vaporisateur. Réserver.

Suivre les étapes de la recette de base (p. 127) en utilisant les ingrédients ci-dessus.

PAR PORTION : **180** CALORIES ; **5** G DE LIPIDES (**23 %** DES CALORIES) ; **11** G DE PROTÉINES ; **24** G DE GLUCIDES ; **6** G DE FIBRES ; **16** MG DE CHOLESTÉROL ; **45** MG DE SODIUM

Barres choco-quinoa

Donne : **12 barres**

Le glucose des dattes fournit de l'énergie que l'organisme utilise dès l'ingestion. Mais ne pensez pas que ces barres sont uniquement des sources de glucides. Le quinoa, les graines de lin, la poudre de protéines et les noix en option qui les composent font de ces barres des sources complètes de nutriments.

130 g (¾ tasse) de quinoa sec

90 g (½ tasse) de dattes, dénoyautées

3 c. à soupe de nectar d'agave

2 c. à soupe d'huile de pépins de raisins ou d'huile de noix de coco fondue

2 c. à soupe de graines de lin moulues

½ c. à café d'extrait d'amandes

¼ c. à café de sel

65 g (½ tasse) de poudre de protéines non sucrée (protéine de chanvre par exemple)

70 g (½ tasse) de farine de blé entier

65 g (½ tasse) de suppléments, comme des fruits séchés, des noix, de la noix de coco râpée ou des pépites de chocolat bio

Préchauffer le four à 180 °C (350 °F). Huiler un moule à pâtisserie carré de 20 cm (8 po) avec un enduit végétal en vaporisateur ou le graisser avec de l'huile de noix de coco.

Rincer le quinoa sec dans de l'eau froide et le laisser tremper dans un bol pendant 10 min. Faire bouillir 250 ml (1 tasse) d'eau. Égoutter le quinoa et le mettre dans l'eau bouillante. Couvrir, réduire le feu pour laisser mijoter pendant environ 12 min jusqu'à ce que le quinoa soit translucide et que toute l'eau ait été absorbée. Laisser refroidir.

Dans le bol d'un robot culinaire, mélanger le quinoa cuit, les dattes, le nectar d'agave, l'huile de pépins de raisins, les graines de lin, l'extrait d'amandes et le sel jusqu'à l'obtention d'une texture relativement lisse (le quinoa reste toujours un peu grumeleux). Transférer dans un grand bol et réserver.

Dans un petit bol, mélanger la poudre de protéines, la farine et les suppléments. Incorporer cette préparation sèche à la préparation liquide.

Dans le moule à pâtisserie, étaler uniformément cette pâte en pressant dessus avec une spatule (la pâte sera très épaisse, un peu comme de la pâte à biscuits). Cuire au four environ 22 à 25 min jusqu'à ce que la préparation soit ferme. Laisser refroidir puis diviser en 12 barres. Ces barres peuvent se conserver dans un contenant hermétique pendant une semaine ou être réfrigérées, jusqu'à trois mois.

Par portion : **200** calories ; **8** g de lipides (**35 %** des calories) ; **7** g de protéines ; **27** g de glucides ; **6** g de fibres ; **0** mg de cholestérol ; **70** mg de sodium

Barres granola

12 BARRES

Cette recette de barres énergétiques a été développée par Mo Ferris, chef formé à l'université Johnson & Wales de Miami et marathonien végétarien. Les barres granola contiennent des glucides pour donner un coup de fouet avant les entraînements et des protéines pour récupérer.

160 g (2 tasses) de flocons d'avoine
75 g (½ tasse) d'amandes salées rôties, en morceaux
25 g (¼ tasse) de noix de pecan en morceaux
80 g (½ tasse) de graines de lin
35 g (¼ tasse) de graines de citrouille crues

3 c. à soupe de graines de chanvre
80 g (½ tasse) de cerises séchées, coupées
2 petites pincées de sel
90 g (⅓ tasse) de beurre d'arachides
125 ml (½ tasse) de sirop de riz brun

Préchauffer le four à 180 °C (350 °F). Sur une plaque à biscuits, griller uniformément les flocons d'avoine, les amandes, les noix de pecan, les graines de lin, les graines de citrouille et les graines de chanvre pendant 10 min. Remuer la préparation une ou deux fois. Sortir les graines du four et les verser dans un grand bol avec le sel. Réduire la température du four à 150 °C (300 °F).

Dans une petite casserole, faire fondre le beurre d'arachide, en le remuant. Une fois fondu et légèrement épaissi, le verser sur les graines et mélanger.

Verser le sirop de riz brun dans une autre petite casserole et l'amener à ébullition à feu moyen. Dès que les bulles qui se forment grossissent et se retrouvent au centre de la casserole, retirer du feu, verser sur la préparation et mélanger vigoureusement.

Verser la préparation encore chaude dans le coin d'une plaque recouverte de papier parchemin. À l'aide de papier ciré, écraser fermement la préparation afin de la répartir en un rectangle de 6 mm (¼ po) d'épaisseur (en évitant de laisser des bulles). Il est probable que la préparation ne couvre pas toute la plaque. Cuire au four 15 min ou jusqu'à ce que les bords commencent à brunir. Laisser refroidir complètement. Retourner le rectangle sur une planche à découper et tailler des barres d'environ 7 x 13 cm (3 x 5 po).

Envelopper chaque barre dans une pellicule plastique et les conserver dans un sac de plastique.

PAR PORTION : 257 CALORIES ; 15 G DE LIPIDES (50 % DES CALORIES) ; 8 G DE PROTÉINES ; 25 G DE GLUCIDES ; 6 G DE FIBRES ; 0 MG DE CHOLESTÉROL ; 60 MG DE SODIUM

Super barres énergétiques

24 BARRES

Ces barres sont également excellentes comme carburant pour vos entraînements ou, mieux encore, pour stimuler le processus de récupération après ces entraînements.

105 g (¾ tasse) de semoule de maïs ou 85 g (¾ tasse) de farine masa

30 g (¼ tasse) de poudre de maca

65 g (½ tasse) de poudre de protéine de chanvre

45 g (¼ tasse) de graines de chia

2 c. à soupe de graines de lin moulues

1 c. à soupe de cannelle moulue

1 c. à café de sel

460 g (2 tasses) de haricots adzuki cuits

15 dattes fraîches, coupées en morceaux et dénoyautées (utilisez des dattes Medjool)

375 ml (1 ½ tasse) d'eau ou de yerba maté, de thé vert ou de café

60 ml (¼ tasse) de nectar d'agave ou du sirop d'érable

120 g (½ tasse) de beurre de noix bio

125 g (½ tasse) de compote de pommes non sucrée

60 ml (¼ tasse) de jus de lime frais

30 g (1 ½ tasse) de millet soufflé

175 g (1 ½ tasse) d'amandes crues, en morceaux

Préchauffer le four à 180 °C (350 °F). Huiler un moule de 23 x 33 cm (9 x 13 po) avec un enduit végétal en vaporisateur ou avec 1 c. à soupe d'huile de noix de coco ou d'huile de pépins de raisins.

Dans un bol moyen, mélanger la semoule de maïs, la poudre de maca, la poudre de protéine de chanvre, les graines de chia, les graines de lin, la cannelle et le sel. Réserver.

Dans un robot culinaire, réduire en purée les haricots et les dattes en y ajoutant l'eau. Ajouter le nectar d'agave ou le sirop d'érable, le beurre de noix, la compote de pommes et le jus de lime, puis mélanger par impulsions. Incorporer la première préparation de semoule de maïs, puis le millet et les amandes.

Étaler cette pâte dans le moule et cuire au four de 30 à 35 min ou jusqu'à l'obtention d'une préparation ferme. Laisser refroidir et découper 24 barres. Conserver au réfrigérateur dans un contenant hermétique.

PAR PORTION : 192 CALORIES ; **7** G DE LIPIDES (**32,0** % DES CALORIES) ; **6** G DE PROTÉINES ; **28** G DE GLUCIDES ; **5** G DE FIBRES ; **0** MG DE CHOLESTÉROL ; **112** MG DE SODIUM

Crêpes de sarrasin et de quinoa

6 GRANDES CRÊPES

Dans son livre *Born to Run : né pour courir*, Chris McDougall décrit le pinole comme du maïs moulu et grillé que les Tarahumara, Indiens du nord du Mexique, utilisaient comme source d'énergie pour courir en le mélangeant avec de l'eau pour en faire une pâte ou un gel. Le véritable pinole est obtenu par nixtamalisation, un procédé de cuisson qui consiste à faire tremper et cuire les grains de maïs dans une solution alcaline. Voici une recette semblable à base de farine de masa, une semoule de maïs obtenue par nixtamalisation qui est généralement utilisée pour faire les tortillas. Ces crêpes sont d'excellentes réserves d'énergie avant ou pendant les courses de fond.

60 g (½ tasse) de farine masa ou 70 g (½ tasse) de semoule de maïs finement moulue

45 g (¼ tasse) de graines de chia

85 g (½ tasse) de farine de sarrasin

½ c. à café de sel

1 c. à café de levure alimentaire

60 g (¼ tasse) de compote de pommes

250 ml (1 tasse) de lait de soja, d'amande ou de chanvre

2 c. à soupe d'huile de noix de coco, fondue

2 c. à soupe de sirop d'érable

1 c. à café d'extrait de vanille

Chauffer une grande poêle à feu moyen. Ajouter la farine de masa ou la semoule de maïs et remuer fréquemment environ 5 min jusqu'à l'obtention d'une couleur légèrement dorée. Retirer du feu et laisser refroidir.

Dans un grand bol, mélanger le maïs grillé, les graines de chia, la farine de sarrasin, le sel et la levure alimentaire. Ajouter au fouet la compote, le lait, l'huile de noix de coco fondue, le sirop d'érable et l'extrait de vanille.

Chauffer une poêle moyenne à feu moyen. Graisser légèrement avec un enduit de cuisson en vaporisateur. Verser environ 30 g (¼ tasse) de pâte dans la poêle et l'étendre sur toute la surface de la poêle. Cuire environ 2 min de chaque côté. Vous devriez pouvoir glisser facilement une spatule sous la crêpe lorsqu'elle est prête à être retournée.

Répéter avec le reste de la pâte, en graissant au besoin la poêle entre les crêpes.

PAR PORTION : 191 CALORIES ; 8 G DE LIPIDES (35 % DES CALORIES) ; 5 G DE PROTÉINES ; 27 G DE GLUCIDES ; 3 G DE FIBRES ; 0 MG DE CHOLESTÉROL ; 180 MG DE SODIUM

Quinoa aux noix de cajou et aux oranges

4 PORTIONS

Le quinoa n'est pas une graine, mais une semence, exempte de gluten, qui peut remplacer le riz. Recouvert d'une substance amère appelée saponine, il doit être rincé avant utilisation. Il peut être cuisiné à l'avance, congelé puis décongelé au moment de l'utilisation.

175 g (1 tasse) de quinoa
2 c. à soupe d'huile de pépins de raisins
1 petit oignon, coupé très fin
1 boîte (284 ml) de mandarines (dont on a conservé le jus) ou 2 oranges fraîches, pelées, quartiers coupés en deux
500 ml (2 tasses) d'eau ou d'eau et de jus de mandarines

70 g (½ tasse) de noix de cajou crues, hâchées
500 g (1 sac) de légumes à sauter, congelés
60 ml (¼ tasse) de vin de riz (ou d'un autre vin de cuisson)
60 ml (¼ tasse) de tamarin
1 gousse d'ail, émincée
1 c. à soupe de fécule de maïs ou d'arrow-root

Rincer le quinoa à l'eau froide et le mettre de côté dans un bol d'eau froide. Dans une casserole de taille moyenne, chauffer 1 c. à soupe d'huile. Ajouter l'oignon et remuer de temps en temps, jusqu'à ce que l'oignon soit translucide, environ 5 à 7 min.

Rincer le quinoa deux fois, puis l'ajouter dans la poêle. Remuer jusqu'à ce qu'il soit légèrement grillé. Ajouter l'eau ou l'eau et le jus de mandarines. Amener à ébullition et réduire le feu. Couvrir la poêle et laisser mijoter environ 15 min, jusqu'à ce que l'eau soit absorbée et que le quinoa soit tendre. Retirer du feu et aérer le plat avec une fourchette.

Pendant que le quinoa cuit, dans une casserole, à feu moyen, griller les noix de cajou. Remuer fréquemment 3 à 5 min jusqu'à ce que les noix de cajou soient dorées. Réserver.

Dans une grande casserole, à feu moyen, chauffer l'autre c. à soupe d'huile. Ajouter les légumes congelés et remuer jusqu'à ce qu'ils soient tendres, environ 5 à 8 min.

Entre-temps, dans un bol, mélanger le vin de riz, le tamarin, l'ail et la fécule de maïs ou d'arrow-root. Lorsque les légumes sont prêts, verser la préparation de vin de riz dans la poêle et mélanger pendant une minute jusqu'à ce que l'alcool soit absorbé.

Mélanger le quinoa cuit, les noix de cajou grillées et les oranges aux légumes, puis servir.

PAR PORTION : 435 CALORIES ; 18 G DE LIPIDES (37 % DES CALORIES) ; 14 G DE PROTÉINES ; 55 G DE GLUCIDES ; 8 G DE FIBRES ; 0 MG DE CHOLESTÉROL ; 1040 MG DE SODIUM

Risotto aux tomates et aux haricots blancs

5 À 6 PORTIONS

Si vous n'utilisez pas la tartinade de noix de cajou, ajoutez de 2 à 3 c. à soupe d'huile d'olive juste avant que le risotto soit prêt.

1,5 litre (6 tasses) de bouillon de légumes

60 ml (¼ tasse) d'huile d'olive extra vierge

1 petit oignon, coupé en petits dés

3 c. à café de romarin frais, coupé

1 c. à soupe de thym frais, coupé

1 pincée de flocons de piment rouge écrasé

400 g (2 tasses) de riz Arborio

125 ml (½ tasse) de vin rouge ou blanc sec

500 g (2 tasses) de la succulente sauce tomate (p. 158) ou de sauce tomate préparée

1 boîte (540 ml) de haricots blancs, égouttés et rincés

115 g (½ tasse) de tartinade de noix de cajou (p. 159), (facultatif)

Sel de mer et poivre noir frais moulu, au goût

Dans une casserole de taille moyenne, chauffer le bouillon de légumes.

Dans une casserole antiadhésive, chauffer l'huile d'olive. Ajouter l'oignon et cuire 2 min, en remuant. Ajouter 1 c. à café de romarin, le thym, le piment rouge et cuire 1 min. Verser le riz et remuer fréquemment 2 à 3 min. Ajouter le vin et mélanger jusqu'à évaporation. Verser la moitié du bouillon de légumes ainsi que la sauce tomate. Mélanger 30 secondes.

Porter à ébullition puis réduire le feu afin d'obtenir un léger bouillonnement. Mélanger souvent pour éviter que le riz ne colle au fond de la casserole et jusqu'à ce que le liquide se soit évaporé ou ait été absorbé par le riz, 10 à 12 min.

Ajouter le reste du bouillon de légumes. Mélanger 30 secondes, puis laisser à nouveau le liquide s'évaporer et être absorbé, en remuant afin d'éviter que le riz ne colle. Ajouter les haricots juste avant que le risotto soit prêt et mélanger quelques minutes. Retirer du feu et ajouter une autre c. à café de romarin et 2 c. à soupe de fromage de noix de cajou. Saler et poivrer au goût.

Servir immédiatement, en garnissant chaque bol du reste de romarin et d'une bonne cuillerée de fromage de noix de cajou au centre.

NOTE

Le risotto est prêt lorsque le riz est cuit *al dente* et que le plat a une texture consistante. Si le liquide s'est évaporé trop rapidement, ajoutez de l'eau ou du bouillon.

PAR PORTION : 875 CALORIES ; 26 G DE LIPIDES (27% DES CALORIES) ; 30 G DE PROTÉINES ; 128 G DE GLUCIDES ; 16 G DE FIBRES ; 2 MG DE CHOLESTÉROL ; 2100 MG DE SODIUM

Cari de haricots blancs au lait de coco

4 PORTIONS

C'est après avoir lu *Anjum's New Indian* de la chef Anjum Anand que je me suis intéressé à la cuisine indienne. Ce cari de haricots blancs au lait de coco, légèrement sucré, m'a été inspiré par une recette de ce livre que j'ai simplifiée et rendue végétalienne.

2 c. à soupe d'huile de noix de coco ou d'huile de pépins de raisins

1 c. à café de graines de moutarde, brunes ou jaunes

10 feuilles de basilic frais

1 petit oignon, coupé en petits dés

1,5 cm (½ po) de gingembre frais, pelé et émincé

3 gousses d'ail, émincées

1 c. à soupe de cari en poudre

½ c. à café de sel, ou plus au goût

1 boîte (398 ml) de lait de coco allégé

1 boîte (540 ml) de haricots blancs, variété de votre choix, égouttés et rincés

1 barquette de 1 pinte de tomates cerises

1 ½ c. à café de sucre brun

Jus de ½ citron

Noix de coco râpée et feuilles de basilic frais ou de coriandre fraiche, coupées comme garniture

Dans une grande poêle, à feu moyen, chauffer l'huile. Ajouter les graines de moutarde et les feuilles de basilic et, après une minute, ajouter l'oignon. Cuire de 6 à 8 min en remuant de temps en temps, jusqu'à ce que l'oignon soit légèrement doré. Ajouter le gingembre et l'ail et cuire 30 secondes ou jusqu'à ce que le tout soit odorant. Ajouter le cari en poudre, le sel et cuire encore 30 secondes.

Ajouter le lait de coco, mélanger et augmenter le feu à vif. Une fois à ébullition, réduire à feu moyen et ajouter les haricots, les tomates et le sucre brun. Laisser mijoter environ 5 min puis verser le jus de citron et saler au goût.

Garnir avec la noix de coco râpée et les feuilles de basilic ou de coriandre et servir.

PAR PORTION : 520 CALORIES ; 14 G DE LIPIDES (22 % DES CALORIES) ; 28 G DE PROTÉINES ; 78 G DE GLUCIDES ; 18 G DE FIBRES ; 0 MG DE CHOLESTÉROL ; 320 MG DE SODIUM

Pâtes aux tomates, pois chiches et roquette

4 PORTIONS

Les tomates rôties font de ce plat un délice. Mettez-les au four pendant 45 minutes, le temps de préparer le reste de la recette.

1,4 kg (3 livres) de tomates moyennes mûres, coupées en deux dans le sens de la longueur

2 gousses d'ail, émincées

1 c. à soupe d'herbes italiennes

¼ à ½ c. à café de piment rouge écrasé

60 ml (¼ tasse) et 1 c. à soupe d'huile d'olive ou de pépins de raisins

Sel de mer et poivre noir, au goût

4 litres (16 tasses) d'eau

2 c. à soupe de sel de mer

340 g (12 oz) de pâtes de blé entier ou autres céréales de substitution, courtes ou longues

1 boîte (398 ml) de pois chiches cuits, égouttés et rincés

80 g (4 tasses) de roquette

Zeste de 1 citron (plus le jus, facultatif, pour le service)

Préchauffer le four à 200 °C (400 °F).

Sur une plaque à pâtisserie recouverte d'une feuille d'aluminium, étendre les tomates en une seule couche. Mélanger l'ail, les herbes italiennes, le piment rouge, l'huile, quelques pincées de sel et de poivre, puis verser cette préparation uniformément sur les tomates. Mettre au four jusqu'à ce que le tout soit cuit et légèrement doré, environ 45 min. Lorsque les tomates sont prêtes, dans un grand bol, en écraser la moitié à la fourchette et laisser l'autre moitié de côté.

Dans une grande marmite, faire bouillir l'eau et 2 c. à soupe de sel. Ajouter les pâtes et cuire jusqu'à ce qu'elles soient *al dente*, selon le temps de cuisson indiqué. Conservez 60 ml (¼ tasse) de l'eau de cuisson des pâtes pour éclaircir au besoin la sauce.

Entre-temps, dans une poêle, à feu moyen, chauffer le reste de l'huile et mettre les pois chiches et la roquette. Dès que les pois chiches sont chauds et que la roquette est tombée, les ajouter aux tomates écrasées dans le bol, puis y mettre les pâtes, un zeste de citron et bien mélanger le tout. Ajouter l'eau de cuisson des pâtes, si nécessaire.

Diviser les pâtes dans quatre assiettes que vous recouvrirez des tomates rôties restantes, puis saler, poivrer et ajouter du jus de citron au goût.

PAR PORTION : 670 CALORIES ; 20 G DE LIPIDES (25 % DES CALORIES) ; 25 G DE PROTÉINES ; 108 G DE GLUCIDES ; 14 G DE FIBRES ; 0 MG DE CHOLESTÉROL ; 90 MG DE SODIUM

Pâtes aux pommes de terre, haricots verts et pesto

6 PORTIONS

Pendant des années, ce plat traditionnel italien a constitué ma source privilégiée de glucides la veille d'une course. Les pommes de terre et les pâtes fournissent les glucides, les haricots ajoutent les protéines et le pesto rend le tout savoureux. En général, le pesto est fait avec des noix de pin, un ingrédient cher. Dans cette recette, vous pouvez utiliser des amandes crues ou toute autre noix à la place des noix de pin. Le jus de citron n'entre habituellement pas dans la composition du pesto, mais il contribue à lui donner une touche légèrement acidulée et s'harmonise parfaitement avec les saveurs estivales. Pour économiser du temps, préparez le pesto pendant que les légumes et les pâtes cuisent. Pour les pâtes, choisissez de préférence des *trenette* ou des *penne*.

Pour les légumes et les pâtes

4 ou 5 pommes de terre moyennes à bouillir, pelées et coupées en morceaux de 2,5 cm (1 po)

2 c. à soupe de sel de mer

125 g (1 ¼ tasse) de haricots verts frais, équeutés et coupés en sections de 2,5 cm (1 po)

450 g (16 oz) de pâtes de blé entier

Jus de ½ citron

Sel et poivre noir fraîchement moulu, au goût

Pour le pesto

90 g ou un gros bouquet de basilic frais (retirer les plus grosses tiges)

50 g (⅓ tasse) d'amandes crues, noix de Grenoble ou noix de pin

1 gousse d'ail, pelée

2 c. à soupe de jus de citron

Sel de mer, au goût

80 ml (⅓ tasse) d'huile d'olive de bonne qualité

1 c. à soupe de lait d'amandes ou de soya, ou d'eau de cuisson des pâtes (pour diluer le pesto au besoin)

Pour préparer les légumes et les pâtes

Remplir une grande marmite d'eau et la saler. Amener à ébullition. Plonger les pommes de terre et les faire cuire environ 8 à 10 minutes. Ajouter les haricots verts. Cuire pendant 3 à 5 min supplémentaires, jusqu'à ce que les haricots verts et les pommes de terre soient tendres, puis les retirer à l'aide d'une écumoire et les mettre de côté en les recouvrant d'une feuille d'aluminium ou avec le couvercle de la marmite afin de les conserver au chaud.

Mettre les pâtes dans l'eau bouillante et faire cuire jusqu'à ce qu'elles soient *al dente*. Réserver 120 ml (½ tasse) de l'eau de cuisson des pâtes, au cas où vous en auriez besoin pour diluer le pesto.

Pour préparer le pesto

Dans un robot culinaire, mélanger le basilic, les noix, l'ail, le jus de citron et une pincée de sel jusqu'à l'obtention d'une pâte grossière. Ajouter l'huile d'olive pendant que le robot est en marche jusqu'à ce que la préparation devienne relativement lisse. Saler au goût. Ajouter le lait d'amandes ou de soya ou l'eau de cuisson des pâtes avant de servir pour diluer le pesto si nécessaire.

Dans un grand bol, mettre les pâtes, les pommes de terre et les haricots verts. Ajouter le pesto, le jus de citron, sel et poivre au goût.

PAR PORTION : 430 CALORIES ; 10 G DE LIPIDES (19 % DES CALORIES PROVENANT DES LIPIDES) ; 15 G DE PROTÉINES ; 77 G DE GLUCIDES ; 10 G DE FIBRES ; 0 MG DE CHOLESTÉROL ; 1895 MG DE SODIUM

AUTRES SUGGESTIONS

Bien que le pesto n'apparaisse que dans une seule recette de ce livre, on peut l'utiliser de multiples façons : avec des pâtes ou des gnocchis, tartiné sur une pizza ou sur un pain plat, mélangé à la tartinade et sauce aux noix de cajou (p. 159), comme trempette pour les légumes. On peut aussi y ajouter de l'huile d'olive pour y tremper du pain, s'en servir comme élément de décoration sur une assiette de présentation ou en verser une cuillerée au milieu d'une assiette de risotto.

Lentilles rouges et riz express

6 PORTIONS

Ce plat mijote pendant une demi-heure mais le temps de cuisson réel est de moins de deux minutes. La plupart des ingrédients sont faciles à trouver et, si vous n'avez pas d'épinards ou de coriandre à portée de main, ces deux ingrédients peuvent être omis. L'assaisonnement reproduit la préparation indienne connue sous le nom de *panch phoran*.

1 boîte (540 ml) de lentilles rouges, rincées à l'eau froide

1,5 litre (6 tasses) d'eau

1 c. à café de curcuma moulu

1 ½ c. à café de chili en poudre

1 ½ c. à café de sel

2 c. à soupe d'huile de pépins de raisins ou de noix de coco

1 c. à café de graines de fenouil

1 ½ c. à café de graines de cumin

1 ½ c. à café de marjolaine ou d'origan séché

1 ½ c. à café de graines de moutarde

¼ c. à café de flocons de piments rouges écrasés, plus au goût

120 g (4 tasses) de jeunes épinards

20 g (½ tasse) de coriandre fraîche, hachée

Jus de citron

Sauce piquante (facultatif)

1 à 1,2 kg (6 à 8 tasses) de riz brun cuit, ou du pain indien (p. 160)

Dans une grande marmite, mettre les lentilles, l'eau, le curcuma, le chili et le sel. À feu vif, amener à ébullition, puis réduire le feu à moyen et laisser mijoter à découvert en remuant de temps en temps jusqu'à ce que les lentilles soient tendres, soit de 25 à 30 minutes.

Deux minutes avant la fin du temps de cuisson des lentilles, dans une poêle, à feu moyen, chauffer l'huile. Ajouter les graines de cumin et de fenouil, la marjolaine, les graines de moutarde, le piment rouge et remuer une minute. Mélanger cette préparation avec les lentilles et ajouter les jeunes épinards.

Servir sur du riz brun ou avec du pain indien garni de coriandre, de jus de citron, de sauce épicée, en ajoutant du sel au goût.

PAR PORTION : 370 CALORIES ; 7 G DE LIPIDES (17 % DES CALORIES) ; 13 G DE PROTÉINES ; 65 G DE GLUCIDES ; 11 G DE FIBRES ; 0 MG DE CHOLESTÉROL ; 570 MG DE SODIUM

Lentilles au cari

8 PORTIONS

Cette recette a été élaborée par Jason Sellers, chef et copropriétaire du restaurant Plant à Asheville en Caroline du Nord. Les protéines, le fer et les fibres que contiennent les lentilles en font l'élément de base parfait pour un sportif. Dans cette recette, les oignons et le gingembre sont réduits en purée avant d'être frits avec l'ail. Cela donne au plat une texture riche et soyeuse qui amplifie les saveurs.

2 c. à soupe de gingembre, coupé grossièrement

½ gros oignon jaune, coupé grossièrement

400 g (2 tasses) de lentilles (variété au choix)

1 feuille de laurier

1 c. à café de sel

2 c. à soupe d'huile de carthame

40 g (¼ tasse) d'ail, coupé fin

3 c. à soupe de cari en poudre ou de *garam masala*

65 g (¼ tasse) de pâte de tomates

2 c. à soupe de jus de citron

500 ml (2 tasses) de lait de coco

250 ml (1 tasse) de bouillon de légumes ou de bouillon sans sel

Sel, au goût

Passer le gingembre et l'oignon au mélangeur pour obtenir une pâte. Réserver.

Dans une marmite, mettre les lentilles et la feuille de laurier, recouvrir d'eau ou de bouillon de légumes, couvrir et amener à ébullition. Réduire la chaleur et laisser mijoter environ 25 à 30 min. Avant que les lentilles soient complètement cuites, ajouter une c. à café de sel. Égoutter les lentilles.

Entre-temps, dans une marmite à fond épais, à feu moyen, mélanger l'huile de carthame et l'ail et faire revenir pendant 5 min en veillant à ne pas laisser brûler l'ail. Ajouter la pâte oignon-gingembre et faire revenir 10 min jusqu'à ce qu'elle se dessèche. Intégrer le cari en poudre ou le *garam masala* et la pâte de tomates et cuire 2 min jusqu'à ce que la préparation laisse apparaître une partie de l'huile. Réduire la chaleur, ajouter le jus de citron, le lait de noix de coco, le bouillon de légumes et le sel, et mélanger le tout. Verser la préparation sur les lentilles et mélanger.

PAR PORTION : 380 CALORIES ; 19 G DE LIPIDES (43 % DES CALORIES) ; 17 G DE PROTÉINES ; 40 G DE GLUCIDES ; 18 G DE FIBRES ; TRACE DE CHOLESTÉROL ; 550 MG DE SODIUM

Bibimbap

2 PORTIONS

Cette recette de bibimbap, inspirée du plat traditionnel coréen, est proposée par Mo Ferris, chef formé à l'université Johnson & Wales de Miami et marathonien végétarien. Il est composé de riz cuit recouvert de légumes cuits ou crus, tels que concombres, épinards ou pousses de soya.

Pour la sauce

4 c. à soupe de *gochujang*, pâte de piments rouges coréens, ou d'autre pâte de piments

2 c. à soupe d'huile de sésame grillée

1 c. à soupe de sauce de soya ou de tamarin

½ c. à soupe de sriracha

1 gousse d'ail, coupé fin

Pour les bibimbap

8 petites carottes non équeutées, coupées en deux dans le sens de la longueur puis en morceaux de 7,5 cm (3 po)

200 g (2 ¼ tasses) de fleurs de brocoli

4 branches de bok choy, en sections de 5 cm (2 po)

1 c. à soupe d'huile d'olive

10 champignons shiitake, équeutés et coupés en trois

Sel et poivre noir fraîchement moulu, au goût

1 c. à café d'huile de sésame grillée

75 g (½ tasse) de fèves de Lima fraîches, nettoyées

150 g (¾ tasse) de petits pois frais ou congelés

400 g (2 tasses) de riz brun cuit

2 échalotes hâchées finement

2 c. à soupe de graines de sésame blanc

Mélanger tous les ingrédients de la sauce dans un petit robot culinaire et réserver.

Cuire les carottes, le brocoli et le bok choy à la vapeur jusqu'à ce qu'ils soient tendres mais encore croquants, environ 4 min.

Faire chauffer une sauteuse à feu moyen, ajouter l'huile d'olive et les champignons et les faire sauter jusqu'à ce qu'ils soient très tendres, 3 à 5 min. Saler et poivrer. Retirer les champignons de la sauteuse. Ajouter l'huile de sésame et, à feu moyen, faire sauter carottes, brocoli, bok choy, fèves de Lima et petits pois. Cuire les légumes environ 5 min.

Mettre 200 g (une tasse) de riz brun cuit dans chacun des bols de service et incorporer 1 à 2 c. à soupe de sauce dans chacun d'eux. Ajouter un peu de la préparation de légumes dans chaque bol et garnir avec les échalotes et les graines de sésame.

PAR PORTION : 895 CALORIES ; 32 G DE LIPIDES (30 % DES CALORIES) ; 30 G DE PROTÉINES ; 133 G DE GLUCIDES ; 32 G DE FIBRES ; 0 MG DE CHOLESTÉROL ; 950 MG DE SODIUM

Orzo aux légumes citronnés

6 PORTIONS

Ce plat délicieux, véritable réserve de glucides, a été inspiré par une recette d'un livre publié par Williams-Sonoma intitulé *Les pâtes*. L'orzo est en effet une variété de pâtes, même si sa forme et sa taille la font ressembler au riz. Préférez l'orzo de blé entier. Pour une version plus santé, utilisez de l'orge et veillez à augmenter le temps de cuisson. Notez cependant que la texture ne sera pas aussi agréable.

60 ml (½ tasse) d'huile d'olive

600 g (2 pintes) de tomates cerises, coupées en deux ou en quatre

1 gousse d'ail, coupée fin

1 grande ou 2 petites échalotes, tranchées fin

1 piment jalapeño, épépiné et coupé fin

Jus de 1 orange

Zeste de 1 citron

Sel, au goût

480 g (16 oz) d'orzo

2 avocats, dénoyautés, pelés et coupés en petits morceaux

130 g (½ tasse) de tartinade et sauce aux noix de cajou (p. 159)

2 c. à soupe d'origan frais, haché

Dans un grand bol, mélangez la moitié de l'huile, les tomates, l'ail, les échalotes, le piment jalapeño, le jus d'orange, le zeste de citron, et quelques bonnes pincées de sel (le sel absorbera le jus des tomates). Laisser le tout reposer pendant que vous préparez l'orzo et l'avocat.

Dans une grande marmite, faire bouillir l'eau, puis saler et ajouter l'orzo. Cuire de 8 à 10 minutes jusqu'à ce que l'orzo soit *al dente*. Il est important de ne pas dépasser le temps de cuisson.

Lorsque l'orzo est prêt, l'égoutter dans une passoire très fine et l'ajouter, ainsi que les avocats, la tartinade de noix de cajou et le reste de l'huile dans le grand bol avec la sauce et les tomates. Bien mélanger en faisant attention à ne pas écraser les morceaux d'avocats. Ajouter origan et sel au goût.

PAR PORTION : 545 CALORIES ; **25** G DE LIPIDES **(40 %** DES CALORIES) ; **14** G DE PROTÉINES ; **71** G DE GLUCIDES ; **5** G DE FIBRES ; **0** MG DE CHOLESTÉROL ; **115** MG DE SODIUM

Riz aux haricots
(recette de base)

4 PORTIONS

Les haricots et le riz, ingrédients très nourrissants, sont la base de mon régime végé et de celui de bien des athlètes végétaliens. Ils permettent une impressionnante variété de recettes. Utilisez cette recette de base pour préparer les haricots dans chacune des versions que je vous propose dans les pages qui suivent.

1 c. à soupe d'huile de pépins de raisins
1 oignon, haché
1 gousse d'ail, coupée menu

1 boîte (540 ml) de haricots cuits, égouttés et rincés
Sel et poivre noir fraîchement moulu, au goût
400 g (2 tasses) de riz brun cuit

Dans une grande cocotte, à feu moyen, chauffer l'huile. Ajouter l'oignon et faire blondir environ 5 min. Ajouter l'ail et faire sauter 5 min de plus, en remuant fréquemment.

Ajouter les haricots. Si vous déclinez cette recette dans l'une des versions des pages suivantes, ajoutez à cette étape les ingrédients choisis et suivez les instructions. Autrement, faire réchauffer les haricots puis saler et poivrer au goût. Servir avec du riz.

PAR PORTION : **305** CALORIES ; **5** G DE LIPIDES (**14** % DES CALORIES) ; **12** G DE PROTÉINES ; **54** G DE GLUCIDES ; **8** G DE FIBRES ; **0** MG DE CHOLESTÉROL ; **5** MG DE SODIUM

NOTE

Les acides aminés contenus dans les haricots et le riz forment une protéine complète. Cette recette fournit donc un apport équilibré et significatif des neuf acides aminés essentiels. Néanmoins, il faut savoir que l'organisme récupère les acides aminés dont il a besoin tout au long de la journée (voir chapitre 3 pour plus de détails).

Riz aux haricots à l'indienne

4 PORTIONS

1 recette de Riz aux haricots, préparée en utilisant des pois chiches (p.144)

1 c. à soupe de cari en poudre

½ c. à café de cannelle en poudre

Gingembre frais, pelé et coupé en morceaux de 2 cm (1 pouce) puis en fines tranches

1 boîte (540 ml) de tomates en dés avec piments verts, non égouttées

Sel et poivre, au goût

10 g (¼ tasse) de coriandre fraîche, coupée fin

Dans une grande cocotte, préparer la recette de Riz aux haricots. Saupoudrer le cari en poudre et la cannelle dans la préparation de pois chiches. Faire sauter le tout une minute puis ajouter le gingembre et les tomates ainsi que leur jus. À feu moyen, cuire pendant 5 minutes jusqu'à ce que les tomates soient presque cuites.

Retirer du feu et saler et poivrer au goût. Ajouter la coriandre au riz avant de servir avec les haricots.

PAR PORTION : 350 CALORIES ; 5 G DE LIPIDES (13 % DES CALORIES) ; 15 G DE PROTÉINES ; 63 G DE GLUCIDES ; 11 G DE FIBRES ; 0 MG DE CHOLESTÉROL ; 370 VMG DE SODIUM

SUGGESTION

Servez avec le pain indien (p. 160) et une mangue coupée en fines tranches.

Riz aux haricots à la mexicaine

4 PORTIONS

1 recette de Riz aux haricots, préparée en
utilisant des haricots pinto (p. 144)

2 c. à café de cumin

1 c. à café de chili en poudre

1 boîte (540 ml) de tomates en dés
avec piments verts, égouttées

Jus de ½ lime

Sel et poivre, au goût

10 g (¼ tasse) de coriandre fraîche, coupée fin

Dans une grande cocotte, préparer la recette de Riz aux haricots en utilisant des haricots pinto. Saupoudrer le cumin et le chili en poudre et faire sauter le tout une minute. Ajouter les tomates et, à feu moyen, cuire pendant 5 min, jusqu'à ce que les tomates soient presque cuites au goût.

Retirer du feu, ajouter le jus de lime, puis saler et poivrer au goût. Ajouter la coriandre au riz avant de servir avec les haricots.

PAR PORTION : 340 CALORIES ; 6 G DE LIPIDES (14 % DES CALORIES) ; 13 G DE PROTÉINES ; 62 G DE GLUCIDES ; 10 G DE FIBRES ; 0 MG DE CHOLESTÉROL ; 20 MG DE SODIUM

SUGGESTION

Accompagnez ce plat d'un avocat en fines tranches et de tortillas de maïs chaudes.

Riz aux haricots à l'asiatique

4 PORTIONS

1 recette de Riz aux haricots, préparée en utilisant des haricots adzuki ou des haricots noirs (p.144)

4 carottes moyennes, pelées et coupées en fines lamelles

Gingembre frais, pelé et coupé en morceaux de 2 cm (1 pouce) puis en tranches fines

2 c. à soupe de sauce tamarin ou soya à teneur réduite en sodium

1 boîte (398 ml) de mandarines (conserver le jus)

Sel et poivre, au goût

½ c. à café de poudre cinq épices chinoises

Dans une grande cocotte, préparer la recette de Riz aux haricots en utilisant des haricots adzuki ou des haricots noirs. Faire sauter les carottes et le gingembre avec les haricots pendant quelques minutes, jusqu'à ce que les carottes soient cuites, mais encore croquantes. Incorporer la sauce soya et 2 c. à soupe du jus de mandarines.

Retirer du feu et ajouter délicatement les tranches de mandarines. Saler et poivrer au goût. Ajouter la poudre cinq épices chinoises au riz avant de servir avec les haricots.

PAR PORTION : **385** CALORIES ; **5**G DE LIPIDES (**12%** DES CALORIES) ; **15**G DE PROTÉINES ; **72**G DE GLUCIDES ; **12**G DE FIBRES ; **0**MG DE CHOLESTÉROL ; **535**MG DE SODIUM

SUGGESTION

Ajoutez des champignons, un peu de chou et de poivron vert tranché fin ainsi que quelques gouttes de sauce hoisin au moment de servir.

Riz aux haricots à l'hawaïenne

4 PORTIONS

1 recette de Riz aux haricots, préparée en utilisant des haricots noirs (p. 144)
180 g (2 tasses) de chou rouge, coupé fin
1 boîte (796 ml) d'ananas en rondelles (conserver le jus)

2 c. à soupe de sauce soya ou tamarin
¾ c. à café de paprika fumé
60 g (2 tasses) de jeunes épinards frais
Sel et poivre, au goût
1 c. à café d'huile de noix de coco

Dans une grande cocotte, préparez la recette de Riz aux haricots en utilisant des haricots noirs. Ajouter le chou rouge, 125 ml (½ tasse) du jus d'ananas, 1 c. à soupe de sauce soya ou de tamarin et le paprika fumé. Faire cuire 5 min jusqu'à ce que le chou soit cuit, mais encore croquant. Ajouter les épinards et cuire 2 min de plus. Saler et poivrer au goût.

Entre-temps, dans une grande poêle, à feu vif, faire fondre l'huile de noix de coco. Déposer trois quarts des rondelles d'ananas dans la poêle et ajouter l'autre c. à soupe de sauce soya ou tamarin (garder le quart restant de rondelles d'ananas pour le dessert). Faire revenir 2 minutes de chaque côté. Servir sur les haricots et le riz.

PAR PORTION : 425 CALORIES ; 6 G DE LIPIDES (13 % CALORIES PROVENANT DES LIPIDES) ; 15 G DE PROTÉINES ; 80 G DE GLUCIDES ; 11 G DE FIBRES ; 0 MG DE CHOLESTÉROL ; 525 MG DE SODIUM

SUGGESTION

Ajouter un poivron rouge au chou, quelques haricots et un piment jalapeño, coupé fin, ainsi que 45 g (½ tasse) de noix de coco grillée au riz une fois qu'il est cuit.

Incroyables burgers végé
(recette de base)

18 MINI BURGERS (ENVIRON 3 PAR PORTION)

Après le succès des smoothies parfaits et des barres énergétiques incroyables, ma sœur Christine et moi avons décidé de compléter le trio gagnant avec les burgers végé. Faciles, succulentes et rapides à préparer, ces recettes vous dépanneront les soirs où vous n'avez pas envie de passer trop de temps à cuisiner. Choisissez vos ingrédients dans chacune des catégories des pages suivantes. Vous trouverez plusieurs autres suggestions d'ingrédients et exemples de recettes à l'adresse suivante : www.nomeatathlete.com/formulas.

2 c. à soupe plus 2 c. à café d'huile, réservées séparément

80 g (½ tasse) d'oignon, coupé fin

1 gousse d'ail, coupée fin

2 tasses de légumes, coupés en petits morceaux

1 boîte (540 ml) ou 1 ½ tasse de haricots cuits, égouttés et rincés

3 c. à soupe de liquide pour la saveur

4 c. à café d'assaisonnements

½ c. à café de sel

1 tasse d'ingrédients secs de base

½ tasse d'ingrédients pour donner de la texture

Dans une grande poêle, à feu moyen, faire chauffer 2 c. à café d'huile. Faire sauter l'oignon, l'ail et les légumes environ 5 minutes.

Mettre le tout dans un mélangeur et réduire les haricots, le liquide pour la saveur, les assaisonnements et le sel jusqu'à l'obtention d'une préparation grumeleuse. Intégrer les ingrédients secs de base et les ingrédients pour donner de la texture. Former des boulettes de la taille d'une balle de golf que vous aplatirez en galettes.

Dans une grande poêle, à feu moyen, faire chauffer 2 c. à soupe d'huile. Poêler plusieurs galettes à la fois, 2 à 3 minutes de chaque côté jusqu'à ce qu'elles aient une belle couleur dorée et qu'elles soient bien cuites.

LES INFORMATIONS NUTRITIONNELLES VARIERONT EN FONCTION DES INGRÉDIENTS CHOISIS.

Créer ses burgers végé

Pour chaque élément de l'incroyable burger végé de la page précédente, choisir un ingrédient ou une combinaison d'ingrédients suggérés ci-après (ou essayer avec tout autre ingrédient).

Huiles ou ingrédients de substitution

(2 c. à soupe plus 2 c. à café)
Olive
Pépins de raisins
Noix de coco
Bouillon de légumes ou eau

Légumes

(2 tasses, coupés en petits morceaux)
Carottes (260 g)
Céleri (200 g)
Champignons (140 g)
Épinards en feuilles (60 g)
Chou frisé (*kale*) (134 g)
Maïs (300 g)
Artichauts en conserve (600 g)
Courgettes (240 g)
Courge jaune (240 g)

Haricots

(1 boîte de 540 ml ou 1 ½ tasse de haricots cuits)
Haricots blancs (270 g)
Haricots noirs (260 g)
Haricots pinto (260 g)
Pois chiches (250 g)
Haricots adzuki (345 g)
Lentilles (400 g)

Ingrédients pour donner de la saveur

(3 c. à soupe au total ; utiliser un mélange de ces ingrédients)
Moutarde
Ketchup
Sauce soya
Sauce teriyaki
Sauce Worcestershire végétarienne
Sauce buffalo végétarienne
Vinaigre balsamique
Salsa
Sauce pour pâtes alimentaires
Eau
Fumée liquide

Assaisonnements

(4 c. à café au total ; utiliser un mélange de ces ingrédients)
Paprika fumé
Cumin
Chili en poudre
Herbes italiennes
Assaisonnement pour volailles
Assaisonnement pour bifteck de Montréal
Poivre noir
Piment de Cayenne
Graines de fenouil
Origan frais ou séché
Curry en poudre

Ingrédients secs de base

(1 tasse)
Farine de sarrasin (120 g)
Protéine en poudre non sucrée (128 g)
Chapelure (115 g)
Semoule de maïs (140 g)
Flocons d'avoine (80 g)

Ingrédients de texture

(½ tasse)
Noix de Grenoble hachées finement (60 g)
Olives en morceaux (50 g)
Avocat en cubes (75 g)
Tomates séchées (éviter celles marinées dans l'huile) (28 g)
Restes de riz, quinoa ou autres céréales ou pseudo-céréales cuits (165 à 185 g)
Persil, coriandre ou basilic frais (20 à 30 g)

Exemple : Mon burger passe-partout

18 MINI BURGERS (ENVIRON 3 PAR PORTION)

1 boîte (540 ml) de haricots noirs, égouttés et rincés
80 g (½ tasse) d'oignon, coupé fin
1 gousse d'ail, coupée fin
75 g (1 tasse) de champignons, coupés grossièrement
50 g (½ tasse) de céleri, coupé grossièrement
75 g (½ tasse) de poivron vert, coupé grossièrement
1 c. à soupe de ketchup

1 c. à soupe de moutarde
1 c. à café de fumée liquide
2 c. à café de sauce soya ou de sauce Worcestershire végétarienne
3 c. à café d'assaisonnement pour bifteck de Montréal
1 c. à café d'herbes italiennes
115 g (1 tasse) chapelure panko
60 g (½ tasse) de noix de Grenoble, hachées fin

Suivre les instructions de la recette des Incroyables burgers végé (p. 149) en utilisant ces ingrédients.

RECETTE TOTALE : 1300 CALORIES ; 41 G DE LIPIDES (27 % DES CALORIES) ; 67 G DE PROTÉINES ; 179 G DE GLUCIDES ; 49 G DE FIBRES ; TRACE DE CHOLESTÉROL ; 4 630 MG DE SODIUM

Pizza maison express

2 PIZZAS DE TAILLE MOYENNE POUR 4 PERSONNES

Pour plusieurs, la seule perspective de préparer soi-même une pizza, d'imaginer les heures de préparation, de pétrissage et le plan de travail de la cuisine couvert de farine est suffisante pour changer de menu. Ici, la pâte de la pizza est faite à l'aide d'un robot culinaire qui permet de cuisiner cette recette saine en moins de 10 minutes.

Pour la pâte

2 ¼ c. à café (1 paquet) de levure instantanée
250 ml (1 tasse) d'eau tiède
200 g (1 ½ tasse) de farine de blé entier
125 g (1 tasse) de farine à pain
1 c. à café de sel
2 c. à café de sucre
1 c. à soupe d'huile d'olive

Pour la garniture

1 ½ tasse de succulente sauce tomate (p. 158) ou de sauce tomate
1 c. à soupe d'herbes italiennes
1 c. à café de poudre d'ail
260 g (1 tasse) de tartinade et sauce aux noix de cajou (p.159) ou 112 g de fromage végétalien Daiya de style mozzarella

Pour préparer la pâte

Mettre la levure dans l'eau et laisser reposer 5 minutes.

Dans un robot culinaire, mettre les farines, le sel et le sucre. Activer une ou deux fois pour mélanger. Le robot culinaire en fonction, ajouter lentement la préparation de levure et l'huile. La pâte forme une boule en seulement quelques secondes. Elle devrait être lisse et légèrement poisseuse, mais ni humide, ni collante. Si elle est collante, ajouter de la farine, une cuillerée à soupe à la fois, et mélanger. Si elle est sèche ou ne prend pas pour former une boule, ajouter de l'eau, une c. à soupe à la fois, et mélanger pendant une minute.

Poser la boule de pâte sur une surface enfarinée, la pétrir quelques secondes, puis la séparer en deux.

Pour chaque moitié de pâte, prendre les deux bords du côté coupé et les ramener ensemble en les pinçant de sorte que la coupure ne soit plus exposée. Dans deux grands bols légèrement huilés, placer chaque moitié individuellement et les recouvrir d'un linge mouillé. Laisser reposer pendant 1 h, le temps que la pâte double à peu près de volume. Si elle ne monte pas assez, la laisser reposer un peu plus longtemps.

Sur une surface légèrement enfarinée, abaisser chaque boule de pâte avec vos poings et, avec un rouleau à pâtisserie, les aplatir pour qu'elles forment des ronds de pâte de 30 à 35 cm (12 à 14 po) de diamètre et d'environ 6 mm (¼ po) d'épaisseur.

Pour préparer la garniture

Préchauffer le four à 230 °C (450 °F). Si vous utilisez une pierre à pizza, prévoir environ 1 h de préchauffage.

Placer vos ronds de pâte sur une plaque perforée à pizza ou une plaque à pâtisserie légèrement huilée. Recouvrir chaque pizza d'environ 115 g (½ tasse) de sauce étendue en une couche aussi égale que possible. Saupoudrer les herbes italiennes, l'ail en poudre et tout autre assaisonnement que vous aimez.

Si vous utilisez la tartinade et sauce aux noix de cajou, l'étaler sur les pizzas lorsqu'elles sont presque cuites (voir ci-dessous). Si vous utilisez le fromage de Daiya, le saupoudrer avant de les enfourner.

Placer la plaque perforée à pizza ou la plaque à pâtisserie sur la grille supérieure du four. Cuire au four 8 à 10 minutes, jusqu'à ce que la croûte soit légèrement dorée et semble à 1 ou 2 minutes d'être prête.

Si vous utilisez la tartinade et sauce aux noix de cajou, sortir les pizzas du four. Étendre délicatement la tartinade avec un couteau ou une cuillère. Si vous utilisez une pierre à pizza, y mettre les pizzas. Si vous n'utilisez pas de tartinade, laisser vos pizzas dans le four 1 ou 2 minutes de plus, jusqu'à ce qu'elles soient prêtes.

Remettre les pizzas dans le four. Cuire 2 ou 3 minutes de plus, jusqu'à ce que le fond de la croûte soit croustillant et que la partie supérieure soit bien cuite. Si la sauce au fromage n'est pas chaude, placer les pizzas sous le grill quelques secondes.

PAR PORTION : 580 CALORIES ; 27 G DE LIPIDES (39 % DES CALORIES) ; 17 G DE PROTÉINES ; 75 G DE GLUCIDES ; 9 G DE FIBRES ; 0 MG DE CHOLESTÉROL ; 1220 MG DE SODIUM

NOTE

La tartinade et sauce aux noix de cajou est la meilleure option santé. Le fromage de Daiya donnera une pizza plus traditionnelle. Pour la sauce de noix de cajou, vous devrez avoir fait tremper les noix de cajou dans de l'eau auparavant. Il vous faut donc planifier votre recette en conséquence.

Chili Cowboy

8 PORTIONS

Le café de cette recette peut être remplacé par du bouillon de légumes ou du décaféiné. Au lieu du riz brun ou du boulgour suggérés en accompagnement, essayez avec des pâtes. Les enfants préfèrent cette recette ainsi.

1 c. à soupe d'huile d'olive ou de pépins de raisins

1 petit oignon, haché

1 poivron vert, haché

150 g (1 tasse) de maïs concassé en boîte

130 g (2 tasses) de chou vert, haché

2 gousses d'ail, coupées fin

½ c. à café de sel

1 c. à soupe de chili en poudre

2 c. à café de cumin

1 ½ c. à café de paprika fumé

½ c. à café d'origan

1 boîte (796 ml) de tomates cuites

250 ml (1 tasse) de bouillon de légumes

125 ml (½ tasse) de café infusé

1 c. à soupe de sauce piquante ou autre sauce relevée

1 boîte (540 ml) de doliques à œil noir, égouttés et rincés

1 boîte (540 ml) de haricots rouges, égouttés et rincés

1,2 à 1,6 kg (6 à 8 tasses) de riz brun cuit ou 1,1 à 1,5 kg (6 à 8 tasses) de boulgour

Jus de lime

Tartinade et sauce aux noix de cajou (p. 159) ou avocat tranché (facultatif)

Dans une grande cocotte, à feu moyen, chauffer l'huile. Ajouter l'oignon, le poivron vert, le maïs et le chou vert et cuire en remuant régulièrement pendant environ 7 minutes ou jusqu'à ce que l'oignon soit légèrement doré. Ajouter l'ail, le sel, le chili en poudre, le cumin, le paprika et l'origan et cuire une minute de plus. Ajouter les tomates, le bouillon de légumes, le café et la sauce piquante, puis les haricots.

Amener à ébullition. Réduire la chaleur à moyen et laisser mijoter, couvert, pendant au moins 25 minutes. Plus longtemps le chili cuira à température basse, plus les saveurs se mélangeront et meilleur il sera.

Saler et assaisonner au goût puis servir sur du riz brun cuit ou du boulgour. Ajouter au besoin davantage de sauce piquante, de jus de lime, et de tartinade et sauce aux noix de cajou ou d'avocat tranché.

PAR PORTION : **764** CALORIES ; **16** G DE LIPIDES (**19%** CALORIES PROVENANT DES LIPIDES) ; **36** G DE PROTÉINES ; **124** G DE GLUCIDES ; **26** G DE FIBRES ; TRACE DE CHOLESTÉROL ; **770** MG DE SODIUM

Cari thaï d'ananas au lait de coco

4 PORTIONS

1 boîte (398 ml) de lait de coco allégé (bien agiter avant de l'ouvrir)

64 g (¼ tasse) de pâte de cari rouge

1 c. à soupe de gingembre frais, coupé fin

250 ml (1 tasse) de bouillon de légumes

2 c. à soupe de sucre brun allégé

2 c. à café de miso en pâte

4 c. à café de sauce tamarin ou de sauce soya

2 carottes, en tranches de 3 mm (⅛ pouce) d'épaisseur

4 branches de citronnelle séchée ou fraîche, coupées en tronçons de 5 cm (2 po) de long

450 g (1 livre) de tofu extra-ferme, égoutté et coupé en cubes

4 branches de mini bok choy, coupées grossièrement (feuilles et branches séparées)

165 g (1 tasse) de morceaux d'ananas de la taille d'une bouchée

30 g ou 1 bouquet (¾ tasse) de basilic frais, coupé grossièrement

Quartiers de lime

Sauce sriracha

Dans une grande cocotte ou un faitout, à feu moyen, faire chauffer 125 ml (½ tasse) de lait de coco et laisser mijoter jusqu'à ce qu'il ait réduit de moitié, environ 5 minutes. Incorporer la pâte de cari, ajouter le gingembre et cuire 1 minute. Ajouter le bouillon, le sucre, le miso, la sauce tamarin ou la sauce soya ainsi que le reste de lait de coco. Laisser mijoter à feu moyen.

Ajouter les carottes et la citronnelle et cuire 2 minutes. Ajouter le tofu et laisser mijoter 2 minutes de plus. Enfin, ajouter le bok choy (seulement les branches) et l'ananas et cuire jusqu'à ce que le tout soit tendre, soit environ une minute de plus.

Retirer du feu. Assaisonner au goût avec davantage de sauce tamarin ou de sauce soya, puis ajouter les feuilles de bok choy et le basilic. Servir avec les quartiers de lime, la sauce sriracha et ajuster l'assaisonnement au besoin.

Ne pas oublier de retirer les branches de citronnelle avant de servir.

PAR PORTION : **450** CALORIES ; **22** G DE LIPIDES (**42 %** DES CALORIES) ; **20** G DE PROTÉINES ; **51** G DE GLUCIDES ; **5** G DE FIBRES ; **3** MG DE CHOLESTÉROL ; **1 600** MG DE SODIUM

Trempette incomparable

625 g **(2 ½ TASSES)**

La fumée liquide ajoute du volume et l'arrow-root rend cette trempette crémeuse. Elle a tendance à figer lorsqu'elle est conservée au réfrigérateur. Ajoutez un peu d'eau et réchauffez-la sur la cuisinière ou au four à micro-ondes pour lui rendre sa texture.

500 ml (2 tasses) d'eau

30 g (⅓ tasse) de levure alimentaire

60 g (¼ tasse) de tahini

30 g (¼ tasse) de poudre d'arrow-root ou
  7 c. à café de fécule de maïs

2 c. à soupe de jus de citron

1 c. à soupe de poudre d'oignon

1 c. à café de sel

Quelques gouttes de fumée liquide

2 c. à soupe de poivron, coupé en cubes

2 piments jalapeños, coupés fin (frais ou en
  bocal)

Dans un mélangeur, placer tous les ingrédients sauf le poivron et les piments jalapeños et mélanger.

Dans une cocotte, à feu vif, verser la préparation, ajouter poivron et piments, et fouetter vigoureusement jusqu'à ce que la préparation épaississe. Veiller à ce qu'elle n'attache pas au fond du plat.

RECETTE TOTALE : **680** CALORIES ; **38** G DE LIPIDES **(45 %** DES CALORIES) ; **37** G DE PROTÉINES ; **65** G DE GLUCIDES ; **25** G DE FIBRES ; TRACE DE CHOLESTÉROL ; **2 455** MG DE SODIUM

Noix à l'érable

Environ 450 g (4 tasses) selon les noix utilisées

Ce mélange de noix de Jason Sellers, chef et copropriétaire du restaurant Plant restaurant, Asheville, Caroline du Nord, est idéal en collation. Au restaurant Plant, il est servi à l'apéritif et les noix sont fumées au bois de pommier ou de cerisier pendant environ 5 minutes. Si vous avez un fumoir chez vous, essayez-le !

380 à 540 g (4 tasses) de noix (noisettes, amandes, noix de cajou, de pecan ou autres)
2 c. à soupe de sirop d'érable

1 c. à café de sel de mer
1 grosse pincée de poivre noir et une de poudre d'oignon

Préchauffer le four à 180 °C (350 °F). Dans un grand bol, mettre les noix et le sirop d'érable et mélanger avec une spatule jusqu'à ce que les noix soient bien enrobées. Saler, poivrer et ajouter la poudre d'oignon.

Sur une plaque à pâtisserie tapissée de papier parchemin, étaler les noix en une couche uniforme. Cuire au four de 12 à 15 minutes, jusqu'à ce que les noix soient légèrement dorées. Laisser refroidir et conserver à température ambiante.

SUGGESTION
Mélanger avec des fruits et des graines pour avoir une préparation plus nutritive.

Par portion : 2340 calories ; 198 g de lipides (71 % des calories) ; 76 g de protéines ; 104 g de glucides ; 41 g de fibres ; 0 mg de cholestérol ; 1925 mg de sodium

Succulente sauce tomate

ENVIRON 450 ML (2 TASSES)

Cette délicieuse sauce tomate est d'une grande simplicité puisqu'elle ne comporte que trois ingrédients et que son temps de cuisson est de 20 minutes. Je vous recommande d'en préparer une grande quantité et d'en congeler une partie en portions d'une tasse que vous pourrez utiliser dans diverses recettes.

1 boîte (796 ml) de tomates entières pelées
60 ml (¼ tasse) d'huile d'olive (facultatif)
1 gousse d'ail, coupée (facultatif)

½ poivron, tranché fin (facultatif)
Fines herbes, au goût (facultatif)
Sel et poivre, au goût

Dans un mélangeur ou un robot culinaire, mélanger les tomates jusqu'à la consistance souhaitée. Si vous n'avez pas de mélangeur ou de robot culinaire, utiliser un pilon à pommes de terre.

Dans une grande poêle, à feu moyen, faire chauffer l'huile. Pour davantage de saveurs, ajouter à cette étape de l'ail, du poivron rouge ou des fines herbes, et cuire environ 1 minute.

Ajouter les tomates, réduire le feu et laisser la sauce mijoter à découvert, en mélangeant de temps en temps, jusqu'à ce qu'elle épaississe (environ 20 minutes). Saler et poivrer, au goût.

RECETTE TOTALE : 635 CALORIES ; 56 G DE LIPIDES (75 % DES CALORIES) ; 7 G DE PROTÉINES ; 35 G DE GLUCIDES ; 8 G DE FIBRES ; 0 MG DE CHOLESTÉROL ; 2115 MG DE SODIUM

Tartinade et sauce aux noix de cajou

Environ 500 g (2 tasses) de tartinade ou 565 g (2 ¼ tasses) de sauce

Ce « fromage » de noix de cajou se substitue aux fromages habituels. Il est bien meilleur pour la santé. Seul ou avec des assaisonnements, il fait une excellente trempette à *crostini* ou à légumes. En y ajoutant un peu d'eau, cette tartinade se transforme en garniture ou en sauce fromage sur une pizza. Mes remerciements à Dreena Burton. Son livre de cuisine *Let Them Eat Vegan* m'a inspiré cette recette.

280 g (2 tasses) de noix de cajou crues, préalablement trempées dans l'eau 4 à 6 h, égouttées et rincées

2 c. à soupe de jus de citron

1 petite gousse d'ail

½ c. à café de sel de mer

Pour la tartinade

60 ml (¼ tasse) d'eau, ou un peu plus pour liquéfier

Pour la sauce

125 ml (½ tasse) d'eau, ou un peu plus pour liquéfier

Dans un mélangeur, réduire les ingrédients jusqu'à l'obtention d'une texture lisse. Ajouter de l'eau et continuer à mélanger jusqu'à ce que vous obteniez la consistance voulue pour une tartinade, ou pour une sauce.

Recette totale : 1088 calories ; 89 g de lipides (69 % des calories) ; 35 g de protéines ; 55 g de glucides ; 6 g de fibres ; 0 mg de cholestérol ; 2280 mg de sodium

---

Pain indien

8 PETITS PAINS

Il est très difficile de trouver dans le commerce une version végétalienne des galettes et des pains indiens. Je vous propose donc cette recette maison simple. Utilisez les proportions de farine de blé entier et de farine blanche que vous préférez. Sachez que ces pains sont très denses sans farine blanche.

125 g (1 tasse) de farine de blé entier et de farine blanche
½ c. à café de sel

175 ml (environ ¾ tasse) d'eau froide
2 à 3 c. à café d'huile de pépins de raisins

Dans un grand bol, mélanger les farines et le sel. Ajouter de l'eau en petites quantités et l'incorporer avec vos doigts jusqu'à l'obtention d'une pâte ferme. La pétrir avec vos mains quelques minutes jusqu'à l'obtention d'une texture un peu poisseuse, mais pas collante. Si elle est trop collante, ajouter de la farine ; si elle est trop sèche, ajouter de l'eau. Mettre la pâte dans un bol couvert d'un linge humide et laisser reposer 1 h.

Sur une surface légèrement farinée, séparer la pâte en huit petites boules et, avec un rouleau à pâtisserie, aplatir ces boulettes en galettes de 3 mm (environ ⅛ po) d'épaisseur.

Faire chauffer à feu moyen une poêle et y déposer les galettes en les retournant régulièrement. À cette étape, les enduire d'huile au pinceau jusqu'à ce qu'elles brunissent légèrement et cuire environ 1 min de chaque côté.

PAR PORTION : **67** CALORIES ; **1** G DE LIPIDES (**18 %** DES CALORIES) ; **2** G DE PROTÉINES ; **12** G DE GLUCIDES ; TRACES DE FIBRES ; **0** MG DE CHOLESTÉROL ; **135** MG DE SODIUM

SUGGESTIONS

Ces petits pains peuvent remplacer avantageusement le riz comme accompagnement de plats indiens. Ainsi, je m'en sers comme ustensile pour déguster à même le bol ou l'assiette le cari de haricots blancs au lait de coco (p. 136), les lentilles rouges et riz rapide (p. 140) ou les lentilles au curry (p. 141).

Sauce parfaite aux arachides

La sauce aux arachides est extrêmement facile à préparer, en plus d'être savoureuse. Aucune version du commerce ne peut l'égaler. Les arachides sont des légumineuses qui s'apprêtent d'innombrables façons. Vous pouvez ajuster l'assaisonnement selon vos préférences et jouer sur la consistance de la sauce. Voilà une recette amusante à préparer, d'une extrême simplicité et bien moins chère que ce que l'on trouve à l'épicerie.

130 g (½ tasse) de beurre d'arachide

125 ml (½ tasse) de bouillon de légumes

1 c. à soupe de sauce soya, plus au goût

1 c. à café de vinaigre de riz (ou autre vinaigre doux)

1 c. à soupe d'édulcorant (nectar d'agave, sirop d'érable, sucre non raffiné, etc.)

2 à 4 gousses d'ail, au goût

1 morceau de gingembre frais de la grosseur d'un pouce, pelé et en petits morceaux

Sauce sriracha épicée, au goût

Dans un mélangeur, mettre tous les ingrédients et réduire en sauce. Goûter et ajouter sauce soya, ail, édulcorant et bouillon.

Par portion : 230 calories ; 17 g de lipides (63 % des calories) ; 9 g de protéines ; 14 g de glucides ; 3 g de fibres ; trace de cholestérol ; 620 mg de sodium

---

SUGGESTIONS

Servez cette sauce sur des légumes sautés (mes préférés sont le brocoli et les poivrons rouges), du riz ou des pâtes. Elle se conserve très bien au réfrigérateur. Froide, elle fait une délicieuse trempette pour les légumes crus.

Croustilles de chou frisé (*kale*)

90 G (3 TASSES)

Ces croustilles, avec leur goût très particulier, leur texture craquante et leur qualité nutritionnelle permettent de satisfaire sans culpabilité cette soudaine et irrépressible fringale qui survient parfois. Elles seront encore plus santé en les cuisant longtemps à très basse température.

255 g (ou environ 6 tasses) de chou frisé (*kale*)
2 c. à café d'huile d'olive ou d'huile de noix de coco fondue

½ c. à café de sel de mer
½ c. à café de levure alimentaire
Zeste d'un citron (facultatif)

Préchauffer le four à 150 °C (300 °F).

Détacher les feuilles de kale de la tige centrale et les couper en morceaux. Dans un grand bol, verser de l'huile, y mettre les feuilles de kale et remuer pour bien les enduire d'huile. Les déposer sur une plaque à pâtisserie de façon à ce qu'elles ne se chevauchent pas et qu'elles puissent cuire uniformément.

Saupoudrer de sel de mer, de levure alimentaire et de zeste de citron.

Cuire au four environ 10 à 15 minutes, jusqu'à ce que les feuilles de kale soient croustillantes.

NOTE

L'intensité variant d'un four à un autre, soyez vigilants la première fois que vous préparez cette recette afin de déterminer le temps de cuisson exact et d'éviter que les feuilles brûlent.

RECETTE TOTALE : 213 CALORIES ; 11 G DE LIPIDES (41 % DES CALORIES) ; 9 G DE PROTÉINES ; 26 G DE GLUCIDES ; 6 G DE FIBRES ; 0 MG DE CHOLESTÉROL ; 1050 MG DE SODIUM

Trempette à l'aubergine grillée

230 g (1 TASSE)

L'aubergine fumée est l'ingrédient de base de nombreux plats délicieux, comme le *baingan barta* indien et le baba ganoush du Moyen-Orient auquel cette recette ressemble. La peau de l'aubergine grillée donne une incroyable saveur de fumée, équilibrée par le jus de citron. Cette trempette est une excellente alternative au houmous.

2 aubergines (environ 910 g/2 lb au total)
6 c. à soupe d'huile d'olive

Jus de 1 citron, plus au goût
2 c. à café de sel, plus au goût

La première étape consiste à fumer les aubergines : allumer votre grill extérieur ou barbecue à 315 °C (600 °F) ou aussi proche de cette température que possible.

Pour griller les aubergines

Percer les aubergines avec une fourchette et les mettre sur le grill. Refermer le grill. Retourner les aubergines toutes les 10 à 15 minutes (avec des pinces à cuisson) et cuire entre une demi-heure et une heure. La chair doit être tendre et la peau légèrement carbonisée et croustillante. Retirer les aubergines du grill et laisser refroidir. Couper délicatement les aubergines en deux dans le sens de la longueur. Retirer la chair (avec ou sans les pépins) avec une cuillère, ôter les brisures de peau noircie et réserver.

Pour préparer la trempette

Dans un mélangeur, mettre la chair de l'aubergine, actionner le robot et ajouter un filet d'huile. Ajouter le jus de citron, saler et pulser à quelques reprises. Ajouter à nouveau du jus de citron et du sel au goût.

Servir comme trempette pour des légumes ou des pitas.

RECETTE TOTALE : **1205** CALORIES ; **84** G DE LIPIDES (**58 %** CALORIES PROVENANT DES LIPIDES) ; **19** G DE PROTÉINES ; **118** G DE GLUCIDES ; **47** G DE FIBRES ; **0** MG DE CHOLESTÉROL ; **4320** MG DE SODIUM

Houmous citron et ail

375 g (ENVIRON 1 ½ TASSE)

Si vous êtes nouvellement végétaliens et végétariens, je vous conseille de découvrir le houmous. Bon pour la santé, trempez-y vos légumes, tartinez-en vos biscuits en y ajoutant un peu d'huile d'olive ou farcissez-en vos pitas. Cette préparation délicieuse convient aussi pour les sandwiches. Si vous utilisez le liquide de la boîte de pois chiches au lieu de l'huile, réduisez la quantité d'ail à une seule gousse et ne le faites pas cuire.

3 c. à soupe d'huile d'olive (ou 3 c. à soupe du liquide de la boîte de pois chiches)

3 gousses d'ail, coupées grossièrement

1 boîte (540 ml) de pois chiches cuits, égouttés et rincés

1 c. à soupe de tahini

2 c. à soupe de jus de citron, plus au goût

1 c. à soupe de sauce tamarin ou de sauce soya, plus au goût

1 petit piment jalapeño, épépiné et coupé fin (facultatif)

Dans une petite casserole, à feu moyen, faire chauffer l'huile. Ajouter l'ail et le faire revenir en remuant fréquemment. L'ail doit cuire de façon uniforme pendant 3 ou 4 minutes et se colorer légèrement afin de donner de la saveur au houmous. Retirer du feu et laisser refroidir.

Dans un mélangeur, mettre les pois chiches, le tahini, le jus de citron, la sauce tamarin ou soya et le jalapeño et donner quelques pulsations pour mélanger. À l'aide d'une spatule, détacher la préparation sur les côtés pour qu'elle soit au fond du robot et, robot en marche, ajouter un filet d'huile et l'ail de la casserole. S'il reste de la préparation sur les côtés du robot culinaire, la décoller et continuer de mélanger. Si le houmous est trop épais, ajouter un peu d'eau, 1 c. à soupe à la fois, jusqu'à ce que vous obteniez la consistance voulue.

Goûter et ajouter plus de jus de citron et de sauce tamarin ou soya, au goût, en donnant quelques pulsations pour incorporer le tout avant de servir.

RECETTE TOTALE : 1205 CALORIES ; 60 G DE LIPIDES (43 % DES CALORIES) ; 44 G DE PROTÉINES ; 131 G DE GLUCIDES ; 17 G DE FIBRES ; 0 MG DE CHOLESTÉROL ; 1055 MG DE SODIUM

Houmous aux haricots noirs

375 g (ENVIRON 1 ½ TASSE)

Le goût du houmous change beaucoup lorsque vous remplacez un ingrédient. Ce mélange aux haricots noirs forme un mariage parfait avec les croustilles de maïs plutôt qu'avec le pain pita. Si vous utilisez le liquide de la boîte de haricots noirs au lieu de l'huile, réduisez la quantité d'ail à une seule gousse et ne le faites pas cuire.

3 c. à soupe d'huile d'olive (ou 3 c. à soupe du liquide de la boîte de haricots noirs)

3 gousses d'ail, coupées grossièrement

1 boîte (540 ml) de haricots noirs cuits, égouttés et rincés

1 c. à soupe de tahini

2 c. à soupe de jus de citron, plus au goût

¼ c. à café de sel

½ c. à café de cumin moulu

Dans une petite casserole, à feu moyen, faire chauffer l'huile. Ajouter l'ail et le faire revenir, en remuant fréquemment. L'ail doit cuire de façon uniforme pendant 3 ou 4 minutes et se colorer légèrement afin de donner de la saveur au houmous. Retirer du feu et laisser refroidir.

Dans le robot culinaire, mettre les haricots noirs, le tahini, le jus de citron, le sel, le cumin et donner quelques pulsations pour mélanger.

À l'aide d'une spatule, détacher la préparation sur les côtés pour qu'elle soit au fond du robot et, robot en marche, ajouter un filet d'huile et l'ail de la casserole.

S'il reste de la préparation sur les côtés du robot culinaire, la décoller et continuer de mélanger. Plus le mélange est fin, meilleur sera votre houmous. Si la texture est trop épaisse, ajouter un peu d'eau, 1 c. à soupe à la fois, jusqu'à ce que vous obteniez la consistance voulue.

Ajouter davantage de jus de citron et saler, au goût, en donnant quelques pulsations pour incorporer le tout avant de servir.

RECETTE TOTALE : 1050 CALORIES ; 51 G DE LIPIDES (42 % DES CALORIES) ; 42 G DE PROTÉINES ; 113 G DE GLUCIDES ; 40 G DE FIBRES ; 0 MG DE CHOLESTÉROL ; 560 MG DE SODIUM

Houmous Buffalo

500 g (2 TASSES)

Au palmarès des plats qui m'ont le plus manqué lorsque je suis devenu végétarien, les ailes de poulet Buffalo ont occupé la première place. Plus précisément, la sauce Buffalo, son goût acidulé, relevé, au point de laisser une légère sensation de brûlure sur les lèvres. J'ai cessé d'en consommer puisqu'elle contient du beurre mais par bonheur, ma sœur Christine a mis au point cette version dans laquelle je retrouve conjugués la saveur que je préfère et l'un des plats que je mange le plus souvent, le houmous. Comme pour les autres recettes de houmous, vous pouvez utiliser le liquide de la boîte de pois chiches à la place de l'huile. Dans ce cas, réduisez la quantité d'ail à une seule gousse et ne le faites pas cuire.

1 boîte (540 ml) de pois chiches cuits, égouttés et rincés
½ c. à café de cumin
½ c. à café de paprika fumé
¼ c. à café de sel
2 gousses d'ail
2 c. à soupe de tahini
1 c. à soupe de sauce épicée

1 c. à soupe de jus de citron
90 g (½ tasse) de poivron rouge grillé, en conserve
2 c. à soupe d'huile d'olive (ou autre)
2 c. à soupe du liquide de la boîte de pois chiches
Piment de Cayenne, au goût

Dans un mélangeur, déposer tous les ingrédients sauf l'huile et le piment de Cayenne. Donner quelques pulsations pour mélanger, puis faire tomber au fond du robot ce qui est collé sur les parois. Robot en marche, verser un filet d'huile.

Continuer à mélanger jusqu'à ce que vous ayez obtenu la consistance voulue. Laisser tourner au moins 5 minutes pour obtenir une texture vraiment lisse.

Ajouter le sel, le jus de citron et la sauce épicée, au goût, puis saupoudrer de piment de Cayenne avant de servir.

RECETTE TOTALE : 1173 CALORIES ; 55 G DE LIPIDES (41 % DES CALORIES) ; 45 G DE PROTÉINES ; 135 G DE GLUCIDES ; 20 G DE FIBRES ; 0 MG DE CHOLESTÉROL ; 975 MG DE SODIUM

Choux de Bruxelles rôtis

700 g (8 TASSES)

Jason Sellers, chef et copropriétaire du Plant restaurant à Asheville en Caroline du Nord. Les choux de Bruxelles sont un concentré d'éléments nutritifs, source de vitamines C et K, de potassium et de manganèse. Au restaurant Plant, ils sont utilisés exclusivement rôtis, afin d'obtenir une texture et une saveur parfaites, tout en intensifiant leur couleur et maintenir leur bon profil en acides aminés. La levure alimentaire se marie bien avec l'amertume naturelle des choux et stimule les niveaux de vitamine B. Libre à vous d'en cuisiner davantage pour un plat de dernière minute, ils se conservent très bien au réfrigérateur deux ou trois jours. Il vous suffira d'ajouter un peu de bouillon et de les faire réchauffer dans une casserole.

700 g (8 tasses) de choux de Bruxelles,
  coupés en deux s'ils font plus de 2,5 cm
  (1 po) de diamètre
3 c. à soupe d'huile d'olive ou de carthame
  de bonne qualité

2 c. à soupe de levure alimentaire
Sel et poivre noir, au goût

Préchauffer le four à 200 °C (400 °F). Dans un grand bol, huiler délicatement les choux de Bruxelles. Les disposer en une seule couche sur une plaque à pâtisserie, saupoudrer de levure alimentaire, saler et poivrer. Ne pas tasser les choux afin que l'air circule bien entre eux et caramélise légèrement les feuilles. Faire rôtir de 8 à 10 minutes ou jusqu'à ce que les pointes tendres des feuilles commencent à brunir (pas davantage afin d'éviter qu'ils ne ramollissent).

RECETTE TOTALE : **728** CALORIES ; **43** G DE LIPIDES (**48 %** DES CALORIES) ; **33** G DE PROTÉINES ; **71** G DE GLUCIDES ; **33** G DE FIBRES ; **0** MG DE CHOLESTÉROL ; **185** MG DE SODIUM

Brownies aux haricots noirs

24 BROWNIES

De toutes les recettes de mon blogue, la recette de brownies élaborée par ma sœur Christine est la plus populaire. Cuisiner des brownies avec des haricots noirs peut sembler étrange, mais ne passez pas à côté de ce dessert délicieux qui se déguste sans culpabilité. La plupart des gens ne sentiront aucune différence avec les brownies traditionnels !

Pour les ingrédients secs
180 g (1 ½ tasse) de farine blé entier
1 c. à café de sel
1 c. à café de levure alimentaire
450 g (2 ¼ tasses) de sucre brut
115 g (1 ¼ tasse) de cacao en poudre
4 c. à café de café instantané en poudre
175 g (1 ½ tasse) de noisettes, hachées fin

Pour les ingrédients humides
1 boîte (540 ml) de haricots noirs
1 c. à café d'extrait de vanille
250 ml (1 tasse) d'eau

Préchauffer le four à 180 °C (350 °F).

Dans un grand bol, mélanger les ingrédients secs.

Égoutter et rincer soigneusement les haricots ainsi que l'intérieur de la boîte. Y remettre les haricots et la remplir d'eau. Dans le mélangeur, mettre le contenu complet de la boîte (haricots et eau) et réduire en purée. Ajouter cette purée aux ingrédients secs, ainsi que l'extrait de vanille et l'eau. Bien mélanger.

Dans un moule de 23 x 33 cm (9 x 13 po) bien graissé, verser la pâte obtenue. Mettre au four 25 à 30 minutes et tourner le moule au bout de 12 à 15 minutes.

Les brownies sont prêts lorsque le cœur est ferme et les bords légèrement gonflés et prêts à se détacher Ne pas prolonger le temps de cuisson car elle se poursuit une fois que les brownies sont sortis du four.

Laisser les brownies refroidir complètement et les découper en 24 carrés.

PAR PORTION : 217 CALORIES ; 6 G DE LIPIDES (21 % DES CALORIES) ; 7 G DE PROTÉINES ; 39 G DE GLUCIDES ; 6 G DE FIBRES ; 0 MG DE CHOLESTÉROL ; 110 MG DE SODIUM

Mousse au chocolat et à l'avocat

4 PORTIONS

Laissez libre cours à votre gourmandise sans culpabilité ! La majeure partie des lipides de ce dessert santé vient des avocats et du beurre d'arachide. Cette recette ressemble à s'y méprendre à la recette originale. Tout le monde n'y verra que du feu !

115 g (4 oz) de chocolat semi amer sans produits laitiers
1 c. à soupe d'huile de noix de coco
2 avocats, pelés et dénoyautés
2 c. à soupe de cacao en poudre

60 ml (¼ tasse) de sirop d'érable pur
2 c. à café d'extrait de vanille
Pincée de sel
64 g (¼ tasse) de beurre d'arachide biologique

Dans un bol allant au four à micro-ondes, mettre l'huile, ajouter le chocolat et bien mélanger. Mettre au four 45 secondes, sortir le bol, mélanger et le remettre au four 30 secondes de plus. Répéter cette opération en réduisant graduellement le temps de cuisson jusqu'à ce que le chocolat soit fondu et soyeux.

Dans un bol à part, réduire l'avocat en purée à l'aide d'une fourchette ou d'un fouet pour éliminer tous les morceaux. Mélanger le chocolat fondu et les avocats. Ajouter les autres ingrédients sauf le beurre d'arachides. Mesurer le sirop avec la cuillère que vous avez utilisée pour l'huile, il n'y adhérera pas et toute la quantité se retrouvera dans la recette. À l'aide d'une spatule, passer la préparation dans un tamis fin pour s'assurer d'une texture complètement lisse, puis incorporer le beurre d'arachides.

Répartir dans quatre bols. Saupoudrer de fruits ou autres friandises et savourer.

PAR PORTION : 511 CALORIES ; 35 G DE LIPIDES (60 % DES CALORIES) ; 8 G DE PROTÉINES ; 45 G DE GLUCIDES ; 6 G DE FIBRES ; 0 MG DE CHOLESTÉROL ; 105 MG DE SODIUM

NOTE

Vous pouvez aussi utiliser le bain-marie au lieu d'un micro-ondes pour faire fondre le chocolat.

Parfait à la patate douce

5 PORTIONS

Cette recette a été créée par Sara Beth Russert, boulangère végétalienne et culturiste, récipiendaire du prix *National Donut Champion* attribué par *The Food Network Challenge* pour ses beignets végétaliens. Riches en fibres et en glucides, les patates douces sont l'aliment idéal à déguster avant l'entraînement. Ces parfaits légèrement décadents et raffinés constituent un dessert idéal.

Pour le pouding

2 patates douces moyennes (environ 450 g)

170 g (½ bloc) de tofu ferme, égoutté et rincé

1 c. à soupe de cannelle

¼ c. à café de gingembre moulu

⅛ c. à café de noix de muscade

2 c. à café d'extrait de vanille sans alcool
ou la pulpe d'une gousse de vanille

Pincée de sel

1 à 2 c. à café d'édulcorant, par exemple
du nectar d'agave, au goût (facultatif)

Pour la garniture

20 g (¼ tasse) de flocons d'avoine
à l'ancienne, sans gluten (pas instantanés)

2 c. à soupe d'amandes effilées

2 c. à soupe de grué de cacao

2 dattes, trempées dans l'eau 20 minutes,
dénoyautées et coupées fin

Pincée de sel

Préchauffer le four à 200°C (400°F). Sur une toile à pâtisserie, mettre les patates douces au four de 45 minutes à 1 h. Retirer du four et laisser refroidir au moins 30 minutes.

Pour préparer le pouding

Peler et couper les patates douces.

Au robot culinaire, mélanger les patates douces avec les autres ingrédients du pouding, sauf l'édulcorant, et réduire le tout en purée jusqu'à l'obtention d'une texture soyeuse. Ajouter l'édulcorant au goût. Laisser refroidir complètement le pouding.

Pour préparer la garniture

Dans une poêle, à feu moyen, mélanger les ingrédients et faire revenir jusqu'à ce que l'avoine commence à brunir, environ 3 à 5 minutes. Remuer fréquemment pour éviter que le mélange brûle puis laisser refroidir.

Pour l'assemblage

Dans un petit bol ou dans un verre, mettre 125 g (½ tasse) non tassé de pouding. Recouvrir d'un cinquième de garniture.

PAR PORTION : 150 CALORIES ; 5 G DE LIPIDES (31 % DES CALORIES) ; 4 G DE PROTÉINES ; 23 G DE GLUCIDES ; 5 G DE FIBRES ; 0 MG DE CHOLESTÉROL ; 60 MG DE SODIUM

Biscuits avoine, épeautre et lin

15 GRANDS BISCUITS

Ces superbes biscuits à l'avoine sont faits de graines de lin et de farine d'épeautre, un des ancêtres du blé. Si vous ne trouvez pas de farine d'épeautre, remplacez-la par de la farine de blé entier.

210 g (1 ¾ tasse) de farine d'épeautre
120 g (1 ½ tasse) d'avoine
1 ½ c. à café de bicarbonate de soude
¾ c. à café de sel
¾ tasse (185 ml) d'huile de noix de coco
115 g (½ tasse) de sucre brun

100 g (½ tasse) de sucre brut
170 g (1 ½ tasse) de graines de lin moulues
60 g (¼ tasse) de compote de pommes
1 c. à café d'extrait de vanille
150 g (1 tasse) de raisins de Corinthe ou autre fruit

Préchauffer le four à 180 °C (350 °F).

Mélanger la farine d'épeautre, l'avoine, le bicarbonate de soude et le sel. Réserver.

Fouetter l'huile de noix de coco jusqu'à l'obtention d'un liquide soyeux. Si nécessaire, la ramollir préalablement au four à micro-ondes. Incorporer les sucres, puis les graines de lin. Ajouter la compote de pommes et l'extrait de vanille, et mélanger jusqu'à l'obtention d'une texture uniforme.

Incorporer les ingrédients secs aux ingrédients humides, puis les raisins de Corinthe.

Former des boules de pâte à biscuit à l'aide d'une cuillère à crème glacée et les déposer sur une plaque à pâtisserie graissée. Aplatir les boules de pâte à la main pour qu'elles fassent 7,5 cm (environ 3 po).

Cuire au four 16 minutes, en tournant la plaque au bout de 8 minutes.

PAR PORTION : **255** CALORIES ; **15** G DE LIPIDES (**44** % DES CALORIES) ; **5** G DE PROTÉINES ; **40** G DE GLUCIDES ; **5** G DE FIBRES ; **0** MG DE CHOLESTÉROL ; **240** MG DE SODIUM

DEUXIÈME PARTIE

Courir végé

CHAPITRE 6
Apprendre à aimer courir

Vous souvenez-vous de vos cours d'éducation physique ? Un beau jour, sans savoir pourquoi, au lieu de la partie de hockey bottines, de balle molle ou de toute autre activité divertissante, le prof de gym nous faisait courir aussi vite que possible sur un kilomètre ou plus. Pour la plupart d'entre nous, c'était la seule fois de l'année où nous courions sur une longue distance. Nous étions chronométrés et si par malchance nous étions celui ou celle qui arrivait en dernier, tout le monde se moquait de nous. C'est ainsi que nous avons appris à courir en allant au bout de nos limites pendant un kilomètre. Ça faisait mal, nous toussions ; le dernier tour et le sprint d'arrivée étaient de la souffrance pure. Ce détestable kilomètre ne durait que quelques minutes et nous n'aurions plus à courir avant l'année suivante. Si ça, c'est de la course, il ne faut pas s'étonner que tant de gens en aient horreur.

Avant de m'y mettre sérieusement, c'est exactement ce que je pensais. Je m'astreignais quand même à courir entre deux séances de musculation dans l'espoir de brûler un peu de graisse. Je me souviens de la première fois où, sur le tapis, j'ai franchi aussi vite que possible le cap des trois kilomètres. Ça m'a paru si douloureux et si ennuyeux que je me suis promis de ne jamais faire de la course une activité régulière.

Il est vrai que certaines personnes sont plus douées que d'autres pour la course. Mais ne perdez pas courage. Je suis la preuve vivante que l'aptitude à bien courir n'est pas innée. Si nous ne sommes pas tous faits pour courir un marathon en deux heures et demie, je suis persuadé qu'avec une approche intelligente nous pouvons tous apprendre à aimer courir. Encore plus inspirant, à peu près n'importe qui peut s'entraîner pour effectuer un 5 km, un demi-marathon, un marathon ou même un ultramarathon (toute course de plus de 62 km). Vous avez bien lu : à peu près n'importe qui.

VOUS, MARATHONIEN ?

Voici le secret bien gardé de la course d'endurance que ses détracteurs ignorent. Courir 5 km n'est pas cinq fois plus difficile que ce fameux kilomètre que nous devions courir à l'école tout comme courir un marathon ne l'est pas quarante-deux fois plus. Pourquoi ? Parce que personne ne peut maintenir l'intensité exigée en cours d'éducation physique sur plusieurs kilomètres. Il s'agissait d'un effort optimal qui constituait notre seule course annuelle. Si nous n'étions pas en forme et n'avions travaillé ni notre système aérobie ni notre endurance, maintenir un rythme de course pendant plusieurs minutes nous paraissait un calvaire.

S'entraîner pour participer à un marathon, un demi-marathon ou un 5 km modifie votre état d'esprit et votre condition physique. Ce changement engendrera une expérience complètement différente et beaucoup plus confortable que ce que vous deviez endurer à l'école.

Brendan Brazier, triathlète professionnel, ironman et végétalien, explique que plus la course est longue, plus le succès dépend de la qualité de l'entraînement et moins des habiletés naturelles. C'est ainsi qu'il est devenu un athlète professionnel. Tout jeune, il avait compris que s'il travaillait suffisamment fort et prêtait suffisamment attention à ses entraînements et à son régime alimentaire, il pourrait devenir un triathlète et ironman. Les compétitions ironman exigent que leurs participants franchissent 3,86 km à la nage, puis 180,25 km à vélo et finissent la journée par un marathon. Il s'agit bien sûr d'un remarquable exploit et d'une source d'inspiration admirable. Cela signifie que nous,

Nous prouver que nous sommes capables de courir au-delà de ce que nous pensions être nos limites nous rend confiants, nous motive, transforme notre corps et notre vie dans son ensemble.

madame ou monsieur Tout le Monde, avons la capacité de performer et de nous dépasser en nous concentrant sur les activités qui nous semblent les plus intimidantes : demi-marathon, marathon et plus encore.

Voilà ce qui me motive à courir. Et j'espère que cet esprit de dépassement de soi sera également votre source de motivation. Nous prouver que nous sommes capables de courir au-delà de ce que nous pensions être nos limites nous rend confiants, nous motive, transforme notre corps et notre vie dans son ensemble.

De plus, si votre but, en tant que végétarien ou végétalien, est de passer un message, existe-t-il une meilleure façon d'inspirer votre famille, vos amis et vos collègues de travail en faisant quelque chose que « l'ancien vous » aurait cru impossible ?

Comme un bon vin...

Il y a une autre raison qui fait de la course une discipline sportive de choix pour être en forme et le rester. Dans une certaine mesure, elle favorise l'âge. Joan Ullyot, auteure et coureuse, le constate : « Quel que soit l'âge auquel vous commencez à courir, comptez sur dix années d'amélioration. C'est à peu près le temps qu'il faut pour comprendre les règles du jeu. »

Vous avez bien lu : quel que soit votre âge. Examinez les statistiques des marathons année après année. Vous remarquerez que les participants qui ont entre 45 et 49 ans affichent des temps inférieurs à ceux des participants qui ont 20 à 24 ans. Pourtant les jeunes dans la vingtaine sont en meilleure forme, plus résistants et plus énergiques. Mais pour la plupart, ils ne possèdent pas l'expérience des coureurs matures. Dans les sports d'endurance, l'expérience l'emporte toujours sur la jeunesse.

La course est plus cérébrale qu'il n'y paraît. À mesure que vous courez, vous apprenez quand et quoi manger ou boire ou encore quel rythme est le

---

À chaque foulée, votre cerveau améliore le mouvement de vos jambes. Peu à peu, courir devient plus facile, car vous gagnez en efficacité.

meilleur pour la distance à parcourir. Mais également des choses plus subtiles comme interpréter les messages que votre corps vous envoie : cette lourdeur dans les jambes au 24e km d'un marathon vous signale de ralentir un peu le rythme si vous voulez terminer la course. Il existe un niveau encore plus profond d'amélioration qui vient davantage de l'esprit que des muscles : à chaque foulée, votre cerveau améliore le mouvement de vos jambes. Peu à peu, courir devient plus facile, car vous gagnez en efficacité sans même vous en rendre compte.

Si vous cherchez une activité sportive plus exigeante que le golf où vous serez en mesure de vous améliorer sur une longue période, vous l'avez trouvée. Et voici comment apprendre à aimer courir et faire en sorte que la course aime votre corps en retour.

Étant un adepte de la course, c'est l'activité que j'utilise comme exemple dans ce livre. Si vous préférez un autre sport, notamment un sport d'endurance comme le cyclisme, la natation ou le triathlon, les conseils que je vous donne ici s'appliquent.

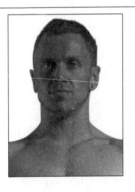

LE RÉGIME VÉGÉ POUR LES CULTURISTES

Par Ed Bauer
Champion culturiste végétalien et propriétaire du PlantFit Training Studio, plantfitpdx.com

Je suis devenu végétalien en 1996 à l'âge de 16 ans lorsque j'ai réalisé les traitements cruels que l'on faisait endurer aux animaux. Ce mode de vie empathique me permet de suivre un régime 100 % végétalien et les bénéfices pour ma santé me paraissent être un avantage supplémentaire. En tant que sportif, je me suis aperçu que j'avais un avantage sur les omnivores, car mon temps de récupération était beaucoup plus court.

Au fil des ans, mon approche de la nutrition a bien sûr évolué. J'ai commencé en mangeant des Fritos et des craquelins en forme d'animaux, pas vraiment ce qu'il y a de plus sain. Je comprends aujourd'hui l'importance que peut avoir sur mes performances un régime végé, riche en nutriments et en aliments complets. J'aurais aimé alors en savoir un peu plus sur l'alimentation santé. Pendant mes 10 premières années de végétalisme, j'ai rarement mangé, ou devrais-je dire je n'ai jamais mangé de chou frisé (*kale*), d'avocat, de quinoa, de betterave, de tempeh, de graines de lin ou de graines de citrouille. Aujourd'hui, ces aliments figurent parmi mes préférés. Les graines notamment semblent être l'ingrédient manquant qui m'a permis d'améliorer ma force physique.

En tant qu'entraîneur personnel, athlète CrossFit et culturiste, je suis bien placé pour vous dire que dans ce milieu, le végétalisme est malheureusement encore un sujet de plaisanterie. Pour moi, c'est une source supplémentaire de motivation pour prouver l'efficacité d'un régime végé. Je fais ça essentiellement en participant à des compétitions de culturisme et de CrossFit. J'ai également prévu courir mon premier marathon cette année. Les gens constatent en me voyant concourir que la diète végé n'a aucun impact négatif sur la santé, l'apparence ou les performances. Je vous encourage vivement à adopter ce mode de vie et à mesurer tout ce que vous pouvez accomplir. Tout est possible.

DÉFINIR VOTRE OBJECTIF

Que vous soyez ou non adeptes de la course, prenez une feuille de papier. Pensez grand pour quelques minutes. Ignorez les limites que vous entretenez sur vos capacités et permettez-vous de rêver. Établissez un seul et unique objectif qui va devenir votre moteur. Déterminez ce qui, en ce moment précis, vous paraît inatteignable et qui, pour que vous puissiez y parvenir, exigera de votre part changements et améliorations.

Puisque nous sommes dans la partie de l'activité sportive, concentrez-vous sur la course. Ou bien établissez un objectif diététique : manger végé cinq fois par semaine dans les prochains trois mois, manger cru pendant un mois, etc. À ce stade, il est préférable de choisir un seul objectif primaire et d'établir ultérieurement des objectifs secondaires qui vous aideront à atteindre le premier.

Concentrons-nous sur un objectif athlétique que vous aimeriez absolument atteindre. Je pèse mes mots.

Trop, c'est comme pas assez

Si vous n'avez jamais couru, il est probable que vous voudrez commencer par un 5 km. Est-ce que cette perspective vous donne des papillons dans l'estomac et les mains moites? Si c'est le cas, c'est fantastique. Cela indique que courir un 5 km est sans aucun doute votre objectif en ce moment.

Mais je soupçonne que, pour de nombreuses autres personnes, cet objectif raisonnable n'est pas suffisamment excitant et stimulant. Si vous vous voyez réussir assez facilement en suivant un entraînement qui s'avérera somme toute exigeant par moments, c'est que vous manquez d'ambition. L'idée de courir un 10 km vous exciterait-elle davantage? Et un demi-marathon? Un vrai marathon peut-être? Ou même un triathlon? Qu'est-ce qui vous motiverait au point de n'avoir qu'une idée en tête quand vous vous couchez: vous lever le lendemain et tout tenter pour réussir votre défi?

Je ne vous encourage pas à faire preuve d'imprudence. Lorsque vous aurez défini votre cible, nous l'examinerons pour nous assurer qu'elle vous convient. Et quelle que soit celle que vous vous serez fixée, nous établirons un calendrier raisonnable pour l'atteindre. Mais il ne faudrait pas limiter d'une quelconque manière votre désir.

En ce qui me concerne, un bon objectif comporte un je-ne-sais-quoi d'inquiétant. Lorsque j'ai décidé de courir mon premier 80 km, j'étais littéralement mort de peur, terrorisé par l'idée de la souffrance physique à endurer le jour de la course pour continuer après 40 kilomètres, puis 50, etc. alors que je n'aurais que deux idées en tête: m'arrêter et franchir la ligne d'arrivée.

Parfois, ce n'est pas l'objectif qui est effrayant, mais plutôt ce que votre entourage en dit. C'est réconfortant de savoir que nos proches nous encouragent. Mais j'ai découvert que mes objectifs valent la peine quand je ressens une sorte d'appréhension à en parler autour de moi. Pas juste à cause de la peur d'échouer et de l'humiliation qui accompagnerait cet échec. Plutôt la crainte que mon entourage rie du fait que je pense être en mesure de relever un défi trop exigeant. Quand vous ressentez cela, vous savez que vous êtes sur la voie d'un grand changement.

Voilà ce que j'ai vécu avec l'objectif du marathon de Boston. Lorsqu'avec mes collègues de travail, nous avons décidé de courir notre premier marathon et de tenter de nous qualifier pour celui de Boston, notre entourage s'est moqué de nous. Je ne peux pas leur en vouloir : ils avaient toutes les raisons de douter. Nous étions débutants et nous pensions réussir là où d'autres bien mieux préparés avaient échoué.

Après ce premier marathon, après avoir terminé de peine et de misère en 103 minutes de plus que le temps de qualification requis pour Boston, j'ai compris à quel point courir un marathon était ardu. C'est à ce moment-là que Boston est devenu mon véritable objectif. Ce fut embarrassant d'annoncer à tout le monde que je visais Boston après ma médiocre performance. Mais je n'éprouvais pas de honte parce que j'étais persuadé que j'y parviendrais un jour. Ce fut peut-être ma plus grande victoire ce jour-là (ce ne fut certainement pas ma qualité de marathonien !).

Alors, choisissez votre objectif en fonction de ce que Boston a été pour moi. Quelque chose que vous ne pouvez pas faire actuellement, quelque chose qui vous forcera à grandir intérieurement et extérieurement. Il m'a fallu sept ans pour me qualifier pour Boston, mais vous n'êtes pas tenus de prendre autant de temps pour atteindre votre objectif. J'ai aussi décidé de courir un ultramarathon de 80 km. Cela me paraissait énorme et hors de portée au moment où je l'ai choisi. Je n'ai mis que six mois à l'atteindre.

En ce qui me concerne, un bon objectif comporte un je-ne-sais-quoi d'inquiétant.

DEVENIR TRIATHLÈTE VÉGÉTALIEN, UNE ÉTAPE À LA FOIS

Par Tina Žigon

Je suis végétarienne depuis près de vingt ans et végétalienne depuis les six dernières années. Je suis consciente des bénéfices de mon choix pour l'environnement et ma santé, mais je mange végé principalement pour des raisons éthiques.

Je n'ai jamais été très sportive. J'étais plutôt une de ces enfants qui refusent de courir autour du stade et de participer à des activités sportives. J'aime regarder les sports à la télévision, mais je pensais qu'il fallait être né avec un talent pour en faire.

Tout cela a changé en 2010 au cours du repas de l'Action de grâces. Mes amies m'ont convaincue de m'inscrire à un triathlon sprint avec elles. Je ne sais pas comment elles y sont arrivées. Quand l'effet du vin s'est dissipé, j'étais encore excitée, mais surtout terrifiée. Comme je suis têtue et que je tiens mes engagements, j'étais prête à relever le défi.

J'ai pris un premier cours de *spinning*, puis un deuxième, un troisième et j'ai arrêté de compter. Un jour neigeux, dans la froidure de janvier 2011, j'ai suivi mon mari, coureur aguerri, et je suis allée courir pour la première fois de ma vie sur une piste intérieure. À ce moment-là, je n'étais pas en mesure de franchir 500 mètres sans m'arrêter et reprendre mon souffle. Le lendemain, je pouvais à peine marcher, mais j'étais déterminée à continuer.

La première fois où j'ai ressenti l'exaltation de la course a été l'expérience la plus incroyable que j'aie jamais vécue. J'ai commencé à progresser, à être capable de courir un kilomètre, puis trois, puis cinq. En avril de cette même année, j'ai couru mon premier 5 km. Puis un sentier de 5 km en mai. J'ai acheté un vélo. Je me suis mise à la natation. Et en août 2011, j'ai terminé mon premier triathlon sprint !

Je ne voudrais pas vous donner l'impression que ce fut facile. Croyez-moi, ça ne l'était pas et ça ne l'est toujours pas. Je m'étais engagée à participer à ce triathlon, je n'allais pas abandonner. J'avais annoncé à tout le monde que je m'étais inscrite à cette course. J'ai la chance d'avoir un mari qui m'appuie et un impressionnant groupe d'amis, inspirants et encourageants. Quand les choses devenaient difficiles, je me tournais vers l'un ou l'autre pour avoir leur soutien et leurs conseils. C'est encore ce que je fais aujourd'hui.

Après ce triathlon, j'ai décidé de courir davantage. Je me suis inscrite au demi-marathon de Buffalo. Je m'y suis entraînée en utilisant le guide *No Meat Athlete Half Marathon Roadmap*. En mai 2012, j'ai franchi la ligne d'arrivée. Ça a été la chose la plus difficile que j'aie jamais accomplie. Et pourtant, je suis déjà inscrite pour en courir un nouveau. J'aie aussi terminé deux autres triathlons sprint en battant mon record personnel dans le dernier. Aujourd'hui, je vise une distance olympique et je me fixe l'objectif de compléter un marathon. Je suis devenue une enthousiaste un peu timbrée qui ne rechigne pas à se lever très tôt et démarre la journée de l'Action de grâces par un « petit » huit kilomètres.

Difficile de croire que tout a changé pour moi en seulement deux ans. Je ne peux plus imaginer ma vie sans la course, et aussi sans vélo et sans natation. Malgré tous ces kilomètres parcourus depuis ma première course, je reste ébahie et admirative devant la capacité de nos corps à relever et à surmonter les défis. Ébahie et admirative devant le chemin parcouru entre mes humbles débuts et mon niveau actuel. Il a suffi de mettre un pied devant l'autre. Et c'est la formule, quel que soit le degré de difficulté. Ma vie est certainement bien meilleure aujourd'hui qu'il y a deux ans. Je suis fière d'être une *No Meat (tri)Athlète*.

Petite mise en garde

De nombreuses personnes ont vécu la regrettable expérience des objectifs S.M.A.R.T. (*Specific, Measurable, Attainable, Relevant, Time-bound* ou, en français : spécifiques, mesurables, atteignables, réalistes et temporellement définis).

Je suis certain que l'approche S.M.A.R.T. est *smart*. Je considère pour ma part que le fait de se fixer des objectifs atteignables est un conseil limitatif. L'approche S.M.A.R.T. vise à nous éviter de nous sentir dépassés par les événements. Certaines personnes sont découragées par des objectifs trop ambitieux, car elles savent au plus profond d'elles-mêmes qu'elles vont échouer. Soit. Mais la plupart d'entre nous doivent plutôt se méfier de la tendance naturelle à ne pas vouloir prendre des risques. Si nos objectifs sont modestes et ne nous stimulent pas, aurons-nous l'envie absolue de les atteindre ?

J'admets que viser la qualification pour le marathon de Boston était pour moi envisageable, alors qu'essayer de gagner une médaille d'or aux Jeux olympiques aurait été irréalisable. Comment faire la différence ? Boston me semblait pourtant un défi irréalisable au moment où j'ai décidé de le relever. À l'époque, beaucoup m'auraient soutenu que je pouvais sans aucun doute réduire mon temps de marathon de 53 minutes, mais que courir le marathon en 3 heures 10 minutes, soit un autre cinquante minutes de moins, était impensable. Je n'avais aucune raison de penser que je pourrais jamais tenir moi-même un rythme de 4 minutes et 52 secondes par kilomètre sur une distance de 42,195 km alors que j'étais incapable de tenir ce rythme sur un seul kilomètre. Finalement, c'est une bonne chose d'avoir été déraisonnable et de ne pas avoir écouté mon entourage.

Mon conseil : fixez-vous un objectif élevé, quitte à procéder à des ajustements et ne pas y arriver, plutôt que de viser trop bas et d'être si peu motivé que vous ne commencerez jamais.

Avec un objectif réalisable, pas besoin de prendre de grands moyens, de se battre pour repousser ses limites et de se transformer en une personne incroyable. Au contraire, avec un objectif qui semble inatteignable, la magie opère. Vous devenez incroyablement excité par ce que vous osez convoiter et par la peur d'échouer. Il vous suffit de penser ce qui se passerait si... et vous ressentez une énergie incroyable.

Puis, vous reconnaissez qu'il existe un fossé énorme entre vous et votre objectif. Pour combler ce fossé, vous devez opérer toutes sortes de changements. Quels sont-ils ? Qui voulez-vous devenir ? Voilà vos véritables objectifs.

Essayez ce test simple : votre objectif vous inspire-t-il ? Vous donne-t-il envie de sauter immédiatement dans vos chaussures de course ? Si ce n'est pas le cas, vous devez trouver le niveau d'objectif qui vous inspirera le plus. S'il est trop

---

Si nos objectifs sont modestes et ne nous stimulent pas, aurons-nous l'envie absolue de les atteindre ?

élevé ou qu'il est trop modeste, vous le saurez parce que vous ne serez pas motivés à faire quoi que ce soit. Vous saurez que vous vous êtes fixé le bon objectif lorsqu'il vous motivera à passer à l'action.

La seule chose qui doit être atteignable, c'est l'échéancier que vous établissez. Nombreuses sont les personnes qui surestiment ce qu'elles peuvent accomplir en un an et sous-estiment systématiquement ce qu'elles peuvent réaliser en dix. Essayez de ne pas tomber dans ce piège en espérant des changements radicaux avant que vous ayez eu la chance de les mesurer.

J'ai souvent échoué à atteindre mes objectifs en ne m'octroyant pas un délai suffisant, en m'imposant une échéance trop courte. La tentation de raccourcir les délais quand nous cherchons à dépasser nos capacités est due à la paresse ou à une forme d'auto-sabotage. Qui est naturellement prêt à travailler longtemps pour atteindre un objectif? Si vous souhaitez participer aux Jeux olympiques dans 10 ans, vous devrez vous entraîner extrêmement fort pendant 10 ans. Si vous vous dites que vous allez y parvenir en six mois, vous savez au plus profond de vous-mêmes que l'effort requis vous épuisera et vous donnera une excuse pour abandonner.

Chaque fois que j'ai échoué en voulant accélérer le processus, par exemple en échouant six fois de suite à me qualifier pour le marathon de Boston, je ne me suis pas découragé. J'ai redéfini mon but, avec plus de motivation que jamais, quitte à abandonner des objectifs secondaires qui étaient importants.

En conclusion, visez la lune et les étoiles, oui, mais donnez-vous un échéancier raisonnable!

Prenez des décisions

Nous avons beaucoup utilisé le mot « objectif » parce qu'il est courant. Mais au lieu d'établir des objectifs, je vous conseille plutôt de prendre des décisions. J'ai l'air de jouer sur les mots. Quelle différence cela fait-il? Un objectif est une

---

Visez la lune et les étoiles, oui, mais donnez-vous un échéancier raisonnable pour les atteindre.

cible que vous visez. Lorsque vous prenez une décision, vous changez du tout au tout. Comme si, d'une certaine façon, vous aviez déjà atteint votre cible. Vous commencez à agir et à penser comme une personne qui va réussir. C'est mieux que de viser ou d'espérer.

FIXEZ-VOUS UN OBJECTIF AMBITIEUX

1. ÉCRIVEZ VOS RÊVES.

Faites comme un enfant qui écrit une lettre au Père Noël. Prenez cinq minutes pour coucher noir sur blanc ce que vous aimeriez réaliser en mettant l'accent sur la santé et la forme physique. Ne vous fixez aucune limite. Écrivez tout ce que vous voudriez accomplir sans égard au temps que cela peut prendre. Écrivez vraiment pendant cinq minutes. Ne laissez pas votre stylo en l'air.

Ne vous fixez pas d'objectif de perte ou de gain de poids. Ce ne sont pas des moteurs suffisants pour sauter dans vos chaussures de sport et vous entraîner jour après jour, sous la pluie, dans le froid, après une dure journée de travail quand vous avez juste envie de vous allonger sur le canapé et de regarder la télévision. Ces changements de poids résulteront de vos objectifs nutritionnels ou de mise en forme.

Qu'est-ce qui fait battre votre cœur ? Courir pendant une demi-heure sans vous arrêter ? Un demi-marathon pour une œuvre de bienfaisance ? Un marathon-relais avec trois de vos camarades ? Participer à une course à obstacles ? Avoir un meilleur temps que celui obtenu par une de vos idoles ? Participer aux 217 km du Badwater Ultramarathon ? Et que penseriez-vous de participer à un marathon dans un autre pays ?

Et n'oubliez pas que même si je parle principalement de course, il y a aucune raison de vous limiter à ce sport. Que penseriez-vous de finir un triathlon ironman, une course cycliste de 80 km ou même une *Century* (160 km), ou de nager trois fois une heure par semaine ?

Laissez libre cours à votre imagination.

2. ÉTABLISSEZ UN ÉCHÉANCIER POUR CHAQUE OBJECTIF.

Passez au travers de votre liste et évaluez le temps requis pour chaque objectif. Soyez optimistes, mais réalistes. À ce stade, nul besoin d'être précis. Écrivez six mois, un an, cinq ans, 15 ans, etc.

3. ENCERCLEZ TROIS OBJECTIFS POUR L'ANNÉE.

Choisissez les trois objectifs qui, si vous pouviez les atteindre en un an, vous transformeraient littéralement, corps et esprit. Limitez-vous à trois pour ne pas être submergés. Placez une étoile à côté de chacun de ces objectifs. Si vous deviez n'en atteindre qu'un cette année, celui-ci vous apparaît incroyable. Par exemple, si l'objectif principal est un demi-marathon, les deux autres pourraient être des étapes pour l'atteindre : courir une demi-heure sans s'arrêter et courir un 10 km.

4. PRÉCISEZ CES TROIS OBJECTIFS.

Vos trois objectifs doivent être précis. « Courir davantage » est inutile. C'est pourquoi tant de résolutions du Nouvel An sont oubliées dès la première semaine de janvier. Assurez-vous que chacun des objectifs a une date limite, que ce soit une année complète ou trois ou six mois. Ajoutez des détails si cela vous les rend plus excitants ou plus faciles à visualiser. Par exemple, une course spécifique ou un endroit particulier ou une personne avec qui vous voudriez partager ces objectifs. Assurez-vous de ne pas vous encombrer de détails superflus du style : il faut qu'il fasse soleil ou frais le jour de la course.

Le « pourquoi » doit l'emporter sur le « comment », c'est un point crucial. Avoir une bonne raison d'atteindre un objectif (le « pourquoi ») est beaucoup plus important que la manière d'y arriver (le « comment »). Le « comment » se met en place rationnellement. Au-dessous de chaque objectif et des détails s'y rapportant, écrivez en quelques phrases pourquoi vous y accordez tant d'importance, pourquoi vous devez absolument réussir.

Vous relirez vos objectifs et y réfléchirez quotidiennement. Rappelez-vous du « pourquoi » au moins une fois par semaine. J'accorde de l'importance aux détails. J'utilise par exemple le visuel du site internet de la course à laquelle je veux participer en fond d'écran de mon ordinateur. Ou bien je découpe une page de magazine à propos de cette course et je l'affiche dans un endroit où je la vois chaque jour. Ce n'est pas dans le but de visualiser la course en restant assis à mon bureau et en n'entreprenant rien. Cela agit comme un rappel à l'ordre, en me motivant et en me gardant concentré sur mon objectif final.

Mon conseil : obtenez des informations précises sur ce que vous voulez accomplir et répétez quotidiennement votre engagement.

5 : PASSEZ À L'ACTION.

En inscrivant vos objectifs noir sur blanc, vous avez franchi une étape cruciale visant à transformer vos désirs en réalité. Il est désormais temps d'agir en planifiant les autres étapes nécessaires pour y parvenir.

Prenons l'exemple d'un demi-marathon en supposant que vous n'arrivez pas à courir plus de 1 à 2 km. Trouvez d'abord une course qui vous laisse le temps de vous entraîner. Prenez un calendrier et calculez le nombre de semaines qu'il vous reste avant cette course. Examinez des programmes d'entraînement, évaluez le temps nécessaire pour les accomplir sachant que nombre d'entre eux s'étalent sur 12 semaines. Établissez le nombre de kilomètres que vous devez courir avant de débuter l'un de ces programmes. Plusieurs spécifient que vous devez avoir couru 20 à 25 km par semaine pendant un mois ou deux avant de pouvoir commencer. Puis pensez à la façon dont vos autres objectifs s'inscrivent dans ce programme. Peut-être pouvez-vous ainsi prévoir courir votre premier 10 km quatre mois avant votre demi-marathon.

Dressez votre échéancier en partant de la date de votre objectif et en remontant dans le temps jusqu'à la date à laquelle vous planifiez de vous y mettre. Commencez parallèlement à appliquer les principes sur les changements d'habitudes mentionnés précédemment et dans le prochain chapitre.

Enfin, agissez dès aujourd'hui pour concrétiser votre objectif principal. Si vous êtes courageux, sortez votre portefeuille et inscrivez-vous au demi-marathon. Ou faites part de votre objectif à l'un de vos proches en lui demandant de vous aider à conserver votre motivation.

Félicitations ! Vous venez de prendre un engagement qui va vous transformer. Et maintenant que vous avez pris votre décision et que vous avez identifié les étapes pour y parvenir, vous avez mis toutes les chances de votre côté.

CHAPITRE 7
Faire de la course une habitude

Ainsi que nous l'avons fait avec l'alimentation, considérons la course comme une habitude à développer. Nous utiliserons le même principe de création des habitudes pour maximiser les chances de réussite.

1. Choisir un élément déclencheur quotidien

2. Commencer en douceur

3. Rendre l'activité agréable

4. Se récompenser

5. Se concentrer sur une seule habitude à la fois

Un peu plus loin dans ce chapitre, nous examinerons des détails plus techniques, comme les façons de courir et les types d'entraînement, mais dans l'immédiat regardons comment nous pouvons appliquer à la course chacune de ces lignes directrices.

1. CHOISIR UN ÉLÉMENT DÉCLENCHEUR QUOTIDIEN

Vous n'avez pas à vous entraîner tous les jours. Une fois que vous serez habitué à vous entraîner sérieusement, vous vous octroierez une journée de congé hebdomadaire (ou plusieurs) pour permettre à votre corps et à votre esprit de récupérer.

Mais au début, faire de votre entraînement une pratique quotidienne vous permettra de l'intégrer systématiquement dans vos activités. Pour faciliter ce processus, vous devez définir un élément déclencheur signalant à votre cerveau qu'il est l'heure de l'exercice. Ce peut être un événement qui survient chaque jour, inéluctablement, que ce soit au réveil, après vous être brossé les dents, à l'heure du déjeuner ou en revenant du travail. Une fois choisi, vous sortirez marcher ou courir chaque fois que cet élément déclencheur se produira. C'est une façon d'indiquer à votre cerveau que « quand telle chose arrive, j'effectue telle action », l'action étant ici la marche ou la course.

Ne sautez pas cette étape ! L'élément déclencheur est un outil essentiel pour ancrer l'habitude. Sans lui, l'habitude ne sera jamais bien intégrée.

2. COMMENCER EN DOUCEUR

Si vous n'êtes pas en forme ou que vous n'avez jamais couru auparavant, contentez-vous de marcher au début. Ravalez votre fierté et comprenez que chaque fois que vous lacez vos chaussures de sport et que vous passez le seuil de votre porte, vous établissez un chemin neuronal qui, tôt ou tard, deviendra une habitude d'exercice automatique.

Décidez pour vous-même de la durée et de la distance, mais je vous encourage à favoriser ce qui est court et facile. À ce stade-ci, n'essayez pas d'être trop exigeants, mais établissez plutôt une habitude sans faire appel à la volonté.

Si vous partez de zéro, cinq minutes de marche sont amplement suffisantes. Si vous procrastinez, marchez moins longtemps. Essayez deux minutes ou contentez-vous de mettre vos chaussures de sport et de sortir.

Maintenez cet exercice pendant une semaine entière avant de l'augmenter. Et n'en augmentez la durée ou l'intensité que si vous avez réussi à faire votre exercice chaque jour pendant toute la semaine.

Chaque fois que vous lacez vos chaussures de sport et que vous passez le seuil de votre porte, vous établissez un chemin neuronal qui, tôt ou tard, deviendra une habitude d'exercice automatique.

L'autre avantage de commencer en douceur, c'est d'éviter de vous blesser. Vos jambes ont besoin de temps pour supporter l'effort qu'une course relativement facile leur impose. Faites-en moins que ce dont vous êtes capables au début afin de fortifier vos jambes et de ne pas vous blesser.

Si vous êtes déjà assez en forme, courez plus de cinq ou 10 minutes, sans en faire trop. Quand je me remets à courir après une longue période d'inactivité (je connais ces moments-là comme tout le monde), je commence par courir tranquillement une vingtaine de minutes chaque jour pendant une semaine. Puis, chaque semaine, j'augmente la durée de cinq ou 10 minutes jusqu'à ce que je retrouve la distance avec laquelle je me sens à l'aise.

STIMULEZ VOS ENTRAÎNEMENTS

Par Erika Mitchener
Entraîneur personnel et coach en nutrition,
Worcester, Massachusetts, www.epowerliving.com

Lorsque je me suis mise au régime végé, j'ai décidé de planifier ma semaine de repas le mercredi et de consacrer deux journées à les préparer : le dimanche et le mercredi. Ainsi, je ne perds pas de temps à essayer un nouveau plat végétalien chaque jour et je ne me retrouve pas coincée quand je suis trop occupée pour cuisiner.

Les gens associent difficilement conditionnement physique, poids et haltères et végétalisme. Ils croient que les végétaliens manquent de force ou ne peuvent pas développer leur masse musculaire parce qu'ils ne mangent pas de viande. S'ils se montrent intéressés, je leur explique où je vais chercher mes nutriments. Souvent, je leur dresse un bref programme alimentaire en leur recommandant mes livres de cuisine et mes sites internet préférés ainsi que le documentaire *La Santé dans l'assiette*. J'ai ainsi aidé des amis à suivre un régime végétalien pendant six semaines – tout un défi ! – ou je leur ai simplement appris dans quels aliments d'origine non animale trouver des protéines.

Pour mes entraînements, mes repas préférés incluent les éléments suivants :

➤ Avant l'entraînement : bananes, dattes, un peu quinoa et quelques noix ou amandes comme sources de protéines et de matière grasse.

➤ Après l'entraînement : patates douces, chou frisé (*kale*) et légumes verts sautés, suivis de tempeh au barbecue.

➤ Mon smoothie préféré, je le surnomme le « smoothie vert repas complet » : une poignée de jeunes épinards, une banane, une poire, deux dattes, du jus de citron, ¼ tasse (20 g) de flocons d'avoine, 1 cuillère à soupe (12 g) de graines de lin, 1 mesure de poudre de protéine vanillée de *Sun Warrior*, 1 cuillère à soupe (8 g) de maca et suffisamment d'eau pour obtenir la consistance voulue.

3. RENDRE L'ACTIVITÉ AGRÉABLE

L'idée étant de ne pas faire appel à votre volonté, rendez votre course ou marche quotidienne aussi amusante (ou au moins aussi indolore) que possible. La meilleure façon d'y arriver est de ralentir. Qui a dit que course rime avec sprint ? Serait-ce un reste de vos cours d'éducation physique ? Bannissez cette idée de votre esprit et ralentissez vraiment. Trouvez votre cadence de course facile, qui est la vitesse à laquelle vous pouvez maintenir une conversation sans stress. Ne vous souciez pas de votre fréquence cardiaque ou de la vitesse réelle à cette cadence. Écoutez juste votre corps et apprivoisez cet état.

Si vous êtes novice, veillez à ce que cette course facile soit une promenade ou peut-être une marche rapide. Pour les coureurs expérimentés, maintenez ce rythme, même si vous avez l'impression de vous traîner les pieds. Ne pensez pas à l'avis des passants.

Si vous avez couru rapidement jusqu'à ce jour, votre première course à faible vitesse sera une révélation. Réalisez-vous que, si vous y étiez obligés, vous pourriez garder cette allure très longtemps ? Je me rappelle à quel point je me suis senti léger et libéré d'un poids quand j'ai réalisé que je parvenais, juste en ralentissant, à courir cinq ou six kilomètres sans m'arrêter. Auparavant, je commençais à manquer de souffle au bout d'un kilomètre et demi.

Même un coureur expérimenté trouvera des avantages à intégrer ces courses faciles dans ses entraînements. Si vous vous remettez à la course, ce rythme est une bonne façon de faciliter la reprise.

Vous avez l'habitude de courir un kilomètre en cinq minutes, ralentissez et faites-le en six ou même sept minutes. Savourez le plaisir que vous éprouvez à vous déplacer sans effort excessif. Votre distance maximale est un 5 km ? Imaginez la distance que vous pourriez parcourir en adoptant ce nouveau rythme.

La course facile est une expérience complètement différente, tant au niveau mental que physiologique. À mesure que vous la pratiquez, vous allez l'adopter sans même y réfléchir. Profitez du grand air, écoutez votre respiration, servez-vous de cet espace de détente pour laisser vos élans créatifs s'exprimer, pour réfléchir à ce qui se passe à la maison ou au travail. Repensez à Albert Einstein qui a déclaré avoir eu l'idée de la théorie de la relativité en faisant du vélo.

Qui aurait pensé que l'exercice pouvait être aussi relaxant ?

Certaines personnes aiment écouter de la musique en courant et, dans la mesure où vous pouvez entendre les autres coureurs et la circulation, rien ne vous en empêche. Portez des vêtements confortables conçus spécialement pour la course. Vous les trouverez dans les magasins spécialisés. Les vêtements de course sont chers, mais si le sentiment de confort qu'ils vous procurent contribue à développer votre habitude de courir, l'investissement vaut la peine.

Si vous préférez la vitesse à la course facile, les défis et l'accomplissement, allez-y progressivement pour ne pas risquer de vous blesser et pour que l'exercice reste agréable. Essayez par exemple de faire un sprint de 30 secondes toutes les trois minutes.

Le simple fait de suivre vos progrès, indépendamment de la fonction de récompense, peut faire une différence.

4. SE RÉCOMPENSER

Après l'élément déclencheur et l'activité elle-même, l'étape qui complète le cycle d'habitude est la récompense. Afin de créer une habitude non sujette à votre volonté, assurez-vous que votre cerveau ressente du plaisir.

Je vous suggère de faire le suivi de vos entraînements dans un tableau placé dans un endroit que vous voyez régulièrement ou sur un site comme Daily Mile (www.dailymile.com), ou juste les afficher sur Facebook pour que vos amis puissent les suivre. Quelle que soit la façon, faites-le sitôt votre course terminée afin que votre cerveau établisse un lien entre les deux.

Le simple fait de suivre vos progrès, indépendamment de la fonction de récompense, peut faire une différence. Dans le monde du travail, les points qui font l'objet d'un suivi ont tendance à s'améliorer, même sans effort conscient de la part des employés. Dans son livre *The 4-Hour Body*, l'auteur Timothy Ferriss raconte l'histoire d'un homme qui a perdu vingt-huit livres en suivant simplement son poids chaque jour, sans faire d'efforts conscients particuliers visant à changer ses habitudes de régime alimentaire ou d'exercice. Le suivi quotidien et conscient de son poids et l'enregistrement de son évolution ont entraîné des modifications mineures, subconscientes qui, au fil du temps, l'ont aidé à maigrir.

Vous pouvez utiliser d'autres formes de récompense pour accroître votre sentiment de satisfaction et d'accomplissement. Charles Duhigg, l'auteur du livre *The Power of Habit*, suggérait au cours d'un entretien de manger un petit morceau de chocolat après les premières séances d'entraînement. Cette récompense favorise l'établissement de l'habitude même si les calories absorbées excèdent celles qui ont été brûlées au cours de l'exercice. À long terme, cette récompense pourrait être contre-productive, mais rappelez-vous qu'à ce stade, ce ne sont pas tant les bénéfices physiques que l'établissement d'une habitude qui est visé.

Dans le meilleur des cas, si vous réussissez à rendre votre activité agréable, c'est l'activité elle-même qui deviendra la récompense. Elle ne sera certes pas perçue ainsi au début, mais vous pourriez être surpris par la vitesse à laquelle vous commencerez à vous réjouir à l'idée de votre course quotidienne.

MES PREMIERS ULTRAMARATHONS ET IRONMANS 70.3

Par Tori Brook

J'ai souffert de maux d'estomac chroniques pendant plus de cinq ans. J'ai consulté deux généralistes, plusieurs spécialistes, subi de nombreux tests d'allergie alimentaire et traversé plus de « scopies » que je peux me rappeler. Rien de préoccupant n'a été trouvé. On m'a prescrit une longue liste de médicaments couvrant à peu près tout, du stress jusqu'aux problèmes digestifs. Sans succès.

J'ai tenté tant bien que mal d'apprendre à vivre avec la douleur. Mais je me sentais anormale, mal à l'aise et terriblement frustrée.

La coupe fut pleine il y a quelques années. J'ai couru quelques demi-marathons et un marathon complet, mais mes entraînements avaient beaucoup pâti de mes maux d'estomac. Je m'étais tellement concentrée depuis trop longtemps sur ce qui n'allait pas que j'ai voulu inverser le mouvement et amorcer un changement productif. J'ai décidé de me fixer trois objectifs : guérir, courir un ultramarathon et courir un ironman 70.3. Les deux derniers objectifs dépendaient du premier. Déterminée à trouver une solution, j'ai modifié mon alimentation pour essayer de résoudre définitivement les problèmes que j'avais.

À l'apparition de mes maux d'estomac, j'ai commencé par éliminer les produits laitiers. L'un des premiers spécialistes que j'ai consulté m'avait dit que mes symptômes semblaient liés à une intolérance au lactose. Bien que leur élimination m'ait un peu soulagée, ils n'étaient pas la cause principale de mes douleurs.

Au cours des années suivantes, j'ai peu à peu éliminé la viande rouge, le poulet et la dinde. J'ai continué à manger des œufs fréquemment. J'étais une athlète d'endurance et j'étais persuadée que j'avais besoin de ces protéines pour soutenir mes séances d'entraînement.

Ces modifications mineures ont amélioré progressivement mon état de santé et les problèmes d'estomac sont devenus de moins en moins préoccupants au quotidien. Je m'entraînais en vue de mon ultramarathon, et je constatais que ma course s'améliorait de façon spectaculaire.

En août 2011, je suis sortie pour le petit déjeuner avec ma famille. J'ai commandé une omelette. De retour à la maison, je me suis sentie très mal au point de devoir me coucher par terre en position fœtale. Ce fut la pire crise que j'ai connue. J'ai décidé ce même jour d'essayer un régime végétalien complet.

J'ai acheté quelques livres sur l'alimentation végétalienne et lu tout ce que j'ai pu trouver sur la meilleure manière de conjuguer régime végé et vie active. J'ai commencé à lire le blogue *No Meat Athlete* pour me rassurer sur le fait que je pouvais nourrir mon organisme et continuer à pratiquer des sports d'endurance. J'ai pris la décision de cuisiner davantage et d'essayer de nouveaux aliments. J'ai ressenti un plaisir certain à préparer les repas et je me suis rendu compte que, malgré mes réticences, j'étais en fait une assez bonne cuisinière.

On me demande souvent si les aliments que je mange ne sont pas fades ou insipides. Certainement pas ! Mes repas sont plus colorés et plus savoureux que jamais. Sans l'appréhension d'être malade, j'ai recommencé à apprécier la nourriture.

Je craignais qu'une diète végé ait un effet négatif sur mon entraînement, que je n'aie pas suffisamment d'énergie pour courir de longues distances. La vérité fut tout autre. Depuis ma transition vers un régime végétalien, j'ai établi un record personnel à chaque distance et découvert que j'avais plus d'énergie que jamais. De plus, j'ai atteint mes objectifs et couru mon premier 50 km et mon premier ironman 70.3 en 2012, sans plus jamais avoir de problème de santé.

Après des années à consulter des médecins et à avaler des médicaments sans constater aucun soulagement, j'ai pris le contrôle de ma santé en suivant une approche naturelle. Il m'arrive encore de connaître de mauvaises journées, mais beaucoup plus rarement. Choisir un régime végé est hors de tout doute l'une des meilleures décisions que j'aie jamais prises.

5. SE CONCENTRER SUR UNE SEULE HABITUDE À LA FOIS

Les saines habitudes de vie se multiplient, l'une en entraînant une autre. Vous vous remettez en forme et vous décidez de mieux vous alimenter afin de ne pas gâcher les efforts accomplis en vous entraînant. Mais soyez prudents. Ne tombez pas dans le piège de vouloir tout changer en même temps. Ne cherchez pas du jour au lendemain à vous entraîner sept fois par semaine, à suivre un régime alimentaire strict, à ne plus boire de café et lire trente minutes avant de dormir. Ça vous rappelle quelque chose? Aussi passionnant que cela puisse vous paraître et aussi motivés que vous soyez, tenter de modifier tout en même temps est voué à l'échec. Votre volonté s'amenuise au bout de quelques jours, si vous tenez le coup aussi longtemps, et les bonnes intentions s'envolent.

Au lieu de cela, exercez votre patience. Concentrez-vous sur une seule nouvelle habitude jusqu'à ce qu'elle devienne routinière, soit deux ou trois semaines et même souvent davantage. Si cet exercice de retenue s'avère difficile, faites une liste des habitudes que vous voudriez mettre en place. Inscrivez-les sur une feuille de suivi, à la suite de « Courir ». Le simple fait de les voir écrites et de réaliser le temps et l'énergie que vous devrez y consacrer atténue en partie le sentiment d'urgence. Utilisez alors cette liste pour vous motiver à arriver à la prochaine habitude à intégrer en vous donnant toutes les chances de réussir.

Dans l'immédiat, concentrez-vous sur la course (ou le sport de votre choix) et n'essayez pas de changer quoi que ce soit d'autre dans votre vie jusqu'à ce que courir devienne un automatisme. Il n'y a pas d'urgence. N'oubliez pas que si vous pouviez intégrer une nouvelle habitude par mois, vous en auriez 36 au bout de trois ans. Vous auriez subi une transformation radicale.

En conclusion, faites en sorte que ces débuts soient tranquilles, faciles et agréables. Si vous procrastinez ne serait-ce qu'un peu, cela signifie que vous visez trop haut. Facilitez l'activité ou raccourcissez-la. Le seul objectif est de renforcer la boucle d'habitude dans votre cerveau. Une fois qu'elle sera établie, vous augmenterez (progressivement) l'intensité ou le volume de vos entraînements.

« VOUS NE MARCHEREZ PLUS JAMAIS »

Par Janet Oberholtzer

En 2004, ma voiture a été prise dans un carambolage avec cinq autres véhicules, tous des semi-remorques. J'ai failli mourir. Il a fallu 35 minutes à neuf ambulanciers paramédicaux pour me sortir de l'épave. Lorsqu'ils m'ont mise dans l'hélicoptère, mes signes vitaux étaient si faibles qu'ils doutaient que j'arrive en vie à l'hôpital.

Les médecins ont fait des miracles pour me sauver et pour récupérer ma jambe gauche qui était presque sectionnée. Je me suis réveillée 12 jours plus tard pour découvrir que je ne pourrais plus jamais marcher. Dans ma jambe droite, le fémur brisé et la cheville tenaient avec des tiges, des vis et des boulons ; mon bassin était fracturé à tellement d'endroits que les médecins l'avaient baptisé « Humpty Dumpty ». Personne ne savait comment j'allais guérir, en particulier ma jambe gauche qui avait failli être amputée.

Huit ans plus tard, j'ai couru sur mes deux jambes deux marathons en six mois. Que s'est-il passé ? Il n'y pas eu de succès facile, de miracle spontané, de convalescence rapide. J'ai récupéré pas à pas, un jour à la fois et une partie de mon corps après l'autre.

Au début, je n'ai pas bien saisi l'étendue de mes blessures. Avec le temps, la douleur, les limites physiques et ma jambe déformée m'ont forcée à accepter ma nouvelle réalité. Entre les diverses opérations chirurgicales, les thérapies et les médicaments, j'ai été aspirée dans le tourbillon sombre de la dépression.

Le fait de me demander si la vie valait la peine d'être vécue m'a fait suffisamment peur pour avoir recours à des conseillers spéciaux. Avec leur aide, ainsi que de nombreuses lectures, j'ai réalisé le pouvoir que j'avais sur ma vie et j'ai commencé à faire ce que je pouvais pour en profiter. Je ne pouvais pas changer ce qui s'était passé, mais je pouvais choisir comment y réagir.

À l'hôpital, le diététiste qui me suivait a déclaré que mon alimentation allait déterminer ma guérison. » Après avoir cherché quels aliments seraient bénéfiques, je suis passée à un régime végé. J'ai rapidement remarqué une augmentation de mon niveau d'énergie qui m'a aidée à sortir de mon fauteuil roulant et faire de courtes promenades, puis des randonnées faciles.

J'ai progressivement réussi à créer un cycle de santé. L'alimentation m'a donné l'énergie pour faire de l'exercice, l'exercice m'a donné envie de m'alimenter sainement, tout en réduisant ma douleur, ce qui m'a permis de faire davantage d'exercice, de m'alimenter encore plus sainement, tout en réduisant davantage ma douleur, me permettant de faire plus encore d'exercice et ainsi de suite.

Après les promenades et les randonnées sont venus le vélo et, enfin, la course. Je suis passée par des hauts et des bas. J'ai décidé de faire des pauses pendant lesquelles je marchais. Mon corps amoché en avait besoin. J'ai donc appliqué le principe suivant pour toute distance de plus de 16 kilomètres : 10 minutes de course, une minute de marche, puis je recommençais.

Ce cycle de santé m'a permis de passer du lit d'hôpital sans espoir de remarcher à la course d'endurance, et j'ai complété deux marathons avec succès.

En faisant ce que je peux avec ce que j'ai, j'ai récupéré mieux que prévu et appris quelques petites choses importantes :

➤ Exercice et bonne nourriture sont essentiels pour retrouver la santé et la conserver.

➤ Nous sommes tous capables d'accomplir beaucoup plus que ce que nous pensons.

➤ Nous avons le choix dans la façon de réagir aux événements imposés par la vie.

➤ Certains obstacles sont surmontables. Pour les autres, nous devons nous ajuster.

La vie est trop courte pour être malheureux. Que vous ayez été réellement écrasé par un camion ou que vous ayez seulement l'impression que c'est le cas, faites votre possible avec ce que vous avez, où que vous soyez !

LES BASES DE LA COURSE

Croyez-vous que courir est naturel ? Enfants, nous courions tous, et si nous avions continué à le faire, nous serions dans une forme extraordinaire. Les années passées assis derrière un bureau, les séquelles de vieilles blessures, la sédentarité ont contribué à modifier la mécanique de notre corps, sans compter le port de chaussures de ville ou d'exercice qui ont changé notre foulée d'origine, celle que nous avions enfant. Nous devons donc accorder une attention particulière à notre façon de courir.

Courir n'est pas si compliqué. Renseignez-vous, essayez différentes méthodes d'entraînement. La plupart des approches sont simples et partagent plusieurs points. En vous concentrant sur les principes de base qui sont véhiculés par ces méthodes, vous définirez votre propre voie, à la fois simple et efficace. Si vous débutez, il vaut mieux mettre l'accent sur ces principes que sur la « bonne » façon de courir qui ne fait pas consensus.

Pour en apprendre un peu plus, regardons la méthode de course la plus ancienne qui est aussi l'une des plus en vogue en ce moment.

COURIR PIEDS NUS

Depuis ces dernières années, il y a un véritable engouement pour la course pieds nus ou avec des chaussures *Vibram FiveFingers*, ces chaussures bizarres dans lesquelles les orteils sont séparés, aussi appelées chaussures minimalistes. L'envie de courir vous est peut-être venue de l'idée de courir pieds nus (ou presque) afin de pouvoir sentir le sol, comme les êtres humains le faisaient dans un lointain passé.

Je ne suis pas un ambassadeur de ce style de course, mais j'admire le raisonnement qui l'a rendu populaire. Les êtres humains courent depuis des centaines de milliers d'années, principalement pour chasser, se déplacer et survivre. Jusqu'à récemment dans l'évolution, ils ont couru sans chaussures. Le pied humain a donc évolué et s'est transformé en un outil incroyablement avancé et efficace pour lui permettre de marcher et de courir.

Quand nous courons pieds nus, les mécanismes naturels de course s'enclenchent. Nous avons une foulée courte et rapide, le poids du corps s'aligne sur les pieds et, au terme de chaque foulée, nous touchons le sol avec le milieu ou l'avant du pied. Cette course naturelle et ancestrale ne provoque aucune blessure, même sur de longues distances.

Avec des chaussures de course *high-tech* et matelassées, nous faisons des foulées anormalement longues qui nous font atterrir sur nos talons. Essayez de le faire pieds nus et vous comprendrez que ça fait vraiment mal. Des études scientifiques ont montré que l'impact de l'onde de choc sur la jambe est nettement plus élevé chez les coureurs chaussés que chez les coureurs aux pieds nus, malgré le rembourrage des chaussures de sport.

Voici la théorie. En pratique, les courses d'aujourd'hui se font, non pas sur de l'herbe, du sable ou de la poussière comme le faisaient nos ancêtres les chasseurs, mais sur des routes dures, asphaltées. Les pieds ont donc besoin d'une certaine protection.

La meilleure solution consiste à courir comme si vous étiez pieds nus, mais avec des chaussures. Cela signifie:

1. Faire des foulées rapides et légères avec le corps et les pieds alignés, au lieu d'avoir les pieds loin devant;

2. Finir les foulées en atterrissant sur le milieu du pied au lieu du talon.

J'ajoute qu'il faut également courir mentalement comme un coureur pieds nus: avec la joie et l'excitation des enfants qui courent parce qu'ils aiment ça.

Pour ressentir la différence entre la course avec des chaussures et la course pieds nus, essayez de courir quelques minutes pieds nus dans l'herbe après votre course habituelle. Amusez-vous, mais soyez prudents, car vous pourriez facilement vous tordre les chevilles. Une fois que vous avez ressenti ce plaisir, courez avec vos chaussures en essayant de vous rappeler la sensation de la course pieds nus. Ce n'est pas évident. Si préférez courir pieds nus, continuez. Plus vous courrez pieds nus, plus cette manière de courir se transposera dans votre course avec des chaussures.

Que vous ayez ou non envie de courir pieds nus régulièrement, voici le résumé en trois points simples et essentiels qui font le succès de cette approche.

Bien courir en 3 points

1. 180 PAS À LA MINUTE.

Plus vos foulées seront petites, moins la course sera difficile et stressante pour votre corps. La taille des foulées ainsi que le principe de course facile abordé plus haut sont deux points sur lesquels travaillent les meilleurs marathoniens et ultramarathoniens du monde.

La plupart des coureurs d'élite ont une cadence d'au moins 180 foulées par minute, soit trois par seconde. La cadence du coureur amateur moyen est plus basse, avec environ une vingtaine de foulées de moins par minute. Pourquoi augmenter le nombre de foulées ? Avec des foulées courtes et rapides, vos pieds passent moins de temps en contact avec le sol, l'impact donc est moindre.

Comment s'entraîner à augmenter le nombre de foulées ? Je vous recommande de penser à 180 foulées par minute plutôt que trois par seconde. Aidez-vous vous d'un chronomètre ou écoutez une chanson dont le tempo rythmera vos foulées. L'entraînement sur tapis roulant est une autre façon sécuritaire et facile pour développer sa fréquence de foulée.

Au début, cette nouvelle façon de courir vous semblera étrange. Vous aurez l'impression de faire beaucoup de mouvements pour peu de distance. Vous ferez travailler des muscles différents. Donnez-vous du temps pour vous habituer. Après plusieurs essais, vous vous sentirez à l'aise. Et en courant ainsi, vous risquerez moins de vous blesser.

180 FOULÉES PAR MINUTE

Courir en faisant 180 foulées par minute va vous paraître surprenant si votre cadence habituelle est moins élevée. Les foulées rapides et courtes sollicitent d'autres muscles. Vous risquez donc de vous sentir moins efficace jusqu'à ce que votre corps et vos muscles s'ajustent. Le jeu en vaut la chandelle pour courir sans vous blesser sur des distances plus longues.

Que signifient 180 foulées par minute ? Il s'agit du nombre total d'impacts entre vos pieds et le sol en une minute. Certains utilisent le mot « cadence » et comptent le nombre de fois que le même pied touche le sol. Ainsi, une cadence de 90 correspond à 180 foulées par minute.

Voici ce que je vous recommande pour vous familiariser avec ce rythme de course :

➤ Montez sur un tapis roulant.

➤ Choisissez une vitesse rapide, mais confortable, à laquelle vous parvenez à prononcer quelques phrases sans toutefois maintenir facilement une conversation. Courir lentement à cette étape est plus difficile que courir vite.

➤ Commencez à courir en comptant vos foulées de façon à ce que, à chaque seconde, sur la troisième foulée, l'un de vos pieds touche le tapis. Si le pied droit touche le tapis à la première seconde, c'est ensuite pied gauche, pied droit et à nouveau pied gauche au moment où le cadran indique la seconde suivante. Puis pied droit, pied gauche et pied droit sur la troisième seconde. Et ainsi de suite.

Cette cadence est assez facile à intégrer, un peu comme un pas de danse.

Miser sur le plaisir

Si vous aimez écouter de la musique en courant, trouvez une chanson dont le tempo correspond au rythme de 180 foulées par minute. Il faut que cette cadence devienne normale pour vous. N'importe quelle chanson dont le tempo est identique à la course ou deux fois moins rapide fait l'affaire. Pour un tempo deux fois moins rapide, il suffit de compter deux foulées par mesure.

À force de pratique, vous prendrez naturellement cette cadence sans avoir besoin d'un chronomètre ou d'écouteurs.

Un truc : pour assimiler le concept de foulées courtes et rapides, imaginez que vous courez pieds nus sur du verre cassé.

Et la vitesse ?

Courir en moyenne 180 foulées par minute permet de ne pas se blesser et de parcourir de longues distances. Que faire si vous voulez courir plus vite ou plus lentement ? Votre cadence ne devrait pas changer. Conservez vos 180 foulées par minute et ajustez la longueur de votre foulée. Pour des courses lentes et détendues, faites de plus petites foulées. Pour un 5 km ou une course courte et rapide, allongez votre foulée afin d'augmenter la distance parcourue par foulée. Mais maintenez vos 180 foulées par minute, quelle que soit votre vitesse.

(Note : Il n'est pas nécessaire d'arriver exactement à 180. Il faut rester proche de ce nombre de foulées par minute, ou même adopter un rythme plus rapide encore.)

2. TOUCHER LE SOL AVEC LE MILIEU DU PIED

Les chaussures modernes, matelassées (et hors de prix) nous incitent à toucher le sol avec nos talons sans que nous ressentions aucune douleur, quand l'impact sur les talons pieds nus est très douloureux. Il existe cependant un réel danger à terminer les foulées sur les talons puisque notre organisme ne nous porte pas naturellement à courir ainsi.

En courant pieds nus, nous ne faisons pas de grandes enjambées afin de ne pas atterrir sur les talons. En éliminant la douleur, les chaussures confortables permettent les longues foulées qui sont contraires à notre structure. Au lieu de maintenir le poids du corps au-dessus des pieds, nous touchons le sol une fois le corps projeté vers l'avant, posture qui engendre avec le temps de multiples problèmes, notamment aux genoux et aux hanches qui se trouvent en première ligne.

Puisque la plupart d'entre nous ne courent pas pieds nus, il est primordial de maîtriser notre façon de toucher le sol. Si vous portez des chaussures minimalistes, comme celles que je recommande à la plupart des coureurs, vous serez plus en mesure de sentir les effets néfastes de l'impact au sol. Avec des chaussures traditionnelles, vous ne pourrez pas le jauger. Sachez que certaines personnes du milieu de la course d'endurance prônent l'impact sur le talon. Ce n'est pas ce que je recommande.

Les spécialistes de la course, dont les partisans de la course pieds nus, ne s'entendent pas sur la meilleure façon de toucher le sol. Est-il préférable d'atterrir sur le milieu du pied ou sur l'avant du pied ? Personnellement, je préfère une foulée qui se termine sur le milieu du pied. Le fait de toucher le sol avec l'avant-pied génère des mouvements verticaux du corps qui entraînent un gaspillage de l'énergie. De plus, il est moins difficile de changer sa façon de toucher le sol du talon vers le milieu du pied plutôt que du talon vers l'avant du pied.

Si vous avez couru d'une certaine manière jusqu'à présent ou si vous n'avez encore jamais couru, faites graduellement toute modification. Chaque changement sollicite des muscles différents qui ont besoin de temps pour se développer afin d'éviter les risques de blessures sérieuses. Les fractures de fatigue sont fréquentes chez les personnes qui commencent à courir pieds nus sans avoir pris le temps d'habituer leur corps. À la fatigue physique s'ajoute souvent la fatigue mentale lorsque vous vous concentrerez plus de quelques minutes de suite sur votre façon de courir.

Afin d'opérer les changements souhaités, intégrez par exemple la première semaine votre nouveau rythme de foulée 30 secondes aux cinq minutes. La semaine suivante, passez à une minute sur cinq et augmentez progressivement jusqu'à ce que vous couriez naturellement ainsi.

3. SE PENCHER VERS L'AVANT À PARTIR DES CHEVILLES

Beaucoup de coureurs courent penchés vers l'avant, mais à partir du mauvais endroit : les hanches. En plus d'être inefficace, cette posture risque d'entraîner des blessures. Au lieu de cela, veillez à ce que votre tête et vos chevilles suivent une ligne relativement droite. Penchez légèrement le haut de votre corps vers l'avant et maintenez cet angle.

L'idée est de laisser le corps retomber vers l'avant en laissant la gravité agir. Le fait de se pencher légèrement vers l'avant aide ce processus. Vous devez sentir que vous êtes constamment en train de tomber vers l'avant. Chaque foulée vous permet de vous rattraper, au lieu d'être penchés en arrière et de laisser vos jambes faire tout le travail pour maintenir le mouvement.

Penchez-vous à partir de vos chevilles et non de votre taille afin que vos épaules dépassent l'alignement de vos pieds.

COMMENCER À COURIR PIEDS NUS

Par Leo Babauta
Blogueur et marathonien végétalien,
ZenHabits.net

Depuis des décennies, les coureurs pensent qu'il faut avoir de bonnes chaussures de course. Nous avons besoin d'un bon amorti et de fonctions de contrôle ou de stabilité. En cas de blessure, la qualité des chaussures est souvent mise en cause.

Des études récentes ont montré ce que nos ancêtres ont toujours su : courir pieds nus est naturel et renforce les pieds. Courir dans des chaussures modernes, c'est comme avoir le cou dans un plâtre pendant un mois. Lorsque vous retirez le plâtre, les muscles du cou sont affaiblis. Les chaussures nous isolent des surfaces sur lesquelles nous courons. Elles nous privent de ce contact avec le sol. Les pieds subissent plus de chocs ce qui cause des problèmes aux pieds, mais aussi aux genoux et aux articulations. Nous affaiblissons nos pieds et nous suscitons toutes sortes de blessures. (De nombreuses études qui comparent la course pieds nus et la course avec des chaussures sont en cours. Ne tirons donc pas tout de suite de conclusions à long terme.)

Ne vous attendez pas à courir plus vite en courant pieds nus. Courir pieds nus nous connecte avec le sol. Nous éprouvons un sentiment de liberté, de légèreté, de plaisir, ce qui n'a pas grand-chose à voir avec la vitesse.

Comment commencer

En un mot : tranquillement. Ne faites pas l'erreur de faire trop de choses, trop vite, attitude qui produit douleur, blessures et découragement. Le port constant de chaussures a contribué à affaiblir vos pieds, vos chevilles et vos mollets. Si vous courez trop ou trop vite, vous risquez de souffrir. Accoutumez-vous en douceur.

1. Courez quelques minutes pieds nus ou avec des chaussures minimalistes.

Si vous êtes un coureur régulier, faites l'essai à la fin de votre entraînement. Préférez les surfaces dures au début, car vous adopterez ainsi naturellement une meilleure façon de courir. Avec des chaussures de course habituelles, vous finissez vos foulées de façon un peu violente sur les talons et en étendant exagérément vos jambes. Pieds nus, aucun coussin ne protège vos pieds. Vous ne pourrez pas courir ainsi sur une surface dure sans vous faire mal. Essayez de courir avec légèreté, en prenant contact avec le sol le plus doucement possible sur l'avant-pied ou le milieu du pied. Voir plus bas les détails sur la façon de courir.

2. Allongez peu à peu la durée de vos courses.

À quelques occasions au cours de la semaine, allongez la durée de votre course d'une ou deux minutes. Courez tranquillement avec vos chaussures minimalistes, sans sprint ni course soutenue. Continuez à courir avec légèreté en veillant à ne pas frapper le sol avec vos talons. Essayez plusieurs surfaces, asphalte, béton, herbe ou terre battue. Laissez à votre corps le temps de s'adapter à ce nouveau style. Vos muscles vont peu à peu se renforcer.

3. Courez sur de courtes distances.

Courez avec vos chaussures minimalistes de 15 à 30 minutes si vous êtes un bon coureur ou environ 10 minutes si vous êtes moins expérimentés. Continuer de porter vos chaussures traditionnelles pour les courses plus longues et difficiles. Cette phase dure plusieurs semaines.

4. Abandonnez vos chaussures de course traditionnelles.

Vous vous êtes habitués à courir avec vos chaussures minimalistes sur de courtes distances. Vous avez renforcé vos pieds et vos jambes. Atteindre ce stade peut prendre plusieurs mois.

5. Essayez de courir pieds nus sur des surfaces moins dures et plus lisses.

Courez sans chaussures minimalistes dans un parc où vous trouverez une surface en béton lisse, de l'herbe ou sur une plage. La plante de vos pieds est probablement douce et sensible, si vous avez porté des chaussures jusqu'à présent. Vous devrez vous habituer à soudain sentir des surfaces rugueuses et inégales sous vos pieds. Débuter sur de l'asphalte plus rugueux ou des surfaces caillouteuses (ou pire, du verre ou des bouts de métal) est une mauvaise idée. Je l'ai expérimentée ! En vous entraînant régulièrement ainsi, vous pourrez courir pieds nus sur de courtes distances, puis sur des distances moyennes.

N'oubliez pas de prendre votre temps à chaque étape. Nul besoin de vous précipiter, même si vous vous sentez ambitieux. Retenez-vous. L'expérience n'en sera que plus agréable.

L'art de courir pieds nus

➤ Terminez vos foulées sur l'avant-pied ou le milieu du pied au lieu des talons. Au besoin, raccourcissez vos foulées.

➤ Vos foulées doivent être courtes. Ne les développez pas en étendant vos jambes comme avec des chaussures de course. Recherchez l'impression de courir sur place.

➤ Restez droits et en équilibre. Maintenez un axe entre les pieds, les hanches et les épaules.

➤ Soyez légers. Évitez les chocs. Les coureurs pieds nus ont une foulée plus souple.

➤ Courez tranquillement. Si vous martelez le sol, c'est que votre rythme est trop élevé.

TROUVER SA FAÇON DE COURIR

Les trois principes énoncés plus haut contribuent à 95 % à l'efficacité de votre course (à lui seul, le principe des 180 foulées par minute compte pour 80 %). En tant que coureur sérieux, vous vous interrogez aussi sur les autres aspects. Voici quelques conseils simples, utiles et faciles à retenir qui ne sont pas essentiels au début et que vous pourrez intégrer quand bon vous semble.

➤ Gardez vos mains légèrement fermées, comme si vous y teniez des papillons et que vous ne vouliez pas les écraser.

➤ Imaginez que vous avez les bras d'un T-Rex : pliez-les sans les crisper et ne faites pas trop de mouvements.

➤ Bougez les bras d'avant en arrière, parallèlement à votre corps, sans accentuer le mouvement.

BIEN RESPIRER

La respiration est un aspect fondamental de la course qui est rarement abordé et auquel les coureurs prêtent généralement peu d'attention.

Jack Daniels, un entraîneur de coureurs réputé, recommande une fréquence de respiration 2:2 : inspiration sur deux foulées, expiration sur les deux suivantes. Sur un rythme de 180 foulées à la minute, cela correspond à 45 respirations complètes par minute. Voilà la règle.

Dans le cadre d'un entraînement de faible intensité, vous pouvez respirer plus lentement sans forcer. Dans son passionnant livre *Body, Mind, and Sport*, John Douillard suggère qu'en prenant l'habitude de respirer uniquement par le nez, la fréquence respiratoire peut baisser jusqu'à 15 respirations par minute. Il prétend qu'il s'agit d'une façon moins stressante et plus efficace de courir, en particulier à faible intensité comme pour un marathon ou un demi-marathon. Scott Jurek, l'ultramarathonien végétalien légendaire, est du même avis. Dans son livre *Eat and Run*, il mentionne d'ailleurs avoir pris cette idée dans le livre de John Douillard.

Il faut du temps pour s'habituer à respirer par le nez, surtout sur des parcours vallonnés ou lorsque vous vous remettez à la course. Avec la pratique, cette respiration deviendra naturelle et vous permettra de ralentir votre rythme respiratoire.

COMMENCER L'ENTRAÎNEMENT

Il est temps de passer à l'action ! Dans la rue, sur des sentiers, sur des tapis de course, où vous voulez ! La façon de démarrer dépend de votre condition physique et de votre expérience de coureur.

La respiration est un aspect fondamental de la course qui est rarement abordé.

Pour les coureurs néophytes

Que vous n'ayez jamais couru ou que vous ayez couru il y a très longtemps, je vous suggère de vous concentrer d'abord sur la nécessité de créer l'habitude de courir. Examinez les cinq changements clés énumérés précédemment et établissez un plan de mise en œuvre de cette habitude. Pour la plupart des gens qui n'ont jamais couru, il est préférable de commencer par marcher. Décidez du temps ou de la distance avant de vous lancer.

Voici de quelle manière une personne qui ne s'entraîne pas, est légèrement en surpoids et n'a jamais couru de façon régulière pourrait commencer. (Ajustez au besoin cet exemple pour vous.)

1. Chaque jour, au réveil ou au retour du travail, enfilez vos chaussures de course et sortez de la maison. (Rappelez-vous de commencer tranquillement.)

2. Marchez cinq minutes à un rythme soutenu. Écoutez la musique de votre choix pour rendre l'expérience plus agréable.

3. En rentrant chez vous, faites un grand « X » sur un calendrier qui se trouve bien en vue. Faites tout ce que vous voulez pour vous sentir bien, que ce soit en parler sur Facebook ou vous récompenser d'une manière ou d'une autre.

4. Répétez pendant sept jours consécutifs avant d'augmenter la durée à huit ou dix minutes.

5. Après sept autres jours consécutifs, permettez-vous d'en faire plus. Augmentez à quinze minutes ou restez à dix minutes en courant trois minutes à une allure modérée à mi-course.

6. Augmentez ainsi la durée ou l'intensité chaque semaine en visant votre objectif. Si vous sautez des jours ou que vous avez tendance à procrastiner, gardez le niveau actuel ou revenez au niveau précédent. Dans ce cas, réfléchissez aussi à la meilleure manière de rendre l'expérience plus agréable et partagez votre engagement.

7. Une fois que vous aurez réussi à courir une demi-heure à une allure modérée, vous pourrez envisager de courir un 5 km. Il sera temps d'essayer les différents types d'entraînements proposés plus loin. Et pourquoi ne pas tenter un 10 km ou un demi-marathon si vous vous sentez prêts ?

Trouvez vous-mêmes votre propre routine. L'exemple ci-dessus ne convient pas à une personne qui a fréquenté assidûment une salle de gym au cours des six derniers mois. Commencer par cinq minutes de course sera dans son cas préférable.

Échouer est une bonne chose. Attendez-vous à l'échec. Ayez tout faux, apprenez et essayez à nouveau. Ne vous sentez ni mal ni coupable. Comprenez les raisons de vos échecs, repensez votre routine et réessayez! Vous avez l'avantage de partir de zéro, sans mauvaises habitudes à perdre. Utilisez les principes énoncés dans ce chapitre et assurez-vous de rendre votre expérience de la course aussi confortable et agréable que possible.

Pour les coureurs réguliers

Si vous êtes un coureur régulier, mais que vous manquez les entraînements à cause de blessures ou que vous ne progressez pas autant que vous le souhaitez, voici quelques suggestions sur la façon de courir. Reportez-vous également aux techniques avancées proposées dans le prochain chapitre. N'oubliez pas qu'il faut plusieurs semaines pour se sentir à l'aise avec une nouvelle façon de courir. Laissez le temps aux nouveaux muscles sollicités de se développer avant de retrouver votre rythme habituel. Soyez patients : de grandes récompenses seront au rendez-vous.

N'oubliez pas d'intégrer les changements de manière progressive, en considérant chacun d'eux comme une nouvelle habitude à intégrer. Utilisez les principes décrits au début de ce chapitre afin de développer des automatismes.

Par exemple, si vous courez à 160 foulées par minute, faites une course hebdomadaire en réglant le métronome du tapis roulant sur la cadence voulue. Ressentez ce rythme de trois foulées par seconde. Après deux ou trois semaines, intégrez cette cadence plus rapide à vos courses habituelles une minute toutes les cinq minutes dans un premier temps. Ensuite, augmentez cette proportion chaque semaine jusqu'à ce que cette cadence rapide devienne naturelle.

Si vous ne deviez choisir que deux suggestions de ce chapitre, je vous suggère d'augmenter votre cadence à 180 foulées par minute et de ralentir votre course. Ces deux techniques ont tout changé pour moi. Elles m'ont permis d'arrêter de me blesser et de m'entraîner sur de plus longues distances afin de diminuer mon temps au marathon. Et ça a marché pour plein d'autres coureurs!

CHAPITRE 8
Techniques d'entraînement avancées

Nous venons de parcourir les bases de l'entraînement à la course etvous voilà prêts à participer à une course et franchir la ligne d'arrivée. Il vous suffit de courir au bon rythme, de développer peu à peu votre endurance et d'augmenter les distances parcourues. Être capable de courir longtemps ne veut pas nécessairement dire avoir une forme physique remarquable.

Dans ce chapitre, nous allons justement nous concentrer sur la forme physique et nous intégrerons dans les entraînements divers exercices visant à brûler les graisses, développer les muscles et améliorer la capacité cardiovasculaire.

En fin de chapitre, nous aborderons l'alimentation avant, pendant et après les **séances** d'entraînement. Lorsque vous courez, l'alimentation a un impact direct sur la performance. De nombreux coureurs novices négligent ces principes qui ont une incidence sur la performance et sur le temps de récupération. L'alimentation en période d'entraînement se résume à quelques lignes directrices simples sur ce qu'il faut manger et à quel moment. En les suivant, vous atteindrez facilement un niveau supérieur.

CHANGER D'INTENSITÉ

En courant tranquillement, vous serez capables de parcourir de grandes distances. Mais pour passer à un niveau de forme physique supérieur ou améliorer votre vitesse et donc votre temps, vous devrez gagner en force. Lorsque vous vous sentirez prêts, intégrez deux autres types d'entraînement : la course rapide et l'entraînement en paliers.

Vous renforcez votre masse musculaire en faisant travailler les muscles et en « endommageant » temporairement les fibres musculaires. Le corps répond en reconstruisant les fibres musculaires endommagées et en les renforçant. Avec une alimentation adéquate qui fournit à votre corps les nutriments dont il a besoin pour reconstruire les tissus musculaires, le processus prend de 24 à 48 heures. En répétant le processus de renforcement musculaire progressif, les petits gains s'additionnent et contribuent à améliorer la force, la vitesse et la silhouette (parce que ces exercices permettent également de brûler des graisses).

Votre corps a besoin de temps pour que les muscles endommagés soient réparés. Il faut qu'ils soient reconstruits avant de les solliciter à nouveau. Si vous suscitez les mêmes muscles trop souvent et trop tôt après un entraînement, ils n'ont pas le temps de récupérer. C'est comme si vous perdiez votre temps.

Il est inutile dans les premiers temps de trop solliciter votre organisme. Courir à un rythme tranquille, sans séances intensives, suffit amplement. C'est la raison pour laquelle il est crucial que vous ayez parfaitement intégré le rythme de course facile décrit dans le chapitre précédent. Vous voulez surtout profiter de l'amélioration aérobique due à l'accumulation de kilomètres, sans que la période de récupération de vos muscles interfère entre deux exercices. Vous imposer un rythme de course difficile ne servirait qu'à saboter votre progression. De plus, n'oubliez pas que votre cœur est également un muscle et qu'il a besoin de repos entre vos séances d'entraînement régulier.

Dans cette même optique, je vous recommande de prendre un ou deux jours de repos complet chaque semaine. Même lorsque vous alternerez vos séances de course facile avec des séances plus exigeantes, il est fort possible que certains muscles n'auront pas complètement récupéré entre les entraînements. Ce repos hebdomadaire vous assurera de ne pas accumuler de déficit de récupération au fil des semaines.

Travailler la vitesse

La course de vitesse consiste à courir à un rythme plus rapide que celui que vous maintenez sur les longues distances. Il est nécessaire d'alterner ces épisodes intenses avec des moments de repos. Le travail de vitesse se fait généralement sur piste, ce qui offre plusieurs avantages. Le terrain est plat et uniforme et vous pouvez vous chronométrer en vous basant sur les marques de piste qui indiquent la distance exacte parcourue. Si l'idée de vous entraîner sur piste vous intimide ou ne vous convient pas, il existe d'autres moyens de travailler la vitesse.

PRINCIPES DE BASE SUR PISTE

Une piste d'athlétisme standard mesure 400 mètres de long. Il faut faire deux tours et demi pour faire un kilomètre et donc cinq tours pour faire deux kilomètres. Les marques de distance sont indiquées le long du couloir intérieur, votre couloir de prédilection. Vous ne vous déplacerez vers les couloirs extérieurs que pour laisser des coureurs plus rapides vous doubler (ou encore si un couloir distinct vous a été attribué pour une course).

Les coureurs qui souhaitent vous doubler et que vous n'avez pas encore remarqués crient « Piste ! ». C'est le signal de vous déplacer. Vous procéderez de la même façon lorsque vous voudrez doubler un coureur plus lent. Tout le monde ne connaît pas nécessairement cette règle. Vous devrez peut-être utiliser les couloirs extérieurs de temps à autre.

La plupart du temps, la course se fait dans le sens inverse des aiguilles d'une montre. Sur les pistes intérieures plus courtes, il arrive que l'orientation change plusieurs fois par semaine afin de réduire le risque de blessures potentielles. Ce n'est pas un enjeu sur les pistes de longueur standard. Si vous vous entraînez en groupe avec un entraîneur, il est possible que ce dernier vous demande de courir dans le sens horaire. Mais le principe général habituel en piste, c'est de courir dans le sens inverse des aiguilles d'une montre.

Chaque piste a sa ligne de départ. La piste est marquée aux 100 mètres et est donc divisée en quatre segments. Aucune proposition d'entraînement de ce livre ne se situe sous les 400 mètres, mais les marques intermédiaires sont utiles pour mesurer votre rythme. Par exemple, si votre objectif est de couvrir 400 mètres en 100 secondes, utilisez les repères pour vous assurer qu'à mi-parcours, vous êtes autour de 50 secondes. Le fait de maintenir un rythme régulier aide à mieux courir.

Au chapitre 9, j'aborde en détail les temps de course, les temps de repos et ce qu'il faut faire pendant les périodes de repos.

Une fois que vous serez à l'aise pour courir quelques kilomètres sur piste, essayez cet entraînement : échauffez-vous à un rythme tranquille sur 1,6 km puis courez 800 mètres à un rythme soutenu en vous chronométrant. Reposez-vous pendant ce même laps de temps en courant tranquillement ou en marchant. Répétez quatre fois, ou autant de fois que vous parvenez à maintenir votre rythme initial de 800 mètres. Terminez par 1,6 km au rythme tranquille.

Le fartlek : une alternative à la piste

Beaucoup de gens trouvent ennuyeux de courir en rond. D'autres n'aiment pas courir sur piste parce qu'il faut négocier avec les différents coureurs. L'alternative la plus simple s'appelle le *fartlek*, un mot suédois signifiant « jeu de vitesse ». Le *fartlek* se pratique sur votre itinéraire habituel en alternant course facile et pointes de vitesse (mais en aucun cas de sprint) à votre rythme de 5 km ou de 10 km.

Courez à votre cadence facile de cinq à dix minutes comme pour un échauffement. Puis alternez une minute de rythme de course de 5 km avec deux ou trois minutes de course facile. Répétez cette séquence six fois avant de terminer à votre rythme facile pour récupérer pendant cinq minutes.

Parce que la configuration du terrain peut varier, il n'est pas aussi aisé de mesurer la distance sur route ou sentier que sur une piste. Il sera aussi plus difficile de mesurer avec précision l'amélioration de votre vitesse et d'atteindre systématiquement la même intensité maximale. Ne vous en souciez pas. Le mot *fartlek* comprend le mot « jeu », alors amusez-vous.

Le travail sur la vitesse étant exigeant, je vous conseille de l'intégrer une seule fois par semaine dans un premier temps.

L'entraînement en paliers (Cadence)

Le seuil anaérobie est l'intensité à laquelle votre corps passe d'un état de confort aérobie (par exemple pendant vos courses tranquilles) à un état anaérobie, stressant et exigeant, dans lequel vous vous fatiguez rapidement : vos cellules ne reçoivent pas suffisamment d'oxygène pour convertir le sucre en énergie et l'acide lactique s'accumule dans vos muscles. L'entraînement en paliers « cadence » permet de repousser l'intensité à laquelle votre corps passe de l'état aérobie à l'état anaérobie. Il vous entraîne à rester à l'aise plus longtemps et à des vitesses plus élevées.

L'entraînement en paliers est qualifié de « confortablement difficile ». Il se fait sur la base de l'intensité de course que vous pouvez maintenir pendant 45 à 60 minutes maximum. Si vous avez couru récemment un 5 kilomètres, adoptez un rythme légèrement plus lent. Vous devez être capables de parler en phrases courtes à ce rythme, mais non de prononcer sans difficulté un paragraphe complet.

Commencez par 20 minutes à ce rythme et augmentez progressivement la durée et l'intensité de vos entraînements au fur et à mesure que votre condition physique s'améliore. Courez sur un terrain vallonné ou sur des sentiers pour varier les entraînements, mais ralentissez le rythme afin de tenir compte de la difficulté du terrain.

La course d'endurance

La course d'endurance constitue l'entraînement principal et le plus long de la semaine. Dans le cadre d'une préparation à un demi-marathon ou un marathon complet, vous augmenterez sans cesse les distances. Vous appréhenderez certainement cet entraînement mais serez satisfaits après l'avoir complété.

La course d'endurance se pratique à un rythme facile qui vous permet de tenir une conversation. Cette faible intensité facilite la première moitié de l'entraînement. Ce n'est que dans la seconde partie de la course que vous commencerez à ressentir les effets physiques et psychologiques de la course sur une, deux, trois ou plusieurs heures.

Gare à la monotonie ! Je vous recommande d'utiliser un lecteur MP3 avec listes de lecture, *podcasts* ou livres audio. Restez vigilants, surtout si vous courez sur une route. Si vous êtes amateurs de plein air, la course sur sentier est souvent plus agréable. Elle donne l'occasion d'échapper au tumulte du quotidien et vous offre la possibilité de méditer, réfléchir, ou simplement vous détendre.

Vous devrez faire des haltes pour vous désaltérer ou vous sustenter. Je vous donne des conseils à ce sujet plus loin dans ce chapitre.

Prenez soin de maintenir votre rythme facile jusqu'au bout, afin de limiter les risques de blessure, surtout si c'est la première fois que vous pratiquez ce genre de course. Si vous vous entraînez en vue d'améliorer votre performance d'une course à l'autre, variez les entraînements. Je ne propose pas de variations dans les programmes de ce livre, mais je vous recommande d'en expérimenter d'autres à mesure que vous prendrez de l'assurance.

Augmentez progressivement votre rythme pendant la course. Commencez au rythme facile pour atteindre en fin d'entraînement un rythme se rapprochant (ou dépassant) votre objectif de vitesse de course. Pour accroître l'avantage aérobie, vous pouvez aussi utiliser la technique de « *negative-split* » qui consiste à effectuer la deuxième moitié de la course à un rythme plus rapide que celui de la première moitié. Ou encore, courez en côte sur les 15 à 20 dernières minutes de votre entraînement.

Vous pourriez être tentés d'augmenter le rythme général de l'ensemble de votre course, c'est-à-dire de prendre un rythme supérieur à votre rythme facile. La prudence est de mise, car vous risquez de vous faire plus de mal que de bien en courant à un rythme trop soutenu. Toutefois, si votre objectif est d'améliorer votre temps, maintenez votre vitesse le plus près possible de votre rythme de course. Quand je me suis entraîné pour me qualifier pour le marathon de Boston, j'ai couru plusieurs 36 kilomètres à des vitesses allant de cinq minutes à 4 minutes 30 par kilomètre. C'était la première fois que je réussissais à maintenir sur de longues distances des rythmes aussi proches de ceux d'un marathon, ce qui m'a familiarisé avec ce qui m'attendait.

La course d'endurance peut également s'effectuer en variant le tempo en milieu de parcours. Une course de 20 kilomètres pourrait ainsi être composée d'un échauffement de cinq kilomètres au rythme facile, d'une portion de 10 kilomètres à un rythme intermédiaire et des cinq derniers kilomètres au rythme facile de récupération. Il s'agit d'un entraînement exigeant pour les poumons, les jambes et l'esprit. Ne le pratiquez pas après une semaine d'entraînement difficile. En revanche si, pour une raison quelconque, vous avez sauté un entraînement en milieu de semaine et que vous cherchez un défi supplémentaire, essayez-le.

COURIR SUR SENTIER

Pourquoi courir sur sentier ?

Courir en forêt comme une femme ou un homme des bois nourrit l'âme. La course sur sentier répond à un besoin primal de bouger dans la nature, sans doute un souvenir de l'époque où nous étions des chasseurs. Essoufflés par nos rythmes de vie effrénés et évoluant dans un monde de technologie, courir à travers bois permet de vous recentrer.

Personnellement, je pratique la course sur sentier pour me salir les jambes et me donner l'impression que je suis plus coriace que je ne le suis en réalité.

Quels sont les autres avantages pour un coureur moyen de courir ainsi dans la nature ? Deux choses. Premièrement, la surface molle et variable des sentiers réduit la probabilité de se blesser, renforce les muscles du tronc et se prête mieux que l'asphalte à la course d'endurance. Deuxièmement, cette course procure des sensations que l'on n'éprouve pas en courant sur route. Il est en effet plus grisant de respirer des essences naturelles que du monoxyde de carbone.

Courir sur sentier a fait de moi un coureur plus fort et plus heureux. Pendant sept ans, je n'ai couru que sur route. J'ai savouré la routine de mes entraînements quotidiens, mais j'ai refusé de me considérer comme un coureur jusqu'à ce que je puisse vraiment apprécier le simple fait de courir. Il a fallu que je me mette à courir sur sentier, que je prenne le risque de m'initier à un autre type de course pour réussir à me définir comme un vrai coureur.

Voici ce que vous devez savoir pour courir sur les sentiers en toute sécurité et découvrir le côté apaisant de la course en plein air.

Le bon équipement

La course sur sentier demande moins d'équipement que la course sur route. Bien que les lecteurs audio, GPS et moniteurs de fréquence cardiaque soient incontournables pour de nombreux coureurs, la technologie a tendance à perdre de l'importance une fois que l'on est en forêt. Même les montres ne sont plus indispensables.

Voici l'équipement indispensable :

➤ Les vêtements

Utilisez les mêmes vêtements que ceux que vous portez lorsque vous courez en ville s'ils vous conviennent. Choisissez des vêtements que vous ne craignez pas de salir ou de déchirer.

➤ Les chaussures

Les chaussures de course sur route conviennent pour les sorties courtes ou occasionnelles. Si vous décidez de vous adonner à la course sur sentier, procurez-vous une paire de chaussures plus appropriées. Elles offrent une meilleure protection et assurent une plus grande stabilité que la plupart des chaussures de course sur route. Bien que l'idée de courir pieds nus sur les sentiers puisse paraître attirante, essayez au préalable de parcourir les sentiers avec des chaussures, ne serait-ce que pour vous faire une idée de la nature exacte des roches qui s'y trouvent.

➤ L'eau

N'oubliez pas d'apporter votre eau. Les coureurs de sentier favorisent les bouteilles qui s'attachent à la main avec une courroie à pochettes où il est possible de ranger aussi clés, pièces d'identité et nourriture.

➤ Un répulsif d'insectes

Selon l'endroit où vous courez, vous pourriez avoir besoin d'un répulsif.

➤ Une lampe frontale ou une lampe de poche

Il est très agréable de courir de nuit en pleine nature et sans avoir à se soucier des voitures. Dans ce cas, vous devez absolument vous équiper d'une lampe frontale ou d'une lampe de poche. Les versions LED sont légères et plus lumineuses.

➤ N'oubliez pas d'emporter une serviette et des vêtements de rechange, y compris des chaussettes et des chaussures. Il y a de fortes chances que vous soyez trempés et sales à la fin de votre entraînement.

Sept étapes pour courir sur sentier

1. Trouver un sentier.

Il est plus facile de commencer à courir sur sentier en groupe. Les habitués connaîtront les meilleures pistes de votre région et vous aideront à vous y mettre. Repérez les clubs de course près de chez vous. Si vous ne trouvez pas de groupe, repérez les sentiers dans les parcs ou les réserves fauniques.

Distinguez bien les sentiers recouverts de gravier ou de terre faciles à négocier des sentiers plus étroits et rocailleux qui offrent un éventail de défis propres à la course sur sentier.

2. Faire des foulées courtes et rapides.

Courez environ 20 % plus lentement sur sentier que sur route afin d'être capables de monter des côtes plus ou moins abruptes, d'effectuer des mouvements latéraux et de franchir des obstacles. La course est plus divertissante quand on oublie la cadence. Raccourcissez votre foulée de sorte que votre corps soit aligné avec vos pieds. Vous pouvez ainsi réagir rapidement et rester en équilibre. Les muscles abdominaux et les muscles stabilisateurs seront plus sollicités. Je vous recommande donc de porter attention à votre ceinture abdominale.

3. Ne pas hésiter à marcher.

Il est plus efficace de gravir les côtes raides en marchant et de courir dans les descentes que l'inverse.

4. Regarder devant soi.

Regardez régulièrement trois à cinq mètres devant vous. Il est primordial de savoir où vous posez les pieds afin de pouvoir éviter un éventuel obstacle. N'hésitez pas à lever les pieds et restez vigilant pour ne pas tomber et vous blesser.

5. Garder ses distances.

Gardez une distance sécuritaire de 5 mètres avec le coureur qui vous précède afin de bien voir le sol. De plus, les coureurs de sentier adaptent leur vitesse constamment sans avertissement. Personne n'aime être frappé dans le dos.

6. Sauter au besoin.

Si vous pouvez sauter par-dessus un tronc d'arbre, une racine ou un petit rocher, plutôt que d'y poser le pied, faites-le. Ces obstacles sont souvent plus glissants qu'il n'y paraît. Et lorsque vous traversez un cours d'eau, il est souvent plus sécuritaire de marcher dans l'eau que d'essayer de sauter d'une roche à l'autre. C'est ça la course sur sentier : vous êtes censé finir sale et mouillé !

7. Privilégier la prudence.

Dans la mesure du possible, courez avec un ami. Emportez une carte si vous empruntez un sentier pour la première fois. Ayez une trousse de premiers soins et de la nourriture supplémentaire dans la voiture en cas d'urgence. Apportez un téléphone cellulaire ou une bombe de gaz poivré si vous courez seul. Familiarisez-vous avec les techniques de survie en forêt, renseignez-vous sur les saisons de chasse, vérifiez l'heure du coucher du soleil et informez-vous des dangers potentiels.

Vous savez tout. N'attendez pas un seul autre jour pour vous attaquer aux sentiers !

PRATIQUER LE CROSS-TRAINING

Le *cross-training* consiste à pratiquer plusieurs activités sportives en même temps. Beaucoup se questionnent sur les avantages ou les inconvénients du *cross-training*. Certains trouvent qu'il s'agit d'une perte de temps. D'autres prétendent que cela empêche les coureurs de progresser. Selon moi, le *cross-training* a deux avantages :

> ➤ Il permet de travailler et d'améliorer sa condition physique générale en laissant les muscles sollicités par la course se reposer (ainsi que l'esprit). Par exemple, la natation et le cyclisme, qui ont un faible impact sur le corps, sont bénéfiques comparés au martèlement enduré par le corps sur les routes et les sentiers.
> ➤ En ciblant certains muscles de façon efficace, certaines activités sportives, et en particulier la musculation, renforcent le corps et le rendent plus résistant aux blessures.

Les critiques du *cross-training* précisent que de nombreux coureurs d'élite ne le pratiquent pas. Examinons cette critique.

Si vous avez l'intention de vous remettre en forme après des années sans avoir fait d'exercice, je vous suggère de pratiquer les activités que vous trouverez les plus agréables. Si vous souhaitez courir, mais pas exclusivement, et que votre objectif est davantage d'améliorer votre condition physique que de courir le plus vite possible, n'hésitez surtout pas à remplacer une séance d'entraînement à la course par une séance de natation, une balade à vélo ou un match de basketball.

Je suis également persuadé que le *cross-training* est une option pour les personnes qui souhaitent se concentrer sur leurs objectifs de course. Tout le monde n'a pas la chance d'être gâtés génétiquement comme certains athlètes. De nombreux coureurs d'élite sont bâtis pour la course et c'est la raison pour laquelle ils excellent. Ils peuvent courir des centaines de kilomètres par semaine sans faillir. La plupart d'entre nous, peu importe la discipline pratiquée et le dévouement que nous y mettons, n'atteindront jamais ce niveau.

Cela étant dit, je suggère de limiter le *cross-training*. Lorsque votre corps a récupéré de l'entraînement à la course précédente, vous devriez privilégier la course par rapport au *cross-training*.

Voici trois situations dans lesquelles le *cross-training* est bénéfique pour les coureurs (en ordre décroissant d'importance).

1. Des exercices de musculation

De légers exercices de musculation avant ou après les séances d'entraînement à la course favorisent la résistance et la flexibilité. Ils permettent d'améliorer l'efficacité et aident à **prévenir les blessures.**

L'entraîneur d'athlétisme Jason Fitzgerald aborde ce sujet sur notre site d'entraînement avancé pour le marathon, *Run Your BQ* (www.runyourbq.com) : « Avant de pouvoir courir confortablement 32 kilomètres (ou bien un marathon complet), vous devez d'abord devenir un bon athlète. Force globale, souplesse, équilibre et coordination sont indispensables même pour les coureurs de marathon. La musculation en gymnase ou à la maison permet d'améliorer votre condition athlétique. »

Jason Fitzgerald recommande bel et bien la musculation dans le cadre d'un entraînement à un marathon. Cela ne signifie pas que vous n'arriverez pas à terminer un marathon sans pratiquer la musculation. Mais une bonne routine à la maison de cinq à 10 minutes par jour réduira considérablement vos risques de blessure et vous permettra de vous rendre à la ligne de départ et certainement de franchir la ligne d'arrivée.

Ce livre n'a pas la prétention de fournir des entraînements de musculation détaillés, mais je vous recommande fortement de consulter le site Web de *Core Performance* (www. coreperformance.com) et leur série de livres, en particulier *Core Performance Endurance*. C'est le premier programme de renforcement physique que j'ai intégré à mon entraînement en vue d'un marathon. Il a essentiellement réglé les problèmes de blessures récurrentes auxquels j'avais fait face lors de mes entraînements précédents.

2. Des entraînements de faible intensité

Des entraînements de faible intensité aérobie en remplacement des courses facile contribuent à prévenir l'épuisement mental. Ils maintiennent vos gains aérobies en limitant le nombre de kilomètres à faire pour récupérer de blessures ou les éviter.

Je suis un partisan convaincu d'une alternance d'entraînements de course tranquille et de courses plus exigeantes. J'ai tenté d'alterner avec du *cross-training*, comme le suggèrent certains programmes d'entraînement sur courtes distances qui sont récemment devenus populaires, mais j'ai constaté que j'étais plus susceptible de me blesser lorsque je n'avais pas ces «kilomètres faciles» entre mes séances d'entraînement. Tout aussi important, j'ai réalisé combien j'en avais besoin mentalement: un entraînement d'une durée et d'un effort similaires dans une piscine ou sur un vélo n'ont pas pour moi le même effet méditatif que la course facile. Je pourrais dire que je cours parce que c'est moins cher que de consulter un psy!

Mais vient un moment où vous sentez que vos jambes ont besoin d'une pause. Vous sentez que même un entraînement de course facile vous ferait plus de tort que de bien. Dans ce cas, un entraînement léger de *cross-training* vous sera plus bénéfique. Si vous aimez la natation, le vélo, le ski de fond ou tout autre sport d'endurance, faites-en. Gardez toutefois à l'esprit que vous remplacez un parcours de course facile, alors faites cette autre activité physique à un rythme qui permet la conversation.

3. Des entraînements de forte intensité

Si vous êtes blessé, vous pouvez temporairement substituer vos séances d'entraînement à la course par une autre activité sportive d'endurance. Il s'agit de circonstances exceptionnelles où vous privilégierez un *cross-training* intense parce que vous vous êtes blessés ou vous êtes sérieusement inquiets au sujet d'une blessure qui semble se développer. Il faut dans ce cas vous assurer que cet entraînement de remplacement n'aggravera pas la blessure.

POUR OU CONTRE LES ÉTIREMENTS?

Beaucoup de coureurs s'étirent religieusement avant et après leurs courses, souvent pour la seule raison qu'ils voient les autres coureurs le faire. Ce que nous savons à ce sujet remonte à nos cours d'éducation physique : les étirements préviennent les blessures. Et si ce n'était pas vrai ?

Les étirements avant une séance d'entraînement, c'est-à-dire les étirements statiques (par opposition aux étirements dynamiques), pourraient de fait augmenter la probabilité de dommage et réduire votre force ainsi que la capacité maximale et le potentiel de votre course. En outre, l'étirement d'un muscle froid (c'est-à-dire qui n'a pas été réchauffé) est une excellente façon de causer une entorse ou une élongation musculaire.

Cela étant dit, il est certain que la flexibilité est un atout pour un coureur, au même titre qu'un léger échauffement avant une séance d'entraînement. Si vos entraînements sont exigeants, augmentez parallèlement vos exercices de flexibilité.

Je vous recommande d'accroître votre flexibilité, de réchauffer votre corps et d'augmenter votre fréquence cardiaque en faisant des étirements dynamiques, une forme d'étirements qui impliquent des mouvements similaires à ceux que vous effectuez pendant une course.

Vous trouverez plusieurs de ces séquences dans le livre *Core Performance Endurance* ; le magazine *Runner's World* détaille sur son site Internet une séance d'étirements dynamiques : www.runnersworld.com/étirement/dynamique-routine.

FAIRE LE PLEIN D'ÉNERGIE

Les repas les plus proches des séances d'entraînement sont essentiels. Ils ont un impact direct sur la capacité de récupérer avant l'entraînement suivant. Bien heureusement, les préceptes de la nutrition optimale dans le cadre d'un entraînement sportif concordent avec une alimentation végé.

Les aliments qui maximisent performance et temps de récupération diffèrent sensiblement de ceux que nous mangeons dans le cadre d'un régime alimentaire conventionnel. L'accent est mis sur les glucides simples et sucrés. En règle générale, le corps doit travailler pour absorber les aliments que nous consommons. Lors d'une séance d'entraînement, nous avons besoin de sources d'énergie facilement et rapidement digestibles.

Voici les lignes directrices d'une alimentation végé adéquate avant, pendant et après l'entraînement.

Avant l'entraînement

1. Consommez des glucides et des protéines dans une proportion de 3:1. C'est le ratio préconisé pour un apport optimal en nutriments avant une séance d'entraînement. Pour un entraînement intense, il est préférable de prendre un repas généreux trois ou quatre heures avant, afin que l'estomac soit débarrassé des aliments au moment où vous commencez à bouger, puis de prendre une légère collation composée essentiellement de glucides (une banane ou quelques dattes, par exemple) juste avant de courir.

Plus vous vous rapprochez de votre séance d'entraînement, moins votre repas devrait être généreux. Une heure ou plus avant, trente grammes de glucides et dix grammes de protéines conviennent. En deçà, réduisez les quantités de moitié. Mark Verstegen du *Athletes Performance Institute* recommande de délayer une cuillérée de poudre de protéine dans 175 ml (6 onces) de Gatorade ou de jus d'orange édulcoré. Cette boisson de pré-entraînement est facile à préparer quand vous n'avez pas le temps de préparer un repas avant un entraînement.

Si vous souhaitez ajouter des matières grasses à ce repas pré-entraînement, ce qui favorise l'absorption des nutriments, faites-le avec modération. Le gras met plus de temps que les glucides à se changer en énergie au cours de l'activité physique. De plus, il provoque chez certaines personnes des problèmes gastro-intestinaux. Cinq grammes de matière grasse sont suffisants.

2. Mélangez les glucides. Choisissez des glucides qui agissent rapidement et qui ont un indice glycémique élevé et mélangez-les avec des glucides à libération prolongée (mais pas nécessairement des féculents) pour vos besoins énergétiques ultérieurs. Par exemple, si vous préparez votre propre boisson de pré-entraînement, vous pourriez utiliser des dattes (glucose) comme sucre à indice glycémique élevé et du sirop d'agave (fructose) pour la libération d'énergie plus lente. C'est ce que préconise Brendan Brazier, l'auteur de *Thrive*, dans bon nombre de ses recettes.

Ne prenez pas de pain ou de bagel. La conversion de l'amidon en sucre utilisable par l'organisme nécessite beaucoup d'énergie. Il vaut mieux utiliser l'énergie disponible pour courir que pour digérer. Ce conseil s'applique principalement aux séances d'entraînement qui durent jusqu'à trois heures. Pour des séances d'entraînement plus longues, l'intensité devient suffisamment faible pour qu'il n'y ait pas de problème à consommer et à digérer des aliments riches. De plus, dans ce cas, ce sont certainement ces derniers dont vous aurez le plus envie.

3. Absorbez des sels minéraux. La carence en sels minéraux est très dangereuse. L'hyponatrémie se caractérise par une présence excessive d'eau et un déficit en sels minéraux dans le système. Cette condition s'est avérée fatale pour des athlètes d'endurance qui s'hydratent beaucoup, mais ne remplacent pas les sels minéraux perdus pendant l'activité physique. Les sels minéraux sont éliminés avec la transpiration. Consommez donc du sel et des sels minéraux pendant les entraînements afin de les remplacer. L'eau de coco ainsi que la plupart des boissons pour sportifs et gels contiennent des sels minéraux. Mais vous pouvez prendre une longueur d'avance sur le remplacement des sels minéraux simplement en ajoutant un quart de cuillérée à café de sel, soit 500 à 600 mg de sodium, à votre boisson ou votre repas de pré-entraînement.

LES GLUCIDES : UN CARBURANT DURABLE

Par Adam Chase
Ultrarunner et coureur d'aventure pour l'équipe Salomon, éditeur du magazine *Running Times*

Je suis devenu végétarien il y a 30 ans alors que j'étais garçon de table dans une auberge de campagne où l'on servait beaucoup de bacon et de saucisses. Voir ces produits cuire fut suffisamment dissuasif pour me convaincre de ne plus en manger. Ensuite, j'ai rapidement choisi de ne plus consommer de viande ni de produit laitier, puis j'ai éliminé de mon alimentation les œufs et les fruits de mer.

Quand je courais à l'étranger, j'ajoutais à mon alimentation une quantité limitée de produits laitiers, surtout sous forme de fromage, en guise d'apport en protéines lorsqu'il n'y avait pas d'alternative végé. Ainsi, lors des quatre jours des Championnats de monde Raid en Argentine et au Chili, alors que le bœuf constituait la principale source de protéine, et pratiquement la seule source de calories, j'ai dû faire beaucoup avec un peu de fromage.

Je consomme surtout des glucides. Diverses céréales sèches au petit-déjeuner, composées de grains entiers, d'avoine et de fruits secs, ce que mes amis appellent de la nourriture pour lapins. Au bureau, j'ai un grand sac de congélation dans lequel je mélange des céréales de grains entiers que je mange après les entraînements du matin ou avant ceux de l'après-midi.

Pour moi, les glucides constituent le carburant de prédilection. Ils me soutiennent et sont durables. Ils ont bon goût, s'absorbent facilement et sont pratiques. Et le fait qu'aucun animal n'a souffert pour les produire est une source additionnelle de satisfaction.

MANGER ET BOIRE PENDANT LES ENTRAÎNEMENTS

Pour un entraînement court de moins de 45 minutes, un repas rapide de pré-entraînement suffit. Mais pour n'importe quelle séance plus longue ou dans des conditions très chaudes, vous aurez besoin de remplacer les fluides et les sels minéraux perdus et de reconstituer vos réserves de glucides pendant l'entraînement. Voici les aliments et les boissons à choisir, ainsi que les quantités à consommer.

1. Privilégiez les liquides ou les aliments faciles à digérer. La digestion d'aliments solides demande plus d'énergie que celle des liquides. En buvant, vous aurez donc plus d'énergie. De plus, les aliments solides sont plus susceptibles de causer des troubles intestinaux, ce qui peut ruiner une séance d'entraînement ou une course.

Les gels énergétiques sont faciles à digérer et contiennent une grande quantité de glucides et de sels minéraux dans un petit volume. Étonnamment, la nature a créé un aliment doté des mêmes propriétés : les dattes. La plupart du temps, j'emporte une poignée de dattes, fraîches et entières, au lieu de gel énergétique, parce que je préfère leur goût et leur texture (elles sont plus moelleuses que les gels) et je préfère me ravitailler avec des aliments entiers plutôt que transformés. Par contre, n'oubliez pas d'enlever les noyaux !

Si vous préférez les gels énergétiques, je vous suggère de préparer les vôtres, surtout si, comme moi, vous n'êtes pas *fan* du goût artificiel des variétés commerciales. Testez ma recette de gel à la p. 126.

2. Buvez 120 à 175 ml (½ à ¾ de tasse) d'eau toutes les 10 à 20 minutes. L'objectif est de remplacer ce que vous perdez en transpirant. Si vous voulez être précis, calculez exactement ce que vous perdez au cours d'une séance d'entraînement standard et buvez la quantité à remplacer. À moins d'être un athlète de très haut niveau, ce niveau de précision n'est pas nécessaire. De 120 à 175 ml (4 à 6 onces) d'eau feront l'affaire.

3. Absorbez 500 milligrammes de sodium pour 475 ml (2 tasses) d'eau. Comme on l'a mentionné ci-dessus, le fait de transpirer entraîne la perte de sels minéraux. Vous risquez l'hyponatrémie si vous vous hydratez sans remplacer ces sels. Si vous préparez vos propres boissons et gels, 500 milligrammes équivalent à environ ¼ cuillérée à café de sel (cela peut varier légèrement selon le type de sel que vous utilisez).

4. Mangez 30 à 60 grammes de glucides par heure. Si l'entraînement dure moins d'une heure, vous n'avez a priori pas besoin de manger, juste de vous hydrater. En revanche, si l'entraînement dure plus longtemps, ayez de la nourriture à portée de la main, soit sous forme liquide ou solide, pour renouveler votre énergie et tenir jusqu'à la fin.

Il est recommandé de manger de 30 à 60 grammes de glucides par heure, soit de 120 à 250 calories. C'est un éventail assez large. Vos vrais besoins varient selon une multitude de facteurs. Avec l'expérience et en restant à l'écoute de votre corps, vous serez en mesure de définir la quantité exacte de calories qui vous convient. En divisant votre poids (en livres) par quatre, vous aurez une bonne idée de vos besoins horaires minimaux en glucides (en grammes). Des experts conseillent d'ajouter des protéines, dans un rapport

---

Les gels énergétiques sont faciles à digérer et contiennent une grande quantité de glucides et de sels minéraux dans un petit volume. Étonnamment, la nature a créé un aliment doté de ces mêmes propriétés : les dattes.

glucides-protéines de 4 pour 1. Les protéines contribuent à réduire les lésions musculaires.

Pour les entraînements durant jusqu'à deux heures, mes sources préférées de glucides sont les boissons pour sportifs, les dattes ou un mélange des deux. Les bananes et autres fruits conviennent également. Pour les entraînements de faible intensité qui durent plus de deux heures, j'apporte un pain pita avec du houmous ou du beurre d'amandes, des bretzels et divers autres aliments salés, pratiques et riches en féculents.

ÉVOLUER HARMONIEUSEMENT EN TANT QUE COUREUR VÉGÉ

Par Greg Watkins

À la fin du secondaire, je mesurais 1,85 mètre et pesais 82 kilos. Et pourtant, dès l'âge de 20 ans, je souffrais d'obésité morbide. J'ai mangé de façon excessive toute ma vie, abusé de l'alcool dès mon premier verre et vécu dans l'insouciance totale de tout et de tout le monde. À 33 ans, j'ai réussi à faire monter l'aiguille du pèse-personne à plus de 150 kilos. J'ai commencé à avoir des ennuis de santé, dont des dommages à la colonne vertébrale, de l'hypertension artérielle, du prédiabète et de graves problèmes de sommeil. Mon mode de vie m'a rapidement conduit à avoir également des ennuis avec la justice. J'ai arrêté de boire en attendant mon procès, mais j'ai rapidement commencé à remplacer l'alcool par la nourriture. Je me dirigeais clairement vers la mort, même si j'étais végétarien.

Pendant mon incarcération, j'ai appris à faire plus avec moins. Mon alimentation était limitée et contrôlée, mais j'ai réussi à rester végétarien. Nous avions peu de possibilités de bouger et de faire de l'exercice. J'ai saisi toutes les occasions que j'ai eues de courir. J'ai appris que la discipline était la véritable clé de la réussite et, assez curieusement, de la liberté. En trois ans, j'ai perdu 72 kilos, j'ai cessé de dépendre des médicaments, j'ai éliminé les risques de diabète et j'ai pris goût à la course.

J'ai rapidement commencé à avoir des doutes. Je me suis débattu avec mon image corporelle et mon amour-propre. J'ai dû apprivoiser mon nouveau corps et le fait que mon état mental et émotionnel n'avaient pas suivi la même évolution. J'ai décidé de m'inscrire à un 5 kilomètres. J'ai découvert pendant la préparation et la course que j'aimais réellement courir. Mais je ne me sentais pas encore guéri.

Au cours des deux ou trois années suivantes, j'ai lutté pour suivre mes entraînements. Courir ne fonctionnait pas pour moi ; ne pas courir ne fonctionnait pas plus. Je savais que la course m'avait sauvé la vie et que je devais courir pour vivre, mais je devais procéder à un bilan lucide de ma situation. La balance indiquait 95 kilos, j'étais toujours mécontent de mon allure et j'avais une mauvaise perception de moi-même. Je m'étais entraîné avec paresse et j'avais été nonchalant avec la nourriture. Je m'étais moi-même laissé tomber et j'étais responsable du résultat. Il était temps de commencer à chercher des réponses.

Lors d'un demi-marathon, j'ai vu une coureuse qui portait un t-shirt *No Meat Athlete*. Je suis allé sur le site et j'ai trouvé la pièce manquante du casse-tête. Ce forum de sportifs végé m'a inspiré. J'ai lu *Born to Run* de Christopher McDougall, couru pendant 59 jours consécutifs en suivant l'exemple de Matt Frazier et je suis retombé en amour avec l'idée de courir.

Au cours de la dernière année, j'ai beaucoup appris et reçu. J'ai réappris à aimer courir et à ne pas me prendre trop au sérieux. J'ai affiché des records personnels sur des 5 kilomètres, des 10 kilomètres, des demi-marathons et des marathons complets. J'ai renforcé ma détermination à poursuivre mon mode de vie végétarien et à devenir végétalien. On m'a rappelé que l'important dans la vie n'est pas la destination, mais plutôt le voyage et que la sagesse réside dans la pratique, pas dans la pensée. Je vais continuer à me lancer des défis, non pour me punir, mais pour grandir et acquérir de l'expérience. J'ai pris l'engagement d'évoluer dans l'harmonie.

Récupérer après les entraînements.

Les repas pris après les entraînements sont une fête, la célébration du travail accompli. Tout ce que nous mangeons à ce moment-là, alors que nous sommes affamés, a bien meilleur goût. Manger immédiatement après l'entraînement enclenche aussi le processus de récupération. Suivez les instructions ci-dessous pour choisir les meilleurs aliments dont votre corps a besoin.

1. Respectez la fenêtre de récupération. Dans les 15 à 45 minutes qui suivent la séance d'entraînement, les muscles sont prêts à recevoir les éléments requis pour démarrer le processus de réparation. Pour entamer ce processus, mangez (ou buvez) votre repas de récupération pendant cette période.

2. Préparez un repas facile à digérer. Les muscles ont besoin de sang pour se fournir en nutriments. Plus le sang est utilisé pour digérer un aliment solide, moins il en reste pour les muscles. Idéalement, le meilleur repas post-entraînement se présente sous forme liquide : smoothie, lait frappé (fait par exemple à base de lait de soja, d'amandes, de chanvre ou de riz).

3. Absorbez 0,75 g de glucides par livre de poids et des protéines selon un ration de 4:1 ou 5:1. Mélangez des glucides à indice glycémique élevé, comme le glucose (les dattes sont parfaites), avec des glucides à libération plus lente. N'oubliez pas d'intégrer des bons gras dans une proportion d'environ 50 % de vos protéines. Les recettes de barres énergétiques de ce livre ont des proportions appropriées pour une collation post-entraînement.

4. Buvez 475 ml (2 tasses) d'eau par livre perdue pendant l'entraînement. Pas besoin de vous peser après chaque entraînement ni de boire l'exacte quantité correspondante d'eau. Mais faites le test une fois avec un pèse-personne précis après un entraînement typique. Cela vous donnera une bonne idée du volume d'eau que vous devrez boire en général. Mon conseil : buvez quelques verres d'eau (475 à 700 ml, soit 2 à 3 tasses) immédiatement après la séance d'entraînement et continuez de boire tout au long de la journée jusqu'à ce que votre urine soit claire.

5. Remplacez les sels minéraux perdus. Vous avez veillé à absorber des sels minéraux avant et pendant l'entraînement, mais il faut aussi en consommer après l'entraînement afin vous aider à mieux récupérer. L'eau de coco, les fruits, quelques pincées de sel de mer, les flocons d'algues et les comprimés Nuun sont de bonnes sources de sels minéraux.

Le temps de récupération s'étale sur plusieurs heures. Vous aurez envie de manger à nouveau une heure ou deux après l'entraînement, et ce repas devrait être constitué en majorité de protéines de qualité. Après les longues courses, vous aurez probablement des fringales fréquentes, peut-être toutes les deux heures ou même plus fréquemment. Cette faim est un message de votre corps qui a besoin de nourriture pour remplacer les calories que vous aurez brûlées et pour reconstruire vos muscles en vue de votre prochaine séance d'entraînement. Tenez bien compte de ces messages.

NE COUREZ JAMAIS LE VENTRE VIDE

par Hillary Biscay
Championne triathlète *ironwoman* et ayant complété l'*Ultraman World Championship*
www.hillarybiscay.com

Je fais très attention à ne jamais être à jeun que ce soit avant ou après l'entraînement. Que je nage ou que je coure tôt le matin, j'absorbe quelques calories. S'alimenter assez et correctement, c'est le nerf de la guerre. Je mange toujours suffisamment pour éviter de me sentir affamée ou faible à la moitié de mon entraînement.

La quantité de calories ingérées et le moment où je les consomme avant un entraînement dépendent de mon programme. Si je cours, je m'alimente 45 minutes avant de commencer. Je choisis des produits simples, la plupart du temps du pain grillé sans gluten et végétalien avec du beurre d'arachide et de la confiture. Si je nage, je prends ce qui est disponible et je peux manger jusqu'à la dernière minute. La règle consiste, dans tous les cas, à éviter de trop manger afin de ne pas vivre d'épisode de léthargie post-repas.

Après une séance d'entraînement, léger ou intense, je cherche à récupérer mes calories et à me réhydrater dans les 20 minutes. Mon carburant de prédilection est un lait frappé de protéine Vega. Ces laits frappés sont essentiels à mon alimentation quotidienne, car ils me fournissent d'excellentes protéines végétaliennes complètes à partir de chanvre, de riz brun et de pois. Dans le mélangeur j'y ajoute des fruits surgelés, des légumes et des légumes verts et d'autres légumes qui m'aident à récupérer et à absorber les éléments nutritifs dont j'ai besoin pour le reste de la journée.

CHAPITRE 9
La première course

Parmi les millions de personnes qui pratiquent la course à pied, seul un petit nombre d'entre elles court pour le plaisir. Celles-là ne cherchent pas à participer à des courses ou à se tenir en forme. Leur unique motivation est de courir. Elles en ont besoin. La course fait partie intégrante de leur vie. J'admire profondément ce type de coureurs. J'aurais aimé être un des leurs. Je ne me suis pas considéré comme un « vrai » coureur avant de me qualifier pour le marathon de Boston, soit le sixième marathon auquel j'ai participé. Pas parce qu'il était nécessaire de l'effectuer dans un certain temps pour faire partie de la communauté sacrée des coureurs. Je ne pense pas que l'étiquette de « coureur » ait quoi que ce soit à voir avec la vitesse ou le talent. Il s'agit plutôt d'un état d'esprit. J'ai commencé à réellement aimer courir après avoir fait les sacrifices nécessaires pour atteindre mon objectif.

Comment suis-je parvenu à relever ce défi alors que je n'aimais pas particulièrement courir ? C'est la décision de courir un marathon qui m'a conduit à la course et c'est le processus d'entraînement qui m'a donné de l'énergie. Voilà la différence. Je n'avais jamais couru plus de quatre ou cinq kilomètres auparavant. L'entraînement pour le marathon a été ma première véritable expérience de course. Je ne m'entraînais pas en vue d'un objectif obscur et lointain, mais méthodiquement et avec une date d'échéance programmée. Et c'est ce processus précis qui m'a poussé et orienté dans ma préparation.

Il y a quelques années, Starbucks imprimait des phrases inspirantes sur les tasses à café. Une de ces citations d'Anne Morriss m'a marqué « Que ce soit au travail, à la scène ou en amour, l'engagement est libérateur. C'est un principe qui, ironiquement, libère de la tyrannie de l'autocritique et de la peur déguisée en hésitation rationnelle. S'engager, c'est ne pas laisser son esprit entraver sa vie. »

L'entraînement à la course nécessite ce genre d'engagement. Il faut de la discipline pour se lever tôt plusieurs fois par semaine et sortir courir à l'heure dite. Il fait parfois froid, ou alors il pleut, et vous préféreriez appuyer sur le bouton *snooze* ou terminer votre journée un verre de vin à la main, assis dans votre canapé.

C'est justement les jours où courir semble la dernière chose à faire que les entraînements sont les plus bénéfiques. Au retour chez soi, les endorphines sont libérées dans le cerveau et le niveau d'énergie est excellent. Nous avons même parfois envie de poursuivre l'entraînement. Ce qui semble le plus difficile dans ces moments-là s'avère souvent ce dont nous avons le plus besoin.

Quand nous remportons ces petites victoires, rien ne nous procure plus de plaisir que de mettre une croix sur notre calendrier ou de compiler notre course dans notre journal d'entraînement. Nous avons vaincu l'envie d'abandonner, nous sommes sortis et nous avons gagné. Nous avons accompli du beau travail. Maintenant nous devons nous reposer, car nous allons bientôt devoir recommencer.

C'est justement les jours où courir semble la dernière chose à faire que les entraînements sont les plus bénéfiques.

IRONWOMAN EN 20 MOIS

Par Susan Lacke
Triathlète résidente de *No Meat Athlete*,
chroniqueuse pour le magazine *Competitor*,
ironwoman et consommatrice effrénée
de *cupcakes*

Je donnais un massage à un ami qui venait de terminer son 12e triathlon *ironman* composé de 3,8 kilomètres de natation, 180 kilomètres de cyclisme et d'un marathon quand il a déclaré : « Susan, n'importe qui peut faire un *ironman*. N'importe qui. Vraiment, ce n'est pas si compliqué que ça. »

Était-ce l'ivresse du coureur ou de la folie passagère ? N'importe qui peut faire un *ironman* ? N'importe qui ? Ben voyons !

J'avais couru mon premier 5 kilomètres quelques mois auparavant et je pensais que ce serait mon seul exploit. Avant cela, j'étais plutôt qualifiée dans la catégorie « téléspectatrice avachie » qui tentait (pour la énième fois) d'arrêter de fumer. Pour moi, seuls les fous participaient à ce genre d'épreuve.

Il y a une très grande variété de triathlètes, des jeunes sportifs découpés aux dames de 80 ans. Après avoir assisté à plusieurs arrivées, j'ai décidé que je ne voulais plus être simple spectatrice. Je voulais expérimenter ce qu'on ressent de l'autre côté. Vingt mois après avoir pris la résolution de courir un 5 kilomètres, je franchissais la ligne d'arrivée de mon premier *ironman*.

J'ai fait des choix téméraires et des erreurs dues à la hâte, bénéficié d'accidents heureux et d'une planification minutieuse. Chacun a sa manière de s'entraîner pour participer à ce genre de compétitions. Il faut découvrir la sienne. Voici les neuf clés les plus importantes pour vous rendre du stade zéro à la ligne d'arrivée en moins de temps que la plupart des gens ne pensent.

1. Commencez tranquillement. Ne vous fixez pas un *ironman* comme premier objectif. Commencez par un premier objectif atteignable. Mon objectif initial, en 2009, était de courir un 5 kilomètres. Cette course a été si amusante que j'ai tout de suite eu envie de participer à une autre ! J'ai passé l'été à participer à des 5 kilomètres avant de planifier un demi-marathon pour l'automne. Pour m'y préparer, j'ai commencé à faire un peu de *cross-training*, de la natation, du VTT, et un peu de musculation en complément. Pendant tout ce temps, je me suis amusée et j'ai apprécié mon nouveau passe-temps.

2. Choisissez une course et engagez-vous pleinement. Beaucoup de gens ont des rêves, des ambitions, des objectifs et c'est très bien. Mais après la réflexion, il faut passer à l'action ! Si vous voulez faire un *ironman*, choisissez une course et engagez-vous totalement. Rien n'est plus motivant que de recevoir un courriel confirmant votre inscription et le reçu qui l'accompagne.

3. Recherchez ceux qui savent. Vous ne pouvez pas être experts en triathlon si c'est la première fois que vous entraînez pour cette épreuve. Faites-vous aider par des spécialistes. J'ai demandé des conseils à un groupe de nageurs d'élite, à un autre de course, à des amis triathlètes et cyclistes et aux vendeurs de magasin d'équipement spécialisé. J'ai lu tous les articles et tous les livres que j'ai pu trouver sur l'entraînement pour un *ironman*. J'ai passé autant d'heures, sinon plus, à m'informer sur l'épreuve que j'en ai consacrées à m'entraîner en vue de cette compétition.

4. Progressez un petit pas à la fois. Concentrez-vous sur la prochaine course plutôt que de vous focaliser sur l'*ironman* plusieurs mois à l'avance. En vous concentrant d'abord sur l'entraînement au sprint, puis sur la distance olympique, le demi-*ironman* et enfin l'*ironman*, vous établissez votre entraînement étape par étape de manière à ne pas vous surcharger ni vous surmener. Ne regardez pas la montagne, gravissez-la un pas à la fois.

5. Faites des erreurs et apprenez de chacune d'elles. Vous ferez peut-être trop d'erreurs pour en suivre le compte. Toute personne qui prétend ne pas en avoir commis au moins une pendant son entraînement ment. Ceux qui admettent avoir fait des erreurs et qui en ont tiré les leçons réussissent. Mes amis me disaient que j'en faisais trop, trop tôt. Ils m'ont mise en garde contre l'épuisement. Je sautais des jours de repos, me disant que c'était un luxe que je ne pouvais pas me permettre. J'avais peu de temps pour me préparer et cela m'inquiétait. Je considérais que chaque seconde de repos était une seconde gaspillée. Un matin, un ami qui était venu courir avec moi m'a trouvée en pleurs dans mon lit. Je l'ai supplié de ne pas me faire monter sur un vélo. J'ai compris à ce moment-là ce que mes amis entendaient par « épuisement ». Mon mantra fut de répéter chaque soir : « Tu deviens plus rapide lorsque tu te reposes. » Je le répétais constamment lorsque je me sentais nerveuse. Je m'étais davantage concentrée sur l'entraînement physique et pas suffisamment sur la concentration mentale. J'ai appris que les deux sont aussi importants l'un que l'autre.

Je commettais des erreurs en matière de nutrition. J'ai ainsi réalisé qu'en me nourrissant correctement après l'entraînement, j'avais moins de difficultés à me lever le lendemain et à affronter un nouvel entraînement. J'ai apporté plusieurs modifications à mon alimentation, en suivant les conseils que Brendan Brazier donne dans son livre *Thrive*.

6. Visez l'équilibre. L'entraînement pour un *ironman* nécessite du temps, mais il ne doit pas avoir d'impact négatif sur votre travail, votre vie de famille ou votre vie sociale. Il s'agit de trouver le juste équilibre. Pendant l'entraînement pour mon premier *ironman*, j'ai déménagé du Wisconsin en Arizona. J'ai dû m'organiser entre mon emploi à temps plein, ma charge de cours à temps partiel et l'écriture. J'ai continué à travailler sur mon doctorat, maintenu mes liens sociaux et en quelque sorte réussi à équilibrer ma vie. Ça n'a pas toujours été facile. Je me suis souvent réveillée à quatre heures du matin pour m'entraîner avant le travail. J'ai parfois dû sauter ou abréger une séance d'entraînement pour respecter une échéance professionnelle. J'ai acquis la réputation de manquer les « *happy hour* » parce que je voulais me coucher à 20 h. Je me reprenais en invitant mes amis à bruncher après ma course du dimanche. Je restais consciente des priorités tout en cherchant à maintenir un équilibre.

7. Comptez sur votre réseau de soutien. Ce réseau et les personnes qui le constituent sont primordiaux. Ces amis sont capables de vous remettre gentiment à votre place quand vous exagérez ou de vous plaindre quand vous en avez besoin. Ils comprennent pourquoi vous vous endormez pendant un spectacle en après-midi et renoncent avec joie à leurs frites quand vous leur demandez s'ils vont vraiment manger tout cela ! Ils vous sourient quand vous vivez une bonne journée d'entraînement et vous serrent dans leurs bras quand vous en vivez une mauvaise. Et lorsqu'enfin vous franchirez la ligne d'arrivée, ils seront tous présents pour vous manifester leur joie. D'une certaine manière, ce sera un grand jour pour eux aussi !

8. Rien n'est impossible. Je déteste le mot « impossible ». Je le déteste vraiment. Toute personne qui s'entraîne pour un *ironman* doit apprendre à bannir ce mot. Il se faufile dans vos pensées après une mauvaise course ou un entraînement de natation difficile. L'esprit tente d'inciter le corps à abandonner en lui susurrant « impossible ». « Impossible » est le mot que vous répétez quand vous avez peur de continuer à essayer. Et lorsque vous doutez de vous-même, c'est encore le mot « impossible » qui vous vient en tête. La peur et le fait de douter de soi peuvent être puissants, mais la seule façon de les surmonter est de les affronter de plein fouet. Je ne vous mentirai pas : j'ai eu de nombreux passages à vide, surtout les jours précédant une course. Mais j'ai aussi eu beaucoup de personnes généreuses qui ont su me convaincre de ne pas tout laisser tomber. Quand tout nous semble impossible, il faut pouvoir compter sur son réseau ! (Retour au point 7.)

9. Profitez de chaque seconde. La plupart des gens qui s'inscrivent à un *ironman* et le terminent accrochent leur vélo dans le garage et ne s'en servent plus jamais. Je ne suis pas ce genre de personne. J'aime ce sport et je continue à m'entraîner et à courir. Grâce au triathlon, je n'ai jamais été en aussi bonne santé, je fais partie d'un groupe d'amis que je considère comme ma famille et j'ai développé un fort sentiment d'accomplissement. J'ai appris durant ces 20 mois qu'on peut changer beaucoup de choses. J'ai apprécié chaque seconde et je continue de les apprécier. Ce genre d'entraînement sportif est constitué de dévouement, d'engagement, de persévérance et de plaisir. Je ne voudrais pas faire de sport sans plaisir.

Est-ce pour vous?

L'entraînement pour un *ironman* dure en général plus de 20 mois. Mon itinéraire a été plus court. Ce qui a marché pour moi ne fonctionnera peut-être pas pour quelqu'un d'autre. Mais j'affirme que n'importe qui peut faire un *ironman*. Pour comprendre comment on se sent quand on franchit la ligne d'arrivée, il faut le découvrir par soi-même.

QUATRE PROGRAMMES D'ENTRAÎNEMENT

Vous trouverez pages 253, 254, 259 et 260 quatre programmes d'entraînement:

1. Un programme pour 5 kilomètres pour les coureurs débutants.

2. Un programme pour 10 kilomètres.

3a. Un programme pour le demi-marathon à l'attention des personnes qui veulent vivre l'expérience une fois.

3b. Un programme pour le demi-marathon à l'attention des personnes qui veulent améliorer leur condition physique générale ou leur temps de course. Ce programme comporte de nombreuses séances d'entraînement exigeantes pour augmenter la vitesse et l'endurance.

Ces programmes ont été élaborés avec l'aide de Jason Fitzgerald, marathonien dont le temps est de 2 heures 39 minutes, entraîneur de l'équipe américaine en salle et sur piste et auteur du blogue instructif et inspirant *Strength Running* (www.strengthrunning.com). Jason est avec moi le co-créateur de *Run Your BQ* (BQ pour Boston Qualifier, le seuil à atteindre pour pouvoir s'inscrire au marathon de Boston) (www.runyourbq.com), un site qui propose des ressources pour aider les membres inscrits à se qualifier pour le marathon de Boston.

Les séances d'entraînement

Les programmes d'entraînement sont constitués de plusieurs séances différentes conçues dans un but précis. Chaque séance est expliquée en détail ci-dessous.

Facile

La course facile est décrite en détail au chapitre 7. Elle permet de construire la base aérobie avec le moins de stress possible pour le corps pendant que vous récupérez de l'entraînement précédent. Vous devez être capables de converser en courant. Si vous utilisez un moniteur de fréquence cardiaque, maintenez celle-ci à 70 % au-dessous de votre fréquence cardiaque maximale. La course facile est lente alors que la plupart des gens courent trop rapidement. Si vous craignez qu'on se moque de vous, c'est que vous courez au bon rythme.

Dans les programmes d'entraînement, le nombre de kilomètres en course facile est mentionné sans autre indication spécifique.

Fartlek (uniquement pour le programme de 10 kilomètres)

Le fartlek est une course relativement rapide sur une courte durée. La description est intentionnellement vague. Les vitesses de fartlek nécessaires correspondent aux cadences de courses de 5 et de 10 kilomètres. Ne vous préoccupez pas de courir exactement aux allures mentionnées. Augmentez simplement le rythme de votre course.

Par exemple, si le programme d'entraînement indique « 6 km : 6 x 1 minute Fartlek @ rythme 5K, alterné avec 90 secondes de jogging facile », voici ce que vous avez à faire ce jour-là : réchauffez-vous en courant au rythme facile pendant trois à cinq minutes. Accélérez jusqu'à votre rythme de 5 kilomètres pendant une minute. Puis faites 90 secondes de course facile avant d'augmenter à nouveau à votre rythme de 5 kilomètres. Répétez 6 fois la minute de rythme de 5 kilomètres suivie de 90 secondes de course facile. Enfin, poursuivez à votre rythme facile jusqu'à ce que vous ayez complété les 6 kilomètres de la journée.

Notez que les fartleks ne correspondent pas au kilométrage total pour la journée (dans cet exemple, 6 kilomètres). En général, toute portion de course rapide doit être faite au milieu de votre course, précédée et suivie de périodes de course pour atteindre l'objectif de kilométrage total pour cette journée.

Intervalle A

L'intervalle consiste en une course soutenue d'une minute, suivie d'une course facile (ou de marche, si nécessaire, pour reprendre votre souffle) de deux minutes.

Une course soutenue n'est pas un sprint. Elle correspond à un rythme auquel tenir une conversation s'avère difficile. Cette cadence est juste un peu plus lente que votre cadence la plus rapide, afin de soutenir l'effort sans trop de difficulté. Il est possible que cela vous prenne une ou deux séances avant de trouver le bon rythme qui vous permettra de compléter cet entraînement.

Après un échauffement de course facile de cinq minutes, faites six répétitions, suivies de cinq minutes de récupération à rythme facile. Si, après un intervalle d'exercice, vous ne récupérez pas au point de réussir à tenir une conversation, passez à la phase de récupération et mettez fin à la séance d'entraînement.

Intervalle B

Il s'agit des mêmes principes que pour l'intervalle A. Chaque répétition est composée de 1 minute 30 secondes de course soutenue suivie de 2 minutes 30 secondes de récupération.

Cadence A

Après un échauffement de 5 minutes, courez 3 kilomètres à un rythme confortablement difficile. Terminez avec cinq minutes de récupération. Cette cadence est plus difficile que la course facile, mais pas au point de ne plus réussir à énoncer des phrases complètes. Elle est plus lente d'environ 20 secondes par kilomètre que la cadence de votre course de 5 kilomètres.

Cadence B

Il s'agit des mêmes principes que pour la cadence A, mais après un échauffement de 5 minutes, courez 5 kilomètres, puis récupérez pendant cinq minutes.

Dénivelé A

Repérez une colline de pente modérée qui prend environ trois minutes à monter à une intensité entre Cadence et Intervalle. Vous devez être capable de parler en phrases brèves, mais pas de tenir une conversation ou de faire de longues phrases. Bien que l'intensité de cette course soit supérieure à la Cadence, la vitesse réelle sera plus lente en raison de la dénivellation.

Le pourcentage exact de dénivellation ou l'intensité parfaite n'ont pas d'importance. Cet entraînement vous permet d'expérimenter la course avec dénivelé.

Une fois le sommet de la colline atteint, faites demi-tour et redescendez en joggant lentement et confortablement. Le temps de descente devrait prendre à peu près le même temps ou un peu plus que la montée. La montée et la descente comptent pour une répétition.

Après un échauffement de course facile pendant cinq minutes, faites deux répétitions, suivies de cinq minutes de récupération à rythme facile. Si, après un intervalle d'exercice, vous ne récupérez pas au point de réussir à tenir une conversation, passez à la phase de récupération et mettez fin à la séance d'entraînement.

Dénivelé B

Il s'agit de la même intensité que le Dénivelé A, mais choisissez une pente qui prend quatre minutes à monter et effectuez une répétition supplémentaire, soit un total de trois répétitions entre l'échauffement et le temps de récupération.

Endurance

La course d'endurance hebdomadaire se pratique à la même intensité que la course facile. Comptez environ une minute de plus par kilomètre que ce que vous êtes capable de faire sur cette distance. Gardez comme objectif de pouvoir soutenir une conversation sans difficulté.

Cross-Training

Les entraînements de *cross-training* comprennent toute autre activité physique que la course. Effectuez-les à intensité modérée sur une durée de quelques minutes à une durée maximale de 45 minutes. Les jours de *cross-training*, il est conseillé de ne pas courir afin de permettre aux muscles et aux articulations habituellement sollicités par la course de se reposer. Les séances de *cross-training* contribuent à améliorer la condition physique générale.

Je recommande de pratiquer le cyclisme, le *spinning*, la natation, de légers exercices de musculation (allez-y tranquillement avec vos jambes), le Pilates, le yoga, la danse, etc. Pour plus de détails sur le *cross-training*, référez-vous au chapitre 8.

Rouleau de mousse

Utilisez le rouleau en mousse le lendemain de la course d'endurance et aussi souvent que vous le souhaitez tout au long de la semaine. C'est une activité complémentaire visant l'assouplissement des muscles qui accélère la phase de récupération. Faites rouler vos muscles en avant et en arrière sur un rouleau de mousse dense ou, dans certains cas, sur une balle de tennis. Vous pratiquez ainsi un massage myofascial qui aide à prévenir les blessures en relaxant et en assouplissant les muscles tendus ou fragiles. Vous stimulez en outre la circulation sanguine qui favorise elle aussi le processus de récupération.

À l'instar d'un massage en profondeur, l'utilisation d'un rouleau de mousse peut s'avérer un peu inconfortable au début. Après quelques séances, vous ressentirez une impression de bien-être. C'est un article à prix abordable. Vous pouvez vous en procurer pour moins de 20 $. Voir www.nomeatathlete.com/foam-rolling pour un exemple d'utilisation du rouleau de mousse.

Utiliser les programmes d'entraînement

Les quatre programmes ont été élaborés pour vous faire progresser individuellement ou en groupe. Pour commencer le programme de 5 kilomètres, vous devez pouvoir courir une ou deux minutes sans vous arrêter. Le programme de 10 kilomètres commence à 5 kilomètres et progresse jusqu'à 11 kilomètres. Il est un pont entre le programme de 5 kilomètres et le programme du demi-marathon. Le programme du demi-marathon vous permettra de franchir la ligne d'arrivée à votre première course de 21,1 kilomètres.

En neuf mois, en utilisant les techniques de mise en place des habitudes décrites aux chapitres 2 et 7 et en vous engageant personnellement à vous mettre au travail, il est raisonnable de penser que vous pourrez devenir demi-marathoniens ! Je reçois souvent des courriels de nouveaux coureurs extatiques qui le sont devenus en moins d'un an.

L'enchaînement des programmes ne conviendra sans doute pas à tout le monde. Ceux qui ont déjà couru un 5 kilomètres voudront passer directement au programme de 10 kilomètres ou même au programme du demi-marathon. Toutes les options sont envisageables. Je propose p. 257 un programme de consolidation pour vous aider à développer votre kilométrage avant de commencer l'un ou l'autre.

Chaque programme décrit l'entraînement quotidien recommandé. Choisissez votre course cible et reportez-vous à un calendrier pour savoir quand commencer votre programme d'entraînement. Sous chaque programme, des notes précisent la terminologie utilisée. Lisez-les attentivement afin de tirer le maximum de chaque entraînement.

FAUT-IL S'ENTRAÎNER SUR 10 KM ENTRE UN 5 KM ET UN DEMI-MARATHON ?

Vous pouvez envisager de passer du programme de 5 kilomètres au programme du demi-marathon en sautant le programme de 10 kilomètres à condition d'être prudents pour éviter les blessures. Dans ce cas, je vous recommande de pratiquer le programme de consolidation avant de commencer celui du demi-marathon. Il vous aidera à augmenter votre kilométrage hebdomadaire à partir du programme de 5 kilomètres jusqu'au point de départ du programme de demi-marathon.

Que faire si vous manquez une séance d'entraînement?

Il y a quelque chose de rassurant à suivre un programme d'entraînement précis qui vous guide, vous force à la discipline et vous encourage à ne jamais manquer un entraînement. Cela étant dit, ne cherchez pas la perfection. Restez orientés sur votre objectif, celui de participer à la course que vous vous êtes fixée. Bien entendu, être en bonne santé, en bonne condition physique, avoir confiance en soi et tirer satisfaction de ses entraînements constituent des facteurs de motivation indéniables au quotidien. Mais c'est l'objectif de la compétition à laquelle nous nous sommes inscrits qui nous motive tous réellement.

Vous rencontrerez des problèmes, vous douterez de la bonne ligne de conduite, vous vous blesserez, vous serez exténués… Quand vous aurez envie de sauter un entraînement, prenez la bonne décision, celle qui vous fera mettre toutes les chances de votre côté pour réussir votre compétition.

Des programmes comme des feuilles de route

Imaginez que vous partez en voiture de New York à Los Angeles par le trajet le plus rapide. Vous avez un itinéraire en tête. Si tout se passe comme prévu, cet itinéraire vous permettra d'arriver tôt, de ménager la mécanique de votre voiture, sans risque de tomber en panne. Mais sur une distance de 3 000 km, il est à peu près certain que vous aurez des obstacles à surmonter et que vous devrez y faire face. Une route sera fermée par des travaux de construction ou vous arriverez en pleine heure de pointe dans une grande ville. Dans ces deux cas, ce serait une erreur de suivre aveuglément votre itinéraire et de ne pas faire un détour. Sinon, allez-vous foncer à travers la zone de travaux ou vous jeter tête première en plein embouteillage? Suivre l'itinéraire à la lettre n'est pas le but. L'objectif est de traverser le pays même si nous devons dévier de notre itinéraire. Nous apportons des ajustements pour mieux revenir sur la bonne voie.

Dans votre programme d'entraînement, la destination finale est la course à laquelle vous vous êtes inscrits. En augmentant le kilométrage d'entraînement, vous quittez votre zone de confort et vous risquez de subir des courbatures, des douleurs et même des blessures. Nos conseils sur la façon de courir et les principes d'entraînement visent bien entendu à vous garder en bonne santé, mais il faut savoir que 60 % ou 70 % des coureurs se blessent chaque année.

Si vous rencontrez un problème ou lorsque votre corps vous « parle », prenez une pause.

Ajuster les programmes d'entraînement

En prenant de l'expérience, vous reconnaîtrez les douleurs « normales » des douleurs potentiellement graves : votre corps vous parle ! N'hésitez pas à sauter un entraînement s'il en va de votre santé. Le but est de compléter votre course, pas de compléter chaque séance du programme. Vous allez découvrir les limites de votre corps : un inconfort dans la hanche ou un problème de bandelette ilio-tibiale. C'est le signe que votre programme d'entraînement initial ne vous convient plus.

En cas de blessure imminente, prenez un jour de congé ou remplacez un entraînement intense par un entraînement facile, un peu de *cross-training* ou un massage au rouleau de mousse. Si nécessaire, réorganisez vos séances d'entraînement de la semaine afin de vous octroyer des jours de congé consécutifs. Si vous croyez que votre course d'endurance prévue en fin de semaine va vous faire plus de mal que de bien, supprimez-la. N'hésitez pas à remplacer une course d'endurance par une course plus courte si cela semble plus raisonnable. Rattrapez-vous la semaine suivante quand vous vous sentirez mieux.

Les programmes de demi-marathon et de marathon incluent une période de « sevrage » qui s'étale sur une ou deux fins de semaine avant la course. Cette période vous permet d'arriver plus en forme à la compétition. Elle vous donne aussi l'occasion de réaménager votre calendrier au besoin. Ainsi, elle vous autorise à décaler votre programme d'une semaine en cas de blessure, de fatigue due à un surentraînement, d'épuisement mental ou simplement parce qu'un événement imprévu vous oblige à manquer une séance clé ou une semaine complète d'entraînement.

Devez-vous tenter de rattraper les séances manquées ? Cela dépend. Ne vous inquiétez pas si vous manquez une séance de course facile ou de *cross-training*. Profitez de la journée de repos et reprenez l'entraînement le

---

Si vous rencontrez un problème ou lorsque votre corps vous « parle », prenez une pause.

lendemain. En revanche, si vous manquez un entraînement plus exigeant, mais pas une course d'endurance, essayez de le rattraper.

Imaginons que vous vous entraînez pour un demi-marathon et que, pour une raison ou une autre, vous deviez manquer l'entraînement en dénivelé du jeudi. Devez-vous le récupérer le vendredi? Vous avez au programme une course d'endurance le samedi. Sachant que ce n'est pas une bonne idée d'enchaîner deux séances intenses, je ne vous le conseille pas. Si votre emploi du temps le permet, reportez la course d'endurance au dimanche, faites l'entraînement en dénivelé le vendredi et reposez-vous le samedi. Puis récupérez le lundi et reprenez le programme d'entraînement de vitesse le mardi.

Si vous ne pouvez pas reporter la course d'endurance au dimanche, supprimez la séance en dénivelé. Parfois, tenter de réaménager l'emploi du temps n'apporte rien de positif.

Les programmes d'entraînement sont flexibles. L'objectif n'est pas de vous forcer à les suivre à la lettre, mais bien plus de vous amener à franchir la ligne d'arrivée. Vous pourrez soit les réorganiser, soit sauter une séance. Ne vous sentez pas coupables de quoi que ce soit. Le jour de la compétition, ce n'est pas une séance ni même quelques séances d'entraînement qui feront une grande différence.

Les programmes d'entraînement sont flexibles. L'objectif n'est pas de vous forcer à les suivre à la lettre, mais bien plus de vous amener à franchir la ligne d'arrivée.

DEVENIR UN VÉGÉTALIEN CULTURISTE

Par Robert Cheeke
Auteur et fondateur de Vegan Bodybuilding &
Fitness, www.veganbodybuilding.com

À l'automne 1999, j'ai totalement changé d'orientation sportive. Je venais de terminer une saison de course de fond de la NCAA pour l'Oregon State University. À l'époque, l'haltérophilie et le culturisme étaient des disciplines qui m'étaient étrangères. J'étais végétalien depuis l'âge de 15 ans. Au moment où je décidais de poursuivre de nouveaux objectifs sportifs, j'avais 19 ans, je pesais 70 kg et je me considérais comme un sportif de fond. La musculation n'était apparemment pas mon truc. Néanmoins, dans un effort pour me sentir encore mieux, je décidais de remplacer mes chaussures de course par des gants d'haltérophilie.

Voici les étapes que j'ai suivies pour changer de mode de vie et imposer à mon corps une série de transformations.

➤ Définir des objectifs précis. Identifier les raisons motivantes. Établir un plan et un échéancier concret.

➤ Établir une cohérence entre nutrition et entraînement. Cette cohérence force à s'adapter, à s'améliorer et à réussir. Pour parvenir au point C, il faut passer par les points A et B.

➤ Apprendre de ses prédécesseurs. Laisser les entraîneurs, enseignants ou mentors expérimentés déterminer les changements à effectuer en termes de nutrition et d'entraînement. Il ne s'agit pas de manger plus et de s'entraîner plus. Il s'agit davantage de bien manger et de s'entraîner intelligemment.

➤ Ne pas s'attendre à des résultats immédiats. Le corps des haltérophiles novices est susceptible de réagir plus vite que celui des habitués à soulever des poids. Cela étant dit, la patience est l'alliée du succès à long terme.

➤ Être réaliste. J'encourage chacun à rêver et à vivre sa passion, mais ne pensez pas que vous ressemblerez aux haltérophiles des magazines après un an ou deux passés à lever des haltères. Le corps a des limites et il faut composer avec elles, naturellement et sans drogue. L'essentiel est de travailler fort et d'avoir de grands rêves.

➤ Ne pas céder à la mode. Les culturistes et les haltérophiles ont besoin de consommer plus de protéines que les joueurs d'échecs. Mais n'achetez pas des tas de suppléments, de pilules, de poudres et de paquets de « viandes végétaliennes ». Manger des aliments entiers en quantité suffisante avec un bon équilibre de glucides, de protéines et de graisses est la meilleure façon de nourrir votre corps. Fruits, légumes, légumineuses, noix, céréales et graines composent votre carburant.

➤ Documenter son régime alimentaire et son programme d'entraînement. Faire un suivi permet d'évaluer les progrès ou l'absence de progrès.

➤ Élargir ses connaissances. Étudier l'anatomie et la physiologie permet d'apprendre comment fonctionnent le corps, les muscles, les articulations, le système nerveux. En connaissant tout cela et le rôle que joue la nourriture en tant que combustible, vous devenez des athlètes plus intelligents.

➤ Faire des pauses. Les muscles ont besoin de repos pour se réparer et se développer. Sans période de récupération, il y a risque d'épuisement et de déchirures musculaires handicapantes pendant des semaines, voire des mois. Cinq jours de musculation par semaine suffisent pour atteindre des résultats maximums.

➤ S'amuser. Si la musculation n'est pas agréable en général, découvrez l'activité sportive qui vous accroche. La pratique régulière et exigeante de n'importe quel sport vous rend plus fort, plus en forme.

J'ai suivi ces principes pendant les dix années de ma carrière de culturiste. Récemment, je me suis demandé ce qui me rendrait plus heureux. J'ai trouvé ma réponse il y a quelques mois. Cela semble être mon destin : j'ai remis mes chaussures de course.

Le marathon et l'ultramarathon

Ce livre ne comporte pas de programmes d'entraînement pour le marathon et l'ultramarathon qui exigent un plus grand engagement et ont un impact important sur le rythme de vie. Je mentirais si je vous faisais croire qu'avec un programme, vous arriveriez à terminer un marathon en dix-huit semaines. L'entraînement au marathon nécessite un programme complet qui ne se résume pas à un seul calendrier. Ne vous contentez pas d'un programme gratuit trouvé sur internet. Lisez sur le sujet, renseignez-vous, étudiez les options, cherchez un programme qui corresponde à vos besoins. Voulez-vous terminer un marathon, le courir en moins de quatre heures, cherchez-vous un programme de faible kilométrage ou qui inclut du *cross-training* en vue d'un *ironman* ? Ou bien désirez-vous mettre l'accent sur l'alimentation, la musculation ou la perte de poids ? Une fois ces objectifs précisés, il y a de fortes chances pour que vous trouviez le programme idéal.

Dans les livres *Marathon Roadmap* et *Half-Marathon Roadmap*, je propose des programmes ciblés pour l'entraînement au marathon et au demi-marathon. Ces ouvrages ont été écrits pour les personnes qui veulent courir ces deux courses d'endurance en suivant un régime végé. Ils s'adressent autant aux personnes ayant déjà couru un marathon et nouvellement végétaliennes qu'aux végétariens ou végétaliens de longue date qui ont développé récemment l'envie de courir. Pour plus de détails, consultez mon site internet : www.nomeatathlete.com/resources.

Vous avez tout en main pour vous lancer. Il ne vous reste qu'à passer à l'action, si ce n'est déjà fait, avec un objectif défini et les raisons qui le sous-tendent. J'espère que ce livre vous aura donné une idée précise de ce que vous désirez entreprendre et que les informations et les programmes d'entraînement vous aideront à transformer vos rêves en réalité.

LE PROGRAMME D'ENTRAÎNEMENT AU 5 KM

En utilisant le tableau suivant comme guide, alternez course et marche pendant les durées spécifiées jusqu'à ce que vous ayez couvert la distance indiquée pour chaque entraînement. Utilisez la fonction chronomètre de votre montre afin de déterminer quand passer de l'une à l'autre. Par exemple, la première séance d'entraînement dit « 1,5 kilomètre : courir 1 minute, 1 minute de marche. » Commencez ainsi votre entraînement en courant pendant une minute, puis marchez pendant une minute, puis courez à nouveau pendant une minute, puis marchez une autre minute et ainsi de suite jusqu'à ce que vous ayez couvert un total de 1,5 kilomètre.

Les entraînements de ce programme se font en course facile. Le rythme de marche est rapide, mais confortable. Il s'agit d'une cadence plus lente que la course facile qui permet la récupération.

Vous atteindrez une distance de 5 kilomètres dès la huitième semaine. Vous aurez des intervalles de marche, ce qui facilitera l'exercice. Alors, ne soyez pas intimidés en découvrant ce 5 km sur votre programme !

Il s'agit d'un programme flexible. Décalez l'horaire selon vos besoins et conservez un jour de récupération ou de récupération active, sous forme de cross-training, entre deux courses.

Programme 5 km

Semaine	Récupération active — Dimanche	Récupération — Lundi	Course de base — Mardi	Récupération active — Mercredi	Course de base — Jeudi	Récupération — Vendredi	Course d'endurance — Samedi
1	*Cross-training* et/ou rouleau de mousse	Repos	1,5 km Course: 1 min Marche: 1 min	*Cross-training*	1,5 km Course: 1 min Marche: 1 min	Repos	1,5 km Course: 2 min Marche: 1 min
2	*Cross-training* et/ou rouleau de mousse	Repos	1,5 km Course: 2 min Marche: 1 min	*Cross-training*	1,5 km Course: 1 min Marche: 1 min	Repos	1,5 km Course: 2 min Marche: 1 min
3	*Cross-training* et/ou rouleau de mousse	Repos	1,5 km Course: 3 min Marche: 30 s	*Cross-training*	1,5 km Course: 1 min Marche: 1 min	Repos	3 km Course: 2 min Marche: 1 min
4	*Cross-training* et/ou rouleau de mousse	Repos	3 km Course: 3 min Marche: 30 s	*Cross-training*	2 km Course: 1 min Marche: 1 min	Repos	3 km Course: 4 min Marche: 1 min
5	*Cross-training* et/ou rouleau de mousse	Repos	3 km Course: 4 min Marche: 30 s	*Cross-training*	2 km Course: 2 min Marche: 1 min	Repos	4 km Course: 6 min Marche: 1 min
6	*Cross-training* et/ou rouleau de mousse	Repos	3 km Course: 5 min Marche: 30 s	*Cross-training*	3 km Course: 2 min Marche: 1 min	Repos	4 km Course: 8 min Marche: 30 s
7	*Cross-training* et/ou rouleau de mousse	Repos	4 km Course: 6 min Marche: 30 s	*Cross-training*	3 km Course: 2 min Marche: 1 min	Repos	4 km Course: 8 min Marche: 30 s
8	*Cross-training* et/ou rouleau de mousse	Repos	4 km Course: 8 min Marche: 30 s	*Cross-training*	4 km Course: 2 min Marche: 1 min	Repos	5 km Course: 10 min Marche: 30 s
9	*Cross-training* et/ou rouleau de mousse	Repos	4 km Course: 8 min Marche: 30 s	*Cross-training*	4 km Course: 2 min Marche: 1 min	Repos	5 km Course: 12 min Marche: 30 s
10	*Cross-training* et/ou rouleau de mousse	Repos	3 km Course: 10 min Marche: 1 min	*Cross-training*	1,5 km Course: intégrale	Repos	Course de 5 km

LE PROGRAMME D'ENTRAÎNEMENT AU 10 KM

À l'exception des entraînements de *fartlek* pour lesquels vous avez les instructions détaillées, les entraînements se font en course facile. Ce programme est flexible. Décalez l'horaire selon vos besoins et conservez un jour de récupération ou de récupération active, sous forme de *cross-training*, entre deux courses.

Reportez-vous aux pages 241 à 245 pour les instructions détaillées de chaque type d'entraînement. Notez que le kilométrage de la course d'endurance à la troisième semaine dépasse 10 kilomètres. Cette course se fait à une cadence plus lente que celle de la course. Elle va vous permettre de trouver votre zone de confort sur de longues distances.

Programme 10 km

Semaine	Récupération active Dimanche	Récupération Lundi	Entraînement Fartlek Mardi	Récupération active Mercredi	Course de base Jeudi	Récupération Vendredi	Course d'endurance Samedi
1	*Cross-training* et/ou rouleau de mousse	Repos	5 km : 6 x 1 min Fartlek @ rythme 10 km 2 min course facile en alternance	*Cross-training*	3 km	Repos	6 km
2	*Cross-training* et/ou rouleau de mousse	Repos	5 km : 8 x 1 min Fartlek @ rythme 10 km 2 min course facile en alternance	*Cross-training*	3 km	Repos	6 km
3	*Cross-training* et/ou rouleau de mousse	Repos	6,5 km : 8 x 1 min Fartlek @ rythme 10 km 2 min course facile en alternance	*Cross-training*	3 km	Repos	8 km
4	*Cross-training* et/ou rouleau de mousse	Repos	6,5 km : 8 x 90 s Fartlek @ rythme 10 km 2 min course facile en alternance	*Cross-training*	3 km	Repos	8 km
5	*Cross-training* et/ou rouleau de mousse	Repos	5 km : 8 x 1 min Fartlek @ rythme 10 km 2 min course facile en alternance	*Cross-training*	6,5 km	Repos	8 km
6	*Cross-training* et/ou rouleau de mousse	Repos	8 km : 8 x 1 min Fartlek @ rythme 5 km 2 min course facile en alternance	*Cross-training*	8 km	Repos	10 km
7	*Cross-training* et/ou rouleau de mousse	Repos	8 km : 8 x 1 min Fartlek @ rythme 5 km 2 min course facile en alternance	*Cross-training*	8 km	Repos	10 km
8	*Cross-training* et/ou rouleau de mousse	Repos	8 km : 8 x 90 s Fartlek @ rythme 5 km 90 s course facile en alternance	*Cross-training*	4 km Course : 2 min Marche : 1 min	Repos	5 km Course : 10 min Marche : 30 s
9	*Cross-training* et/ou rouleau de mousse	Repos	6,5 km : 8 x 90 s Fartlek @ rythme 5 km 90 s course facile en alternance	*Cross-training*	4 km Course : 2 min Marche : 1 min	Repos	5 km Course : 12 min Marche : 30 s
10	*Cross-training* et/ou rouleau de mousse	Repos	6,5 km : 6 x 1 min Fartlek @ rythme 5 km 90 s course facile en alternance	*Cross-training*	1,5 km Course : intégrale	Repos	Course de 10 km

LES PROGRAMMES D'ENTRAÎNEMENT AU DEMI-MARATHON

Ces programmes indiquent des kilométrages similaires chaque semaine, mais se distinguent par leur degré de difficulté. Le programme « Pour terminer un demi-marathon » est le plus facile. Il permet d'augmenter le kilométrage de course facile et ne comporte pas de séances d'entraînement de vitesse en dénivelé et en cadence.

Les séances d'entraînement plus exigeantes et plus gratifiantes, autour desquelles est construit le programme « Demi-marathon en forme », vous permettront de terminer le demi-marathon avec style. Vous serez plus efficace et plus rapide qu'avec le premier programme. Cet entraînement comporte des risques de blessures que nous avons tenté de minimiser au maximum. Courir de façon intense est plus exigeant que courir en discutant avec ami.

Choisissez votre programme en fonction de votre condition physique et de l'objectif que vous vous êtes fixé.

Les deux programmes démarrent avec une distance de 12 kilomètres la première semaine. Ce total augmente chaque semaine. Si vous n'êtes pas à ce niveau, prolongez le kilométrage de départ sur plusieurs semaines selon les indications ci-dessous.

Si vous ne courez pas 5 kilomètres

La première étape consiste à atteindre cette distance, puisque les séances d'entraînement sont de cinq kilomètres ou plus. Utilisez le programme de 5 kilomètres avant de passer à l'entraînement pour un 10 kilomètres ou un demi-marathon.

Le programme pour augmenter le kilométrage

Si vous courez 5 kilomètres, mais que vous n'arrivez pas à le faire plusieurs fois par semaine, adoptez un rythme plus lent que le rythme de votre course de 5 kilomètres. Préférez la course facile au rythme de sprint. Afin d'acquérir plus de confiance, je vous recommande de suivre le programme de 10 kilomètres. Ainsi, au cours des dix semaines de l'entraînement, vous finirez par courir des distances de 6 ou 7 kilomètres et vous serez en excellente position pour commencer votre entraînement au demi-marathon.

Il n'est pas nécessaire d'avoir couru 10 kilomètres avant de s'entraîner au demi-marathon. Si vous choisissez de passer directement de 5 kilomètres au demi-marathon et que vous ne courez pas une distance d'environ 20 kilomètres par semaine, établissez un kilométrage hebdomadaire plus important avant de vous lancer. Voici un calendrier de six semaines pour augmenter le kilométrage après avoir couru un 5 kilomètres.

Semaine	Récupération active	Course de base	Course de base	Récupération	Course de base	Récupération	Course d'endurance
	Dimanche	Lundi	Mardi	Mercredi	Jeudi	Vendredi	Samedi
1	Cross-training et/ou rouleau de mousse	3 km	1,5 km	Repos	3 km	Repos	5 km
2	Cross-training et/ou rouleau de mousse	3 km	3 km	Repos	3 km	Repos	5 km
3	Cross-training et/ou rouleau de mousse	3 km	3 km	Repos	3 km	Repos	5 km
4	Cross-training et/ou rouleau de mousse	3 km	4 km	Repos	3 km	Repos	5 km
5	Cross-training et/ou rouleau de mousse	3 km	5 km	Repos	3 km	Repos	5 km
6	Cross-training et/ou rouleau de mousse	4 km	5 km	Repos	4 km	Repos	5 km

Tous les entraînements se font en course facile. Le kilométrage de la première semaine s'élève à 12,5 kilomètres et présuppose que vous n'avez aucun problème à courir 5 kilomètres une fois par semaine. Il augmente ensuite de moins de 10 % par semaine jusqu'à un total hebdomadaire de 18 kilomètres. À l'issue de cette période de six semaines, vous serez prêts pour enchaîner avec le programme « Pour terminer un demi-marathon ».

Il n'y a rien d'anormal à prendre six semaines supplémentaires pour établir une base aérobie confortable avant de vous lancer dans un programme de 12 semaines. Si vous n'avez jamais couru 12,5 km par semaine, point de départ du programme d'augmentation du kilométrage, ajoutez des semaines de bas kilométrage au préalable. Ou encore, si à la fin du programme d'augmentation du kilométrage vous éprouvez des difficultés, répétez la dernière semaine jusqu'à ce que vous soyez à l'aise et que vous puissiez entamer le programme officiel de 12 semaines d'entraînement pour le demi-marathon.

A propos des programmes

Quand aucun type d'entraînement n'est spécifié et qu'un nombre de kilomètres est indiqué, l'entraînement se fait en course facile. Les séances du samedi constituent la course d'endurance. Reportez-vous aux pages 241 à 245 pour une description détaillée des entraînements d'endurance, de course facile, de cadence, de dénivelé et d'intervalle.

Les jours réels de la semaine importent peu. N'hésitez pas à changer l'horaire à votre convenance. Si vous préférez faire les courses d'endurance le dimanche plutôt que le samedi, décalez le programme en conséquence. Gardez les séquences de jours de repos et de séances d'entraînement.

Le mercredi, vous avez le choix entre une séance de *cross-training* ou une journée de repos complet, selon ce que vous estimez préférable. Si vous n'êtes pas fatigués ou que vous ne ressentez aucune douleur nulle part, nous vous suggérons d'opter pour un léger *cross-training*.

Le kilométrage réduit des semaines 4 et 8 vise la récupération. Nous vous déconseillons d'effectuer plus de kilomètres que ceux spécifiés.

Le kilométrage total des deux programmes est similaire. Les différences se situent dans la variété et l'intensité. Vous pouvez, si vous le souhaitez, interchanger les séances d'entraînement d'un programme à l'autre : faites une séance plus douce si vous avez besoin d'une pause et que vous suivez le programme « Marathon en forme » ou réalisez un entraînement plus exigeant si vous vous sentez en forme et que vous suivez le programme « Pour terminer un demi-marathon ».

Les échauffements et les récupérations se font en course facile. Au besoin, faites de légers étirements dynamiques ou toute autre activité pour élever votre fréquence cardiaque avant ou après l'entraînement.

Pour le « Marathon en forme »

Ne stressez pas votre corps lors des entraînements courts. Ils doivent être légèrement difficiles et stimulants, sans gêner la récupération nécessaire pour assumer l'entraînement suivant. Si vous sentez des tensions ou de la fatigue, réduisez l'intensité à laquelle vous effectuez les séances courtes ou remplacez-les par des courses faciles. Le but est d'être en forme pour soutenir la course d'endurance du samedi.

Programme pour terminer un marathon

Semaine	Récupération active	Course de base	Course de base	Récupération	Course de base	Récupération	Course d'endurance
	Dimanche	Lundi	Mardi	Mercredi	Jeudi	Vendredi	Samedi
1	Cross-training et/ou rouleau de mousse	3 km	4,5 km	Repos ou cross-training	5 km	Repos	6,5 km
2	Cross-training et/ou rouleau de mousse	3 km	4,5 km	Repos ou cross-training	5 km	Repos	8 km
3	Cross-training et/ou rouleau de mousse	3 km	4,5 km	Repos ou cross-training	5 km	Repos	10 km
4	Cross-training et/ou rouleau de mousse	3 km	4,5 km	Repos ou cross-training	5 km	Repos	6,5 km
5	Cross-training et/ou rouleau de mousse	3 km	4,5 km	Repos ou cross-training	5 km	Repos	11 km
6	Cross-training et/ou rouleau de mousse	3 km	6 km	Repos ou cross-training	5 km	Repos	13 km
7	Cross-training et/ou rouleau de mousse	3 km	6 km	Repos ou cross-training	5 km	Repos	14,5 km
8	Cross-training et/ou rouleau de mousse	3 km	6,5 km	Repos ou cross-training	5 km	Repos	6,5 km
9	Cross-training et/ou rouleau de mousse	3 km	6,5 km	Repos ou cross-training	5 km	Repos	16 km
10	Cross-training et/ou rouleau de mousse	3 km	7 km	Repos ou cross-training	5 km	Repos	11 km
11	Cross-training et/ou rouleau de mousse	3 km	7 km	Repos ou cross-training	5 km	Repos	8 km
12	Cross-training et/ou rouleau de mousse	3 km	5 km	Repos	1,5 à 3 km	Repos	Demi-marathon : 21,1 km

Programme marathon en forme

Semaine	Récupération active Dimanche	Course de base Lundi	Entraînement par intervalles Mardi	Récupération active Mercredi	Entraînement par cadences et intervalles Jeudi	Récupération Vendredi	Course d'endurance Samedi
1	Cross-training et/ou rouleau de mousse	3 km	Intervalle A	Repos ou cross-training	Cadence A	Repos	6,5 km
2	Cross-training et/ou rouleau de mousse	3 km	Intervalle A	Repos ou cross-training	Dénivelé A	Repos	8 km
3	Cross-training et/ou rouleau de mousse	3 km	Intervalle A	Repos ou cross-training	Cadence A	Repos	10 km
4	Cross-training et/ou rouleau de mousse	3 km	Intervalle A	Repos ou cross-training	Dénivelé A	Repos	6,5 km
5	Cross-training et/ou rouleau de mousse	3 km	Intervalle A	Repos ou cross-training	Cadence A	Repos	11 km
6	Cross-training et/ou rouleau de mousse	5 km	Intervalle B	Repos ou cross-training	Dénivelé B	Repos	13 km
7	Cross-training et/ou rouleau de mousse	5 km	Intervalle B	Repos ou cross-training	Cadence B	Repos	14,5 km
8	Cross-training et/ou rouleau de mousse	5 km	Intervalle A	Repos ou cross-training	Dénivelé B	Repos	6,5 km
9	Cross-training et/ou rouleau de mousse	5 km	Intervalle B	Repos ou cross-training	Cadence B	Repos	16 km
10	Cross-training et/ou rouleau de mousse	5 km	Intervalle B	Repos ou cross-training	Dénivelé B	Repos	11 km
11	Cross-training et/ou rouleau de mousse	5 km	Intervalle B	Repos ou cross-training	Cadence B	Repos	8 km
12	Cross-training et/ou rouleau de mousse	5 km	5 km	Repos	1,5 à 3 km	Repos	Demi-marathon : 21,1 km

PASSEZ À L'ACTION!

Si vous avez complété l'un des programmes d'entraînement de ce chapitre, vous n'avez plus rien à craindre : vous êtes prêts à courir. La bonne compréhension des bases de la course et de la nutrition vous donne des avantages indéniables sur les autres coureurs débutants. Et si vous n'avez pas suivi à la lettre chaque conseil pour mettre en place les habitudes, chaque ligne directrice en matière de nutrition et chaque entraînement (personne n'est parfait !), vous êtes probablement mieux outillés que vous le pensez.

Plus important que la destination encore, c'est la personne que vous allez devenir en vivant ce processus. Gardez cela en tête à mesure que vous progressez. Lorsque les choses se corsent ou qu'une blessure vous ralentit, pensez aux avantages que vous tirez de votre expérience, pas seulement les avantages physiques, mais tous ceux qui vous transforment en profondeur.

Émerveillez-vous, soyez reconnaissants envers votre corps et ses capacités, même lorsque les derniers kilomètres font mal et qu'il vous faut trouver l'énergie pour terminer un entraînement. Vous n'avez pas choisi de courir parce que c'est facile, n'est-ce pas ? Vous avez entrepris un voyage incroyable, savourez-le et profitez de chaque instant. Ayez confiance en vous, corps et esprit. Je vous souhaite bonne chance. Soyez brillants et dépassez-vous !

RESSOURCES

Livres de nutrition

Le Rapport Cambell de Colin Campbell
Les règles d'une saine alimentation de Michael Pollan
Manifeste pour réhabiliter les vrais aliments de Michael Pollan
Chris Carmichael's Food for Fitness de Chris Carmichael
Disease-Proof Your Child de Joel Fuhrman
Super Immunity de Joel Fuhrman
The Complete Idiot's Guide to Plant-Based Nutrition de Julieanna Hever
The Food Revolution de John Robbins
The Plant-Powered Diet de Sharon Palmer
Thrive de Brendan Brazier
Vegan for Life de Jack Norris and Virginia Messina
Vegetarian Sports Nutrition de D. Enette Larson-Meyer

Livres de recettes

500 plats végétaliens de Deborah Gray
Barbecue végétarien de Steven Raichlen
Crudessence de David Côté et Mathieu Gallant
Cuisiner cru : 70 recettes raw food de Leila Driss et Xavier Boulière
Cuisine végétarienne à la mijoteuse de Robin Robertson
Cuisine végétarienne locale de Terry Walters
Desserts de Crudessence de David Côté et Mathieu Gallant
Desserts santé de Annik De Celles et Andréanne Martin
Le régime ayurvéda de Anjum Anand
Les super smoothies de Céline Trégan
Mes petites recettes magiques aux protéines végétales de Anne Dufour et Carole Garnier
Plats mijotés végétariens de Judith Finlayson
Plenty de Yotam Ottolenghi

Soupes de Crudessence de David Côté et Mathieu Gallant
Tout végétal, quel régal! de Katharina Bretsch
Vous avez dit végan? de Tanya Bernard, Sarah Kramer
Appetite for Reduction de Isa Chandra Moskowitz
Blissful Bites de Christy Morgan
Jai Seed eCookbook de Julie Piatt and Rich Roll
Let Them Eat Vegan de Dreena Burton
Madhur Jaffrey's World Vegetarian de Madhur Jaffrey
Peas and Thank You de Sarah Matheny
Rice and Curry: Sri Lankan Home Cooking de S.H. Fernando Jr. (Un livre
   de recettes pas exclusivement végé, mais qui contient plusieurs excellentes recettes végé)
Simply Vegan de Debra Wasserman and Reed Mangels
Superfood Kitchen de Julie Morris
Thrive Foods de Brendan Brazier
Veganomicon de Isa Chandra Moskowitz and Terry Hope Romero

Livres sur la mise en forme et la course à pied

4 heures par semaine pour un corps d'enfer de Timothy Ferriss
Autoportrait de l'auteur en coureur de fond de Haruki Murakami
Born to run: né pour courir de Christopher McDougall
Courir au bon rythme, tomes 1 et 2 de Jean-Yves Cloutier et Michel Gauthier
Courir: journal de bord + conseils pratiques de Pascale Morin et Luis T Lopez Villagran
Courir mieux de Jean-François Harvey
La course au féminin de Sophie Allard
Le pouvoir des habitudes: changer un rien pour tout changer de Charles Duhigg
Pas: chroniques et récits d'un coureur de Yves Boisvert
ChiRunning de Danny Dreyer and Katherine Dreyer
Core Performance Endurance de Mark Verstegen and Pete Williams
Daniels'Running Formula de Jack Daniels
Eat and Run de Scott Jurek
Finding Ultra de Rich Roll
Relentless Forward Progress de Bryon Powell
Run Less, Run Faster de Bill Pierce, Scott Murr, and Ray Moss
Vegan Bodybuilding & Fitness de Robert Cheeke

Autres lectures éclairantes

La libération animale de Peter Singer
Faut-il manger les animaux ? de Jonathan Safran Foer
Je suis une boucle étrange de Douglas Hofstadter
Comment vivre avec les animaux ? de Peter Singer
Génération végétale : ils réinventent le monde de Elsa Bastien, Aurélie Darbouret, Cécile Debarge et Claire Le Nestour
Why We Love Dogs, Eat Pigs, and Wear Cows : An Introduction to Carnism de Melanie Joy

Documentaires

Atletu de Davey Frankel et Rasselas Lake
Prefontaine de Steve James
Running the Sahara de James Moll
La santé dans l'assiette de Lee Fulkerson
The Spirit of the Marathon de Jon Dunham
Terriens de Shaun Monson
Unbreakable : The Western States 100 de JB Benna
Vegucated de Marisa Miller Wolfson

Sites végé

IV Le blog BD d'une végétalienne extrémiste (insolente0veggie.over-blog.com)
Au joyeux végé (joyeuxvg.free.fr)
Collectif Végan de Montreal (cvm-mvc.ca)
Full vedge (fullvedge.blogspot.ca)
Les cahiers antispécistes (www.cahiers-antispecistes.org)
Le gourmet végétarien (www.gourmet-vegetarien.com)
Penser avant d'ouvrir la bouche (penseravantdouvrirlabouche.com)
Soya & chocolat (soyaetchocolat.com)
Tout cru dans le bec (toutcru.blogspot.ca/p/index-des-recettes.html)
Vegactu (www.vegactu.com)
Veg an' Bio (veganbio.typepad.com)
Vegan Montréal (veganamontreal.blogspot.ca)
Végéla (www.vegela.fr)
Vegplanete (www.vegplanete.com)

Vegetarisme.info (www.vegetarisme.info)
7 Day Vegan (www.7dayvegan.com)
Choosing Raw (www.choosingraw.com)
Happy Cow (www.happycow.net)
No Meat Athlete (www.nomeatathlete.com)
Oh She Glows (www.ohsheglows.com)
PCRM's 21-Day Vegan Kickstart (www.pcrm.org/kickstartHome)
Post Punk Kitchen (www.theppk.com)
Thrive Forward (www.thriveforward.com)
True Love Health (www.truelovehealth.com)
Vegan Body Building & Fitness (www.veganbodybuilding.com)
Vegan Health and Fitness Magazine (www.vhfmag.com)
Vegetarian Nutrition (www.vegetariannutrition.net)
VegNews (www.vegnews.com)
Vegan Yack Attack (www.veganyackattack.com)
YumUniverse (www.yumuniverse.com)

Sites sur la mise en forme

Ces sites ne sont pas nécessairement végé, bien que certains le soient.
Courir.org (courir.org)
Courir à Québec (www.couriraquebec.com)
Clinique santé au Naturel (www.cliniquesanteaunaturel.com)
Sport et motivation (sport-et-motivation.com)
Sportif végétarien (www.sportifvegetarien.com)
Vege-Sport (www.vege-sport.com)
Vo2 (www.vo2.fr)
Daily Mile (www.dailymile.com)
Good Form Running (www.goodformrunning.com)
iRunFar.com (www.irunfar.com)
Nerd Fitness (www.nerdfitness.com)
Rock Creek Runner (www.rockcreekrunner.com)
Runner's World Race Finder (www.runnersworld.com/race-finder)
stickK (www.stickk.com)
Strength Running (www.strengthrunning.com)
Zen Habits (www.zenhabits.net)

En savoir plus sur *No meat athlete*

« Dix choses que j'aurais aimé savoir avant de devenir vegan » (www.huffingtonpost.
  fr/matt-frazier/dix-choses-a-savoir-vegan_b_4000949.html)
No Meat Athlete Community and Forums (www.nomeatathlete.com/communitymessage-
Boards)
No Meat Athlete Half Marathon Roadmap: The Vegetarian Guide to Conquering Your
First 13.1 (www.nomeatathlete.com/half-marathon-roadmap)
No Meat Athlete Marathon Roadmap: The Vegetarian Guide to Conquering Your First
26.2 (www.nomeatathlete.com/roadmap-system)
Resources 245
No Meat Athlete's official Facebook page (www.facebook.com/nomeatathlete)
No Meat Athlete's official Twitter page (www.twitter.com/nomeatathlete)
No Meat Athlete's Plant-Based Endurance Advantage E-course
(www.nomeatathlete.com/plant-based-endurance)
Run Your BQ (www.runyourbq.com)
PCRM's VegRUN Program (www.vegrun.org)

Podcasts

Jiwok podcasts Podcast (jiwok.com/blog/tous-les-podcasts-de-jiwok-episode-2-2)
Jogging international Podcast (www.jogging-international.net/courses/
  videos-podcast)
No Meat Athlete Podcast (www.nomeathlete.com/category/radio-2)
The Rich Roll Podcast (www.richroll.com/category/podcast)
Ultrarunner Podcast (www.ultrarunnerpodcast.com)

Divers

Rachelle-Béry (http://www.rachelle-bery.com) Une chaîne d'épiceries-santé.
Les marchés Tau (http://www.marchestau.com) Une chaîne de supermarchés-santé.
Avril Supermarché Santé (https://www.avril.ca) Un magasin qui propose tous types
  de produits biologiques et naturels.
Crudessence (http://www.crudessence.com) Une entreprise engagée pour une cuisine
  saine, naturelle et savoureuse.
Brooks Running Shoes (www.brooksrunning.com) Les chaussures de course Brooks
  sont fabriquées sans matière animale. D'autres fabricants comme New Balance,
  Luna, et Merrell offrent plusieurs modèles de chaussures de course, mais certains

sont faits avec des matières animales. Si vous avez un doute, n'hésitez pas à vous renseigner.

Ezekiel Bread Pains – faits de graines germées.

Food Fight! Grocery (www.foodfightgrocery.com) Les magasins végé de Portland en Oregon font de la vente en ligne.

Vega (www.myvega.com) Suppléments alimentaires naturels et végé.

Vegan Essentials (www.veganessentials.com) Un détaillant avec plus de 1200 articles végé en stock.

REMERCIEMENTS

De Matt Frazier

Merci à mes mentors, sources d'inspiration pour l'écriture, l'esprit d'entrepreneuriat et (dans bien des cas) le végétalisme : Seth Godin, Tony Robbins, Leo Babauta et Tim Ferriss. Ce que j'ai appris de vous – pas seulement les choses que vous m'avez enseignées, mais la façon dont vous me les avez transmises – constitue la base de tout ce que j'entreprends.

Sonia Simone, Brian Clark, Tony Clark, Jon Morrow, et tout le monde chez Copyblogger Media. En suivant l'évolution de *No Meat Athlete*, je mesure très bien à partir de quel moment j'ai bénéficié de vos conseils. Le voyage n'est pas fini !

Caitlin Boyle, dont le soutien dès les premiers jours de *No Meat Athlete* a fait toute la différence. Karol Gajda, Gena Hamshaw et Robert Cheeke qui ont été des sources d'inspiration pour devenir végétalien. Brendan Brazier, Rich Roll et Scott Jurek, vous êtes trois figures d'exception qui soutiennent *No Meat Athlete* depuis le début. Douglas Hofstadter et Richard Dawkins, les premiers à me faire réfléchir au fait de ne plus manger d'autres êtres vivants.

L'équipe de *No Meat Athlete* qui a donné de la légitimité à ce mouvement : Susan Lacke, Doug Hay et Erin Frazier. Nous pouvons désormais revenir à un rythme normal.

Charlie Pabst, Bren Dendy, Jenny Leonard, Christine Hein et Kevin McCarthy qui ont contribué à embellir *No Meat Athlete*. Ça a marché !

Les experts qui ont contribué à rendre ce livre plus intéressant en y apportant leurs connaissances : Matt Ruscigno, Brendan Brazier, Jason Sellers, Christine Hein, Mo Ferris, Jason Fitzgerald, Robert Cheeke, Meredith Murphy, Ed Bauer, Erika Mitchener, Sara Beth Russert, Hillary Biscay, Adam Chase, Leo Babauta, Gena Hamshaw, Mike Zigomanis et Susan Lacke.

Les lectrices et lecteurs qui ont eu la générosité de partager leurs expériences afin que les autres s'en inspirent : Tina Žigon, Pete DeCapite, Greg Watkins, Tom Giammalvo, Janet Oberholtzer et Tori Brook. Vos histoires sont des moments forts de cette aventure, sans aucune exception.

Tim Frazier, Vickie Craven, Christine Hein, Bren et Joe Dendy, Pete et Kristin DeCapite qui ont testé toutes les recettes.

Ma famille : Maman et Papa, Christine, Erin, Holden et Ellarie. Vous êtes la raison d'être de toute cette aventure.

Les supporteurs des premiers instants de No Meat Athlete : Colleen et Joel Baldwin ainsi que Pete et Kristin DeCapite.

Jamie Halberg, qui m'a aidé à rester calme et concentré tout au long du processus ardu d'écriture d'un « vrai » livre.

Marcus Leaver, Cara Connors, Winnie Prentiss, Kevin Mulroy et tout le personnel de Fair Winds Press, pour votre aide à réaliser ce projet. Grâce à vous, je rejoins plus de monde que j'aurais pu le faire tout seul.

Enfin – et j'ai gardé le plus important pour la fin – le public de No Meat Athlete, incluant les personnes qui ont fourni les photos du début et de la fin du livre. Sans votre soutien, votre générosité et votre engagement envers notre travail, le blogue No Meat Athlete aurait été abandonné depuis longtemps, et ce en dépit de son nom astucieux et de ses excellentes recettes. Sans vous, je serais à la recherche de quelque chose de significatif à faire.

Merci à tous. Merci infiniment.

De Matthew Ruscigno

D'abord et avant tout, je tiens à remercier Matt Frazier pour son travail acharné et pour l'invitation à participer à ce merveilleux livre. Tous les éditeurs avec qui nous avons travaillé chez Fair Winds Press nous ont aidés au-delà de ce qui est imaginable.

Merci aussi à mes collègues Reed Mangels, Ph.D., R.D. et Tim Radak, Dr.P.H., R.D. qui ont répondu à mes questions techniques, Ginny Messina, M.P.H., R.D. et Jack Norris, R.D. qui ont pavé la voie, ainsi qu'à tous les bénévoles du *Vegetarian Nutrition Dietary Practice Group* de l'*Academy of Nutrition and Dietetics* qui contribuent à la recherche scientifique sur le végétalisme.

Je tiens également à remercier mes professeurs de la *Loma Linda University* qui m'ont toujours encouragé à trouver les meilleures études sur les régimes végétariens.

Je suis également très reconnaissant aux organismes qui m'ont sensibilisé tôt à un mode de vie empreint de compassion : *Animal Defense League*, *Earth First !*, *Vegan Outreach* et *Earth Crisis*, pour ne nommer qu'eux.

Enfin, merci à ma famille, spécialement mes parents, ainsi qu'à mes amis. Vous êtes trop nombreux pour que je vous nomme tous. Vous m'aidez chaque jour de ma vie. Personne n'accomplit quoi que ce soit seul. Merci à tous !

TABLE DES MATIÈRES DÉTAILLÉE

PRÉFACE de Brendan Brazier 9

INTRODUCTION 13
En route pour le plus célèbre marathon du monde 13
Mes premiers pas végé 15
Qu'est-ce qu'un régime végé ? 20
Plus fort, plus rapide, plus léger 20
Comment utiliser ce livre 21

PREMIÈRE PARTIE : MANGER VÉGÉ 23
CHAPITRE 1 : Manger est devenu si compliqué 25
Que s'est-il passé ? 26
  À propos de l'évolution 26
  Des aliments pauvres 29
    1. Des aliments surtransformés 29
    2. Des produits pauvres en nutriments 29
    3. Des solutions réductrices 30
    4. Des préoccupations environnementales et économiques 31
Une solution simple 32
  Le régime paléolithique 33
  Le crudivorisme et le fructivorisme 33
  Le végétalisme 34
  Le facteur commun 34
Qu'est-ce qu'un aliment entier ? 35
  Les produits laitiers 35
Un régime végé 37
  Encadré « Changer sa vie, un repas et une course à la fois »
    par Pete DeCapite 38
Quatre raisons de choisir un régime végé 40
  1. Les considérations éthiques 40
  2. Les découvertes scientifiques récentes 40
  3. Une alimentation variée 43
  4. Les bénéfices environnementaux 44
  Encadré « Atteindre les plus hautes performances » par Meredith Murphy 45

CHAPITRE 2 : Établir de saines habitudes alimentaires végé 47
À petits pas 47
  « Mettre en place des habitudes durables » par Leo Babauta 50
    Comment s'installent les habitudes ? 51
    Comment créer une habitude durable en six étapes 52
Bien démarrer son régime végé. 54
  Préparer ses propres repas. 54
Choisir ses recettes. 55
  Sept recettes de base 55
Faire son épicerie 58
  Les produits frais 58
  Encadré « Marathonien végétalien malgré moi » par Tom Giammalvo 59
  Encadré « Frais ou congelé ? » . . . . : 60
  Les grains : à consommer avec modération 60
  La question des huiles 61
  Encadré « L'huile sur le feu » 62
  Les condiments et les grignotines 62
  Des boissons à éviter. 63
Les 10 règles de base 63
  1. Des aliments entiers, non raffinés 64
  2. Un régime végé le plus possible. 64
  3. Des plats cuisinés à la maison 65
  4. Des fruits et des légumes frais 65
  Encadré « Cru ou cuit ? » 66
  5. Un smoothie et une salade chaque jour 66
  6. Du blé avec modération 67
  7. Une alimentation variée 67
  8. Des boissons peu caloriques 68
  9. La faim justifie les moyens 68
  10. Des écarts aux règles. 69
  Encadré « Voyager végé » 70
D'un régime omnivore à un régime végé. 70
  1. N'essayez pas de ne plus jamais manger de viande 71
  2. Établissez une transition en douceur 71
  3. Planifiez chaque étape. 72
  Encadré « Des changements mineurs ». 73
  4. Prenez une pause. 74
  5. Essayez de nouveaux aliments. . . . . · 73
  L'apport en protéines 74

CHAPITRE 3 : Guide pour manger végé 75
Les diverses sources de nutriments 76
   1. Nous absorbons plus de nutriments lorsque nous les consommons
     en petites quantités 76
   2. Plus nous varions notre alimentation, plus nous absorbons de nutriments . . . 76
   3. La variété, une assurance contre les carences. 77
   Encadré « Des valeurs nutritives basses ». 77
Les macronutriments : glucides, protéines et matières grasses 77
   Encadré « Calculer ses calories » 78
Les glucides, votre carburant 80
   Choisir les bons glucides 80
   Encadré « Les glucides pour les athlètes » 81
   Des fibres encore et encore 82
   Encadré « Les glucides recommandés » 82
Les protéines pour les muscles 83
   Un apport quotidien 84
   Les athlètes ont besoin de plus de protéines. Vrai ou faux ? 84
   Encadré « Le soja est-il un aliment sûr ? » 85
   Qu'est-ce qu'une protéine « incomplète » ? 86
   Encadré « Sport et protéines » 87
   Encadré « Les sources recommandées de protéines » 87
Les indispensables matières grasses 88
   Les gras saturés sont-ils mauvais ? 88
   Encadré « La noix de coco » 89
   Encadré « Du carburant végétal » par Mike Zigomanis 90
Les huiles : amies ou ennemies ? 90
   Encadré « À l'attention des athlètes » 92
   Les oméga-3 92
   Encadré « Les sources recommandées de matières grasses » 93
Autres nutriments essentiels 93
   La vitamine B_{12} 93
   Encadré « Manger suffisamment » 94
   Le fer 95
   Fer d'origine végétale et fer d'origine animale 95
   Encadré « Le fer à l'attention des athlètes » 97
Phytonutriments, composés phytochimiques et antioxydants 97
   Encadré « Le cru pour plus de nutriments » par Gena Hamshaw. 99

CHAPITRE 4 : Aux fourneaux ! 103
Ça commence aujourd'hui 103
Quatre techniques pour gagner du temps 104
   1. Coupez et préparez vos ingrédients avant de commencer à cuisiner 104

2. Gardez un bol à déchets à portée de main. 105
3. Achetez deux couteaux de qualité. 105
4. Estimez rapidement vos proportions. 106
Lancez-vous ! 107
Êtes-vous passés à l'action ? 107

CHAPITRE 5 : Recettes végé **109**
Soupes et salades généreuses
Soupe riche aux pois chiches. 112
Soupe aux lentilles 113
Soupe de tortillas 114
Salade mince mince mince. 115
Divine vinaigrette 116
Salade de tempeh 117
Salade de pois chiches. 118
Salade de chou frisé (*kale*). 119
Smoothies et barres énergétiques
Smoothie parfait (recette de base) 120
Créer ses smoothies. 121
Smoothie à la fraise. 122
Boisson énergétique maison 123
Boisson énergétique +++ 124
Chia Fresca. 125
Gel énergétique maison. 126
Barres énergétiques incroyables (recette de base). 127
Créer ses barres énergétiques. 128
Barres canneberges-pistaches. 129
Barres choco-quinoa 130
Barres granola. 131
Super barres énergétiques 132
Crêpes de sarrasin et de quinoa. 133
Plats principaux
Quinoa aux noix de cajou et aux oranges. 134
Risotto aux tomates et aux haricots blancs. 135
Cari de haricots blancs au lait de coco 136
Pâtes aux tomates, pois chiches et roquette. 137
Pâtes aux pommes de terre, haricots verts et pesto 138
Lentilles rouges et riz express 140
Lentilles au cari. 141
Bibimbap 142
Orzo aux légumes citronnés 143
Riz aux haricots (recette de base) 144
Riz aux haricots à l'indienne. 145

Riz aux haricots à la mexicaine. 146
Riz aux haricots à l'asiatique 147
Riz aux haricots à l'hawaïenne 148
Incroyables burgers végé (recette de base). 149
Créer ses burgers végé. 150
Mon burger passe-partout. 151
Pizza maison express. 152
Chili Cowboy 154
Cari thaï d'ananas au lait de coco 155

Trempettes, etc.
Trempette incomparable 156
Noix à l'érable 157
Succulente sauce tomate 158
Tartinade et sauce aux noix de cajou 159
Pain indien 160
Sauce parfaite aux arachides. 161
Croustilles de chou frisé (*kale*) 162
Trempette à l'aubergine grillée 163
Houmous citron et ail. 164
Houmous et haricots noirs 165
Houmous Buffalo 166
Choux de Bruxelles rôtis. 167

Desserts
Brownies aux haricots noirs 168
Mousse au chocolat et à l'avocat. 169
Parfait à la patate douce 170
Biscuits avoine, épeautre, et lin 172

DEUXIÈME PARTIE : COURIR VÉGÉ. **173**
CHAPITRE 6 : Apprendre à aimer courir. 175
Vous, marathonien ? 176
Comme un bon vin... 177
Encadré « Le régime végé pour les culturistes » par Ed Bauer 178
Définir votre objectif 179
Trop, c'est comme pas assez 180
Encadré « devenir triathlonien végétalien, une étape à la fois »
par Tina Žigon 182
Petite mise en garde. 183
Prenez des décisions 185
Fixez-vous un objectif ambitieux 186
1. Écrivez vos rêves. 186
2. Établissez un échéancier pour chaque objectif. 187
3. Encerclez trois objectifs pour l'année 187

4. Précisez ces trois objectifs 187
5. Passez à l'action 188

CHAPITRE 7 : Faire de la course une habitude 189
1. Choisir un élément déclencheur quotidien 189
2. Commencer en douceur 190
   Encadré « Stimulez vos entraînements » par Erika Mitchener 191
3. Rendre l'activité agréable 192
4. Se récompenser 194
   Encadré « Mes premiers ultramarathons et *ironmans* 70.3 » par Tori Brook . . . 195
5. Se concentrer sur une seule habitude à la fois 197
   Encadré « Vous ne marcherez plus jamais » par Janet Oberholtzer 198
Les bases de la course 200
Courir pieds nus 200
   Bien courir en 3 points 202
      1. 180 pas à la minute 202
   Encadré « 180 foulées par minute » 203
      2. Toucher le sol avec le milieu du pied 204
      3. Se pencher vers l'avant à partir des chevilles 205
   Encadré « Commencer à courir pieds nus » par Leo Babauta 206
Trouver sa façon de courir 208
Bien respirer 209
Commencer l'entraînement 209
   Pour les coureurs néophytes 210
   Pour les coureurs réguliers 211

CHAPITRE 8 : Techniques d'entraînement avancées 213
Changer d'intensité 213
   Travailler la vitesse 214
   Encadré « Principes de base sur piste » 215
   Le Fartlek : une alternative à la piste 216
   L'entraînement en paliers (Cadence) 216
   La course d'endurance 217
   Encadré « Courir sur sentier » 219
Pratiquer le *cross-training* 222
   1. Des exercices de musculation 223
   2. Des entraînements de faible intensité 223
   3. Des entraînements de forte intensité 224
   Encadré « Pour ou contre les étirements » 224
Faire le plein d'énergie 225
   Avant l'entraînement 226
   Encadré « Les glucides : un carburant durable » par Adam Chase 227
   Manger et boire pendant les entraînements 228

Encadré « Évoluer harmonieusement en tant que coureur végé »
par Greg Watkins. 230
Récupérer après les entraînements. 232
Encadré « ne courez jamais le ventre vide » par Hillary Biscay 233

CHAPITRE 9 : La première course **235**
Encadré « *Ironwoman* en 20 mois » par Susan Lacke 237
Quatre programmes d'entraînement. 240
Les séances d'entraînement 241
Facile 241
Fartlek (uniquement pour le programme de 10 kilomètres). 241
Intervalle A 242
Intervalle B 242
Cadence A. 242
Cadence B. 243
Dénivelé A 243
Dénivelé B. 243
Endurance 244
Cross-training. 244
Rouleau de mousse 244
Utiliser les programmes d'entraînement 245
Encadré « Faut-il s'entraîner sur 10 km entre un 5 km et un demi-marathon ? » 245
Que faire si vous manquez une séance d'entraînement ? 246
Des programmes comme des feuilles de route 246
Ajuster les programmes d'entraînement 247
Encadré « Devenir un végétalien culturiste » par Robert Cheeke 249
Le marathon et l'ultramarathon 251
Le programme d'entraînement au 5 km 252
Programme 5 km 253
Le programme d'entraînement au 10 km 254
Programme 10 km 255
Les programmes d'entraînement au demi-marathon. 256
Si vous ne courez pas 5 kilomètres 256
Le programme pour augmenter le kilométrage 256
À propos des programmes. 258
Pour le « Marathon en forme » 259
Programme pour terminer un marathon 260
Programme marathon en forme 261
Passez à l'action ! 262

RESSOURCES **263**

REMERCIEMENTS **269**